W9-CKF-746

“Записки безумной оптимистки”

«Прочитав огромное количество печатных изданий, я, Дарья Донцова, узнала о себе много интересного. Например, что я была замужем десять раз, что у меня искусственная нога... Но более всего меня возмутило сообщение, будто меня и в природе-то нет, просто несколько предприимчивых людей пишут иронические детективы под именем «Дарья Донцова».
Так вот, дорогие мои читатели, чаша моего терпения лопнула, и я решила написать о себе сама».

Дарья Донцова открывает свои секреты!

Читайте романы примадонны иронического детектива Дарьи Донцовой

Сериал «Любительница частного сыска Даша Васильева»:

1. Крутые наследнички
2. За всеми зайцами
3. Дама с коготками
4. Дантисты тоже плачут
5. Эта горькая сладкая месть
6. Жена моего мужа
7. Несекретные материалы
8. Контрольный поцелуй
9. Бассейн с крокодилами
10. Спят усталые игрушки
11. Вынос дела
12. Хобби гадкого утенка
13. Домик тетушки лжи
14. Привидение в кроссовках
15. Улыбка 45-го калибра
16. Бенефис мартовской кошки
17. Полет над гнездом Индюшки
18. Уха из золотой рыбки
19. Жаба с кошельком
20. Гарпия с пропеллером

Сериал «Евлампия Романова. Следствие ведет дилетант»:

1. Маникюр для покойника
2. Покер с акулой
3. Сволочь ненаглядная
4. Гадюка в сиропе
5. Обед у людоеда
6. Созвездие жадных псов
7. Канкан на поминках
8. Прогноз гадостей на завтра
9. Хождение под мухой
10. Фиговый листочек от кутюр
11. Камасутра для Микки-Мауса
12. Квазимодо на шпильках
13. Но-шпа на троих

Сериал «Виола Тараканова. В мире преступных страстей»:

1. Черт из табакерки
2. Три мешка хитростей
3. Чудовище без красавицы
4. Урожай ядовитых ягодок
5. Чудеса в кастрюльке
6. Скелет из пробирки
7. Микстура от косоглазия
8. Филе из Золотого Петушка
9. Главбух и полцарства в придачу

Сериал «Джентльмен сыска Иван Подушкин»:

1. Букет прекрасных дам
2. Бриллиант мутной воды
3. Инстинкт Бабы-Яги
4. 13 несчастий Геракла
5. Али-Баба и сорок разбойниц

Дарья Донцова

Главбух и полцарства в придачу

Москва
ЭКСМО
2004

Иронический детектив

Глава 1

— Я очень люблю всех своих детей, но кое-кто из них ведет себя безобразно, — заявила Верка, откусывая громадный кусок от торта «Полет», который Олег по непонятной причине приволок вчера вечером.

Впрочем, слово «вечером» тут употреблено не совсем удачно, Олег, как всегда, заявился домой около часа ночи. Обычно мой муж на цыпочках прокрадывается к кровати и молча заползает под одеяло. В первый год после свадьбы я искренне полагала, что жизнь замужней женщины — это не только стирка, уборка, готовка, но и совместные походы с супругом в театр, кино, ресторан, зоопарк, в конце концов. Потом, сообразив, что Олег терпеть не может музыку, отчаянно скучает на любом спектакле, а в кино, пользуясь темнотой, просто засыпает, я не стала огорчаться. Что ж, моя богом данная вторая половина оказалась из домоседов, и пятьдесят женщин из ста поменяли бы с радостью своего «кота» и гуляку на моего тихого майора. Впрочем, к домоседам Куприн не имеет ровным счетом никакого отношения. Он трудоголик, целый день и часть ночи проводящий на службе.

Сначала я, наивная незабудка, пыталась бороться с привычкой мужа пропадать на работе по двадцать часов в сутки. Ну согласитесь, супруг, который лишь спит с вами на одной кровати, никак не может считаться образцом семьянина. Мне элементарно хотелось романтики, совместных ужинов, кофе в постель, милых подарочков, походов, ладно, не в театр, так хоть в супермаркет за продуктами или в магазин за тряпками.

Куприн с самым несчастным лицом, выслушав мои требования, бормотал:

— Да, конечно, ты совершенно права, сейчас же отправимся в кино.

Но стоило мне, подпрыгнув от радости, схватиться за уличную обувь, как раздавалась противная трель мобильного, муж вытаскивал трубку и отрывисто говорил:

— Да. Где? Когда? Выезжаю.

Услыхав в первый раз слово «выезжаю», я чуть не зарыдала от злости, во второй — разбила чайный сервиз, в третий — пошла на сеанс одна, в четвертый поняла: надеяться на что-то иное глупо. Потом было достаточно тяжелое в моральном плане время, когда я задавала себе вопрос: а зачем козе баян? Что же я получила в результате замужества? Зарабатываю я больше Куприна, всякие гвозди в квартире забиваю самостоятельно, умею водить машину, правда, плохо, не боюсь ходить вечером по улицам одна и вообще всю жизнь, начиная с трехлетнего возраста, решаю свои проблемы самостоятельно.

Иногда в моей душе поднимает голову зависть к тем женщинам, которым сначала помогали родители, а потом эстафетную палочку из их рук подхватил супруг. Вот, например, Нюся Богачева лет до двадцати пяти сидела за спиной у мамы, а затем в ее жизни появился Вовка. Боюсь, вы мне не поверите, но Нюся не умеет включать стиральную машину, впадает в ступор при виде пылесоса и в любой мало-мальски нервной ситуации хватает мобильный и кричит:

— Вовчик, меня тут до инфаркта довели, немедленно разберись!

Впрочем, завидовать Нюсе дело абсолютно зряшное, потому что так, как ей, больше никому не повезло.

Промучившись около шести месяцев, я внезапно поняла, что сама виновата в том, что моя семейная жизнь катится не по тем рельсам. А не надо было выходить замуж за сотрудника МВД. Кто мешал найти себе тихого писателя или научного работника? Вот такой муж по большей части сидел бы дома, водя ручкой по бумаге. Впрочем, другая моя подруга, Люся Кочеткова, имеет супруга-академика, который способен умереть от голода перед забитым под завязку холодильником.

В конце концов я решила принимать своего Куприна таким, каков он есть. И теперь моя жизнь протекает просто замечательно. Я пишу свои криминальные романы, а Олег занимается преступниками. Изредка мы пересекаемся, очень довольные друг другом. Правда, в издательстве уверены, что супруг подбрасывает мне темы для книг, но это не так. Олег изредка рассказывает о работе, но из этих историй нельзя сочинить даже самой завалященькой повести.

Теперь понимаете, почему меня до остолбенения удивил вчера Куприн? Во-первых, он пришел домой около шести, чего не случается даже под Новый год, во-вторых, Олег имел виноватый вид, а в-третьих, держал в руках картонную коробку, в которой оказался торт «Полет». Я, правда, терпеть не могу безе с жирным кремом, мне больше по вкусу простая вафельная «Причуда», но некоторые мужья не знают о пристрастиях своих жен. Олег очень редко приносит мне что-то вкусное.

Я взяла коробку и тут же подумала: «Интересно, что он натворил, если купил десерт?»

Но поговорить по душам нам не дали. Томочка и Кристина засуетились вокруг стола, Семен, тоже непонятно почему оказавшийся в неурочный час дома, поволок Куприна к компьютеру показывать новую игрушку...

Двухкилограммовое безумие из запеченных белков мы сразу осилить не смогли, я спрятала остатки торта в холодильник, и они очень пригодились сегодня, когда в полдень нежданно-негаданно заявилась Вера Клокова.

Когда-то мы учились в одном классе и в то время находились на диаметрально противоположных концах социальной лестницы. Я, безотцовщина, воспитываемая крепко пьющей мачехой-дворничихой, стояла в самом низу. Верка, дочь папы-профессора и мамы-актрисы, была наверху. Ее родители часто ездили за границу, и Вера притаскивала в класс всякие диковины типа ластиков с картинками, жвачек и шариковых ручек. А еще у нее было то, чего не имела ни одна девочка в нашей школе: кукла Барби со всякими прибамбасами, одеждой, домом, мебелью.

После школы наши пути разошлись, и довольно долгое время мы не встречались, хоть и жили неподалеку друг от друга. Столкнулись совершенно случайно, возле метро. Я, мужняя жена, автор одной, пока еще не опубликованной книги, была одета в симпатичную новую шубку из козлика, на Верке красовался довольно грязный пуховик.

Увидав меня, Клокова радостно завопила:

— Вилка! Пошли в гости!

Вот так я снова оказалась в знакомой квартире и была немало удивлена «пейзажем». Мебель оказалась сильно поцарапанной, ковры вытертыми, занавески обтрепанными. Но больше всего меня удивило, что у Верки пятеро детей, самому маленькому едва исполнился год, старший ходил в школу. Еще по комнатам бродило несколько собак, кошек и шмыгали какие-то тетки, одетые в серое, похожие на громадных мышей.

Не сумев скрыть удивления, я бестактно воскликнула:

— Веруська, зачем тебе столько наследников?

— Бог дал, — вздохнула она.

Следовало заткнуться, но я продолжила расспросы:

— Ты, похоже, тяжело живешь?

— Так пятерых на ноги ставить надо, — без особой радости в голосе ответила Клокова.

— Ну за каким чертом ты столько нарожала! — совсем уж бесцеремонно заявила я. — Произвести ребенка на свет нетрудно, но ведь его еще нужно в люди вывести, одеть, обуть, накормить, выучить. Вполне бы хватило двоих, ну троих.

Верка сморщилась.

— Чего уж теперь, на все воля божья.

Тут только до меня дошел смысл сказанной ею фразы, и я поинтересовалась:

— Ты теперь в бога веришь?

Вера помолчала и как-то неуверенно ответила:

— Ну да.

Я удивилась еще больше:

— Слушай, что с тобой случилось?

Внезапно глаза Клоковой наполнились слезами.

— Ничего.

— Может, я могу тебе чем помочь?

Верка зашмыгала носом, а потом рассказала про свою жизнь. Ее родители умерли, а она, испугавшись остаться одна, выскочила замуж за первого, кто предложил ей руку и сердце, приятного, застенчивого Ивана. Лишь через четыре года после свадьбы, когда Верка, поняв, что беременна третьим ребенком, решила сделать аборт, она узнала, что муж является членом некой церковной организации под названием «Заветы Христа». Ничего плохого в этом объединении не было, его участники конфликтовали с русской православной церковью по теологическим вопросам, но и только. В обычной жизни они жили по тем же заповедям: не убий, не укради, не прелюбодействуй, чти своих родителей...

В «Заветах Христа» никто никого не обманывал, денег не вымогал, не заставлял переписывать на главаря секты имущество, голодом не морил, и Верочке сначала показалось, что ее муж просто член какого-то клуба по интересам. Ну собираются же на тусовки охотники, рыболовы, филателисты... Вот и Ваня тоже ходит на собрания, где, кстати говоря, ничему плохому не учат, в «Заветах Христа» все мужчины были поголовно трезвенниками, не курили и об измене жене не помышляли. Единственное неудобство было в том, что Иван категорически запрещал Вере делать аборты.

— Сколько детей господь даст, столько и воспитывать станем, — решительно говорил он.

Вера сначала приводила простые аргументы, типа: «Нам не прокормить ораву» и «Ну зачем же столько ребятишек?» Но Иван был непреклонен. Может, следовало с ним сразу развестись, но Вера, во-первых, не хотела оставаться одна с двумя уже имеющимися детьми, а во-вторых, она все же не теряла надежды переубедить супруга.

Но ничего не вышло, она произвела на свет третьего, четвертого, пятого... А потом у Ивана умер отец, и свекровь переехала на квартиру к невестке. С собой она привезла двух незамужних дочерей и свою сестру-вдову. Вере, обремененной кучей детей, было просто некуда деваться, да и что она могла сказать супругу? Верушка не работала, сидела дома, зависела целиком и полностью от Ивана. Муж, правда, не вредничал, старался как мог, не препятствовал приходу в дом ее подружек, даже изредка дарил жене подарки, только жила многодетная семья очень и очень бедно. Фактически добытчиком был один Иван. Вера не могла выйти на службу, она постоянно находилась то в процессе вынашивания, то выкармливания очередного младенца. Свекровь получала копеечную пенсию, остальные родственницы тоже имели жалкие доходы.

С тех самых пор наши взаимоотношения возобновились. Я стала отдавать Верушке вещи, из которых выросла Кристина, дочка Томочки, их донашивала девочка Клоковой. И вообще, я по сравнению с Веркой оказалась просто богачкой, потому что имела стабильный доход, машину и могла себе позволить не ходить за продуктами на оптушку, чтобы выгадать пятьдесят копеек при покупке пакета молока.

Верка теперь часто бывала у нас, иногда вместе с ней приходил кто-нибудь из детей, и я постоянно путала их, гадая, кто же сегодня заявился вместе с мамой: Леша, Сережа или Андрюша? Мальчишки уродились похожими, словно волосы на голове.

Но сейчас Вера прибежала одна, жадно накинулась на торт, и я поняла: она опять беременна.

— Ага, — кивнула Вера, увидав в моих глазах невысказанный вопрос, — давай не будем комментировать ситуацию.

Я кивнула. Действительно, какой смысл? Окажись я сама в таком положении, ни за что бы не стала превращаться в родильную машину, просто купила бы противозачаточные пилюли и тайком пила бы их. А начни муж удивляться, отчего не появляются наследники, спокойно бы ответила ему: «Господь не дает».

Я считаю, что врага нужно бить его же оружием. Но Вере, очевидно, ее семейная жизнь пришлась по душе, раз столь простой выход из ситуации не пришел ей в голову.

— Слышь, Вилка, — озвучила наконец цель своего визита Вера, — помоги мне.

Я кивнула:

— Хорошо. А что надо делать?

Честно говоря, я ожидала услышать просьбу о деньгах, но Вера сказала совсем другое:

— Надо Андрюшку в Ломтевку отвезти на лето. Знаешь, я люблю всех своих детей, но кое-кто из них ведет себя безобразно. Андрей постоянно хулиганит, ему в голову приходят жуткие вещи! Я от него просто устала.

— Отправь его в лагерь.

— Дорого, где денег взять? Слава богу, у свекрови брат живет в Ломтевке, он из Андрея обещал за три месяца человека сделать.

— Ну а я тут при чем?

Верка молитвенно сложила руки:

— Отвези его в Ломтевку.

— Это где? — напряглась я.

— Да тут, не очень далеко. На поезде доедете до Вязьмы.

Мне стало нехорошо. Вязьма? Это где же такая?

— Близко совсем, — принялась ободрять меня Вера, — всего-то четыре часа езды!

— А потом оттуда далеко? — осторожно поинтересовалась я.

— Так никуда дальше не надо! — воскликнула Вера. — Его дядя Костя прямо на платформе встретит. А ты сядешь в обратный поезд, он там через полчаса идет, и поедешь в Москву.

Я попыталась мысленно найти аргументы для отказа, но, как назло, ничего достойного на ум не пришло. Верка увидела мои колебания и удвоила усилия:

— Ну, Вилка, что тебе стоит? Завтра суббота, день свободный.

— Я работаю дома, — стала отбиваться я, — пишу книги, мне без разницы: воскресенье, понедельник...

Веркины глаза налились слезами.

— Вилка! Ну помоги! Ей-богу, больше попросить некого. Одного Андрюху не отправить, он поезд на части разберет, Иван в командировку ускакал, маменька его и сестрички ни за что задницы от стульев не оторвут. А если я сама в Вязьму тронусь, то кто же за другими детьми приглядит... И потом, тошнит меня, в поезде просто с ума сойду!

Делать нечего, пришлось соглашаться. Обрадованная Верка наградила меня поцелуем и принялась доедать торт. Я же, стараясь скрыть раздражение, сновала между мойкой, плитой и холодильником. В душе отчего-то нарастала тревога. Конечно, я отвезу Андрюшу в Вязьму, но чует мое сердце, добром эта поездка не закончится.

Глава 2

Если что-то не заладится с самого начала, нечего и думать о том, что дальнейшие события станут развиваться нормально. В отношении меня это правило срабатывает на все сто. Если утром, выходя из дома, я падаю, то до полуночи буду влипать во всякие неприятные ситуации.

Путешествие в Вязьму началось с отнюдь не радостного известия: поезд уходил поздно вечером, около двадцати двух часов, в пункт назначения он прибывал в районе двух утра, то есть ночи. Но это еще полбеды.

Подлинным несчастьем оказался Андрюша. Очень худенький, если не сказать тощий, слишком мелкий для своего возраста, он фонтанировал энергией и фантастическим образом умудрялся оказываться одновременно в трех местах. При этом парнишка ни на секунду не замолкал.

Сначала он носился по коридору, бесцеремонно заглядывая во все купе, потом повис на проводнице, требуя немедленно объяснить ему принцип действия титана, затем начал карабкаться по лесенке на верхнюю полку и тут же сигать вниз. Разговаривал он громким, въедливым голосом и совершенно не обращал внимания на то, что наши соседи пытаются заснуть. Мне было очень неудобно перед ними, и я пыталась хоть чуть-чуть пригасить активность Андрюши. Куда там! На мои тихие просьбы спокойно посидеть на месте противный мальчишка корчил рожи и орал:

— Не хочу!

Когда наконец мы добрались до места, я была доведена почти до отчаяния и впервые в жизни порадовалась тому, что не имею собственных отпрысков. Если я всего за пару часов общения с мальчишкой практически потеряла разум, то что же со мной случится, коли получу подобное сокровище навсегда?

Когда поезд подошел к перрону, я перепугалась до одури: а вдруг этот дядя не приедет за парнишкой и мне придется тащить его назад?

Но родственник Верки не подвел. Не успела проводница с грохотом опустить чугунную лестницу, как в неровном свете фонаря возникла коренастая фигура в спортивном костюме.

— Давай басурмана, — пробасил мужик.

Мысленно перекрестившись, я выдала ему мальчика и потрепанный рюкзачок с вещами.

— Пить хочу, — завел Андрюша.

— Потерпи, — коротко велел дядя.

— А-а-а... пить!

Мужик со всего размаха залепил пареньку затрещину. Андрей от изумления замолчал, потом взвизгнул и попытался лягнуть обидчика. В ту же секунду он получил вторую оплеуху, а потом дядька, ухватив капризника за шкирку, встряхнул его и заявил:

— Я два раза не повторяю, понял?

К моему огромному удивлению, Андрей молча кивнул.

— Вот и хорошо, — одобрил мужик, — вот и славно, пошли. А вы бегите к кассе, через десять минут состав на Москву придет.

В состоянии, близком к эйфорическому, я понеслась за билетом и через пару мгновений узнала совершенно ужасную новость: мест в скором поезде нет. Решив не отчаиваться, я дождалась состава и стала бегать вдоль вагонов, упрашивая проводников взять меня без проездного документа, естественно, за деньги.

Но хмурые тетки в форменной одежде только мотали головами, наконец одна, понизив голос, сказала:

— И не пытайся, никто не посадит.

— Да почему? Ведь не Христа ради прошусь! У меня есть деньги.

— Ревизоры у нас, — вздохнула проводница, — шерстят почем зря. В другой поезд толкнись, утром.

Я снова пошла к кассе. Сонная девушка потыкала пальцем в кнопки и сообщила:

— Есть только одно место, поезд Прага—Москва, спальный вагон, купе люкс, двухместное, дорого. Берете?

А что оставалось делать? Не сидеть же на вокзале до морковкиного заговенья? Тихо радуясь, что Томочка заставила меня на всякий случай взять с собой большую сумму денег, я выгребла купюры из кошелька и стала счастливой обладательницей билета.

Не успела я войти в купе, как лежащая на нижней полке девушка удивленно спросила:

— Что вам надо?

Слегка удивившись ее хамству, я спокойно ответила:

— Извините за беспокойство, мое место двенадцатое.

— Не может быть!

— Почему? Вот билет. Я ваша соседка до Москвы.

— Это невозможно, убирайтесь.

— С какой стати? Я купила билет и имею ровно столько прав на это купе, как и вы!

Высказавшись, я решила сесть на свою полку и тут только увидела на ней, в самом углу, маленького ребенка, лет трех, не больше, сидевшего в обнимку с куклой.

— Это безобразие! — рявкнула девица и вылетела в коридор.

Мы с девочкой остались одни. Испугавшись, что она сейчас начнет плакать, я улыбнулась.

— Меня зовут тетя Виола, а тебя?

— Маша, — четко, совершенно по-взрослому ответила девочка, — Маша Попова.

Короткий халатик задрался выше талии, и я увидела на внутренней стороне бедра девчушки крупное родимое пятно странной формы.

— Сколько же тебе лет?

Она подумала, потом сказала:

— Четыре года.

— И куда же ты едешь?

— В Москву, к бабушке.

— Ты в Праге живешь? — продолжала я расспросы, но тут в купе ворвалась девица вместе с двумя проводниками, мужчиной и бабой. Началось разбирательство.

Изучив билеты, проводник спросил:

— Виола Ленинидовна Тараканова кто?

Я помахала рукой.

— Следовательно, вы Елизавета Семеновна Марченко с дочерью Марией Поповой?

— Ну и дальше что? — разъярилась девица. — Я купила все купе и не хочу, чтобы нам мешали.

Проводник покачал головой:

— Нет, у вас одно место, второе детское, на ту же полку.

— Не может быть! Я же всю дорогу ехала без соседей!

Мужчина в фуражке развел руками:

— Случается такое, а в Вязьме продали на полку билетик. Гражданочка Тараканова, располагайтесь.

— Я этого так не оставлю, — прошипела девица, — Машка, слезай!

— Не надо, — я попыталась наладить контакт с фурией, — я не собираюсь ложиться спать, девочка совершенно мне не мешает, пусть себе сидит.

Но Елизавета молча перетащила несопротивляющегося ребенка на свое место.

— Спать пора, — коротко приказала она.

— Не хочу, — неожиданно закапризничала Маша, — не хочу без сказки.

Черные, бездонные глаза ребенка наполнились слезами, вьющиеся темные волосы рассыпались по плечам. Смуглая девочка походила на цыганочку и была очень хорошенькой.

— Ложись, — не дрогнула мать.

— Дядю Рому позови, он мне сказку расскажет.

— Потом. Вот приедем к бабушке, тогда дядя Рома и почитает тебе книжку.

— Сейчас!!! Хочу сейчас!

— Дядя Рома спит в соседнем купе, завтра его увидишь, — попыталась унять истерику Елизавета.

— Правда? — всхлипывала Маша. — Дядя Рома тоже едет? А моя бабушка хорошая?

— Конечно!

— Почему дядя Рома не с нами?

— Ему билета не хватило, видишь, там тетя сидит!

— У-у-у, противная! — заныла Маша.

Елизавета порылась в сумочке, достала голубенькую таблеточку, разломила ее и дала дочери:

— На!

Девочка безропотно съела лекарство и, мгновенно успокоившись, легла.

Я тоже вытянулась на полке и повернулась лицом к стене. Неожиданно меня сморил сон. Вагон мерно покачивался, в купе работал кондиционер, время было позднее.

Чья-то легкая рука тронула меня за плечо. Я подскочила и ударилась головой о сетку, в которой лежало полотенце.

— Испугала вас? — улыбнулась проводница. —

Поднимайтесь потихонечку, скоро Москва. Разбудите свою соседку.

— Может, сами ее толкнете? — зевнула я. — Мне, честно говоря, не очень хочется с ней связываться.

Проводница тяжело вздохнула, повернулась и сурово сказала:

— Гражданочка, поднимайтесь, поезд приближается к Москве.

Противная Елизавета, очевидно, крепко спала и поэтому не слышала призыва проводницы. Голову Елизавета прикрыла одеялом, девочки на полке не было. Очевидно, когда я заснула, мать отвела ребенка к некоему Роману, который ехал в соседнем купе, небось хотела спокойно выспаться. Вон как крепко дрыхнет! Впрочем, часы показывали шесть утра, большинство людей в это время привыкли мирно сопеть в подушку.

— Эй, — повысила голос хозяйка вагона, — просыпайтесь!

Но молодая женщина не реагировала.

— Вы ее потрясите, — мстительно предложила я.

— Такая скандальная, — задумчиво протянула проводница, — вон бригадира поезда потребовала. А с какой стати? Чего хотела? Билет у вас есть, в чем проблема? Эй, гражданочка! Поднимайся!

Я встала, протиснулась мимо проводницы, вышла в коридор, сбегала в туалет, умылась, попыталась пригладить торчащие дыбом волосы и побрела назад.

Я редко выезжаю из Москвы, а в таком вагоне вообще очутилась впервые. Он был явно не российского производства. Коридоры тут оказались у́же, чем в наших поездах, купе меньше, зато туалет совершенно замечательный, вакуумный, как в самолете, и хирургически чистый. Мое место находилось посередине вагона, и проводница до того, как подняла меня, должна была разбудить уже половину пассажиров, но за закрытыми дверьми стояла могильная тишина, и в коридоре никого не было с полотенцем на плече. Вагон мирно спал, люди оттягивали минуту пробуждения. Я спокойно шла мимо окон, и тут вдруг раздался надрывистый крик:

— Ой, мамочка, господи, спасите!..

Я ринулась было вперед, но тут из моего купе вылетела растрепанная проводница и, воя, словно сирена, понеслась в противоположную от меня сторону.

Я тяжело вздохнула и остановилась перед приоткрытой дверью. Наверное, скандальная Елизавета Семеновна ударила проводницу или сказала ей редкостную гадость.

До прибытия поезда в Москву оставалось примерно двадцать пять минут. Надо бы выпить чаю. В конце концов я заплатила бешеные деньги за проезд и имею полное право на сервис. А чаю очень хочется, крепкого с лимоном.

Я заглянула в купе. Елизавета мирно лежала, повернувшись лицом к стенке, похоже, она и не собиралась вставать. Я вошла. Ну куда подевалась проводница? Не успела я об этом подумать, как на пороге возникла группа людей, одетых в форменную одежду: двое мужчин и женщина. Увидев проводницу, я обрадовалась и спросила:

— Можно стакан чая? С лимоном?

Она уставилась на меня и заморгала, а один из мужиков вдруг поинтересовался:

— Вы соседка?

— Чья?

— Вот этой.

— В каком смысле?

Дядька потоптался на месте.

— Вместе ехали?

— Нет, я в Вязьме села, она уже тут была и оказалась очень недовольна моим появлением. Простите, но, кажется, я имею право на чай?

— Люся, — сердито приказал дядька, — отведи эту в служебку и напои!

И тут я по-настоящему возмутилась:

— Еще чего! С какой стати мне пить чай в вашем отсеке? Я купила билет на законных основаниях...

— Девушка, — прервал меня мрачно молчавший до сих пор парень, — вам дадут замечательный чай, а может, хотите кофе? Не тот, что пассажирам предлагают, а наш, Люся сделает, да, Люсенька?

Баба оторопело кивнула и попыталась ответить, но из ее рта вырвался звук, напоминающий кваканье молодой лягушки, подзывающей самца.

— У Люси и сливочки есть к кофейку, вкусные очень, жирные, и булочки с маком. Вы идите в служебку, — продолжал соблазнять меня парень.

А что? Выпить кофе совсем неплохо, тем более после почти бессонной ночи. Я решила было пройти вперед, но тут увидела, что на лице более старшего мужчины мелькнуло странное выражение, смесь облегчения с испугом, и моментально остановилась. Минуточку, с какой это стати сюда заявились трое проводников, один из которых бригадир поезда? Я узнала его, он несколько часов назад пытался усовестить скандальную Елизавету. И почему меня столь упорно приглашают на территорию, которая не предназначена для пассажиров? Отчего вдруг решили угостить «своим» кофе, а не растворимой бурдой? Рассчитывают на чаевые? Но я не похожа на «новую русскую».

Внезапно я почувствовала страх. А вдруг это бандиты? Переоделись в форму и теперь заманивают меня в укромное место...

— Никуда не пойду, — сурово заявила я, ринулась в купе и села на свою полку, — хоть убейте. Вернее, убивать меня нельзя. Вас тут же поймают! Имейте в виду, мой муж, Олег Куприн, является майором милиции. Он сейчас стоит на перроне, с цветами, ждет жену, я ему звонила и сообщила номер вагона и место. Представляете, что он предпримет, обнаружив мое отсутствие?

Сами понимаете, что я наврала с три короба. Олег никогда не станет маячить на перроне с букетом, ему и в голову не придет купить розы. Даже не знаю, что должно произойти, чтобы он кинулся за цветами. Естественно, никаких телеграмм я не отправляла...

— Ваш муж служит в милиции? — заинтересовался вдруг бригадир.

— Да, он занимается особо важными преступлениями, убийствами например.

Неожиданно проводница опять завопила, как трехлетний ребенок, у которого отняли конфету, а потом побежала по коридору.

— Ну раз у вас супруг милиционер, — вздохнул парень, — тогда... в общем... ваша соседка умерла. Пройдите в служебное купе. Вам придется задержаться после прибытия поезда, так как вы являетесь свидетелем.

— Ч-чего? — прозаикалась я.

— Всего, — ответил юноша.

— Но она просто спала! Как — умерла? Вы шутите? Ну-ка, потрясите ее за плечо!

— Пройдите к проводнику, — устало сказал бригадир.

Боже, какой ужас! Умерла?! О нет. Бедная женщина, такая молодая, дочка совсем крошка! А муж? Он знает? Вроде он едет в соседнем купе. Как его зовут... Роман!

— Пойдемте, — потянул меня бригадир.

Я послушно двинулась за ним.

— Зонтик забыли, — заботливо напомнил молодой человек.

— Это не мой, — прошептала я.

— А кофточка голубенькая ваша?

— Да, — обалдело выдавила я.

— А белая сумочка и книга «Смерть в водовороте»?

— Да.

— Браслетик серебряный, часики?

— Да.

— Сейчас все в сумочку засуну, — засуетился молодой проводник, — и принесу, вы пока с Ильей Сергеевичем, с нашим бригадиром, ступайте.

Плохо понимая, что к чему, я добрела до служебного купе, где мне налили стакан замечательного, не растворимого кофе, наплескали туда сливок и дали булочку с маком.

— Вы ешьте, — улыбнулся бригадир.

— Отчего она умерла? — прошептала я, глядя на булку.

— Ну... кто ж так скажет, — вздохнул Илья Сергеевич, — может, сердце больное... пейте кофеек, он вкусный.

Тут поезд дернулся и остановился. В купе заглянул молодой проводник и поставил на полку мою сумку.

— Не волнуйтесь, — сказал он, — там все внутри, и кофточка, и книга.

— Спасибо.

— Милиция уже тут, долго не задержитесь, —

подхватил Илья Сергеевич, — хотите, пойду вашего мужа позову, он с коллегами живо разберется.

Я быстро засунула в рот булку и сделала вид, что поглощена едой, но бригадир все понял. Усмехнувшись, он ушел.

Милиция не заставила себя ждать. Слегка заспанный сержант повел меня куда-то в глубь вокзала, путь наш лежал по длинным, изгибающимся коридорам, и на пятом повороте я перестала запоминать дорогу.

Затем пришлось сидеть у обшарпанной двери, тихо закипая от злости. Когда я дошла почти до изнеможения, ерзая на жестком деревянном сиденье, появился кабанообразный капитан, лысый, потный, в мятой рубашке и таких же брюках.

— Входите, — мрачно предложил он, впуская меня в кабинет, больше похожий на клетку для хомячка, чем на служебное помещение.

Хотя это я зря. Ни один уважающий себя хомяк не станет проживать в пеналообразном помещении со стенами, выкрашенными темно-синей краской, и окнами, покрытыми слоем грязи толщиной более сантиметра, который имеет обыкновение отваливаться без помощи уборщицы.

Глава 3

Узнав мои паспортные данные, капитан сурово сдвинул густые брови и спросил:

— Чегой-то вы, Виола Леонидовна, всех своим мужем майором пугаете?

— Я?

— Вы.

— И не думала даже. Просто сказала проводникам, что Олег служит в милиции.

— Зачем?

— Ну... просто так.

— Нехорошо, Виола Леонидовна. Вам супруг тут не поможет. У него свое ведомство, у нас наше. И потом, закон для всех один. Думаете, жене майора все можно? Нет уж! Правов у ей столько же, сколько и у моей жены!

Я снова разозлилась:

— Во-первых, вы неправильно произносите мое отчество. Не Леонидовна, а Ленинидовна. Во-вторых, давайте сразу уточним: кто я — свидетель или задержанная? Во втором случае я имею право на один телефонный звонок и в отсутствие адвоката не скажу более ни слова.

— Вот те мишкин мед! — неожиданно крякнул капитан. — Умные все стали, прямо страсть! Адвокат, муж-майор... Да никто вас не виноватит. На вопросы ответьте — и свободны! Чего тянете?

— Так вы пока ничего и не спрашивали.

— Ехали вместе с Елизаветой Семеновной Марченко?

— Только от Вязьмы, я там села.

— И чего она рассказывала?

— Да ничего.

— Молчала?

— Нет, ругалась с проводниками. Хотела ехать одна с дочерью в купе, а тут я появилась.

— Понятненько. Значит, вы совсем незнакомы?

— Нет.

— А вот врать не надо! — вдруг громко воскликнул капитан.

— Вы о чем?

— О том, что вы отлично знали гражданку Марченко!

— Вовсе нет. Мы никогда не встречались.

— Вообще?

— Конечно.

— Не виделись ни разу?

— Да, представьте себе! В Москве проживает несколько миллионов человек, со всеми познакомиться просто невозможно!

— Не умничайте, — нахмурился капитан.

— С чего вы взяли, будто мы с несчастной женщиной были знакомы?

Капитан шумно вздохнул, потом спросил:

— Вы проживали в свое время на Горской улице?

— Да, еще до замужества. Жила с младенчества, потом переехала.

— Интересно, — сказал капитан, — чем же ваш майор занимается, если новую квартиру приобрел? Вот я взяток не беру, потому и сижу в общаге уж который год, и не вылезти мне из ей, а у некоторых майоров цельные апартаменты. Небось три комнаты...

— Больше, — злобно ответила я.

Между прочим, это чистая правда. Мы живем вместе с Тамарой, Семеном, Кристиной и Никиткой. Жилплощадь приобреталась в основном Семеном, который в то время находился на гребне удачи. Его бизнес, пара газет и журнал, достиг расцвета и начал приносить стабильный доход. Мы же с Олегом вложили средства, полученные от продажи наших квартир. До женитьбы и он, и я имели скромные норки. У Олега была однокомнатная, находившаяся на первый взгляд в удобном месте, в двух шагах от метро «Баррикадная». Но окна дома выходили прямо на зоопарк, и спать в этом здании никто не мог. Звери просыпаются рано, около пяти утра, большинство из них начинает требовать завтрак, оглашая округу недовольным ревом. Вы не поверите, если я расскажу, какие звуки способны издавать умилительные макаки, очаровательные мишки и интеллигентные пингвины. Кровь стыла в жилах, поэтому Олегу приходилось по большей части держать окна плотно закрытыми.

У меня же была «хрущоба», отчего-то именовавшаяся двухкомнатной. Лично я совершенно не понимаю, с какой стати крохотную нишу площадью в семь метров следует считать жилой. Но тем не менее по бумагам получалось, что Виола Тараканова имеет аж две комнаты. Жили мы вместе с Томочкой вполне спокойно, пока в нашей судьбе не произошли кардинальные изменения. Но я об этом уже рассказывала и повторяться не хочу[1]. Скажу только, что в результате всех пертурбаций нам достались две квартиры на одной лестничной клетке. И у нас теперь куча жилых помещений. Но об этом капитану знать не надо, пусть умрет от зависти.

— Офигеть можно, — покраснел кабан.

Потом спохватился и рявкнул:

— Жили на Горской? Не вздумайте скрывать!

— Зачем мне утаивать сей факт? — изумилась я. — Да и штамп старой прописки в паспорте стоит, вы же его видите!

— Глупо запираться, — согласился капитан, — и эта на Горской живет.

— Кто?

— Елизавета Семеновна Марченко. Во, глядите.

И показал мне бордовую книжечку, раскрытую на нужной страничке. Я машинально кинула взгляд на строчки, сделанные четким, почти каллиграфическим почерком: «Горская улица, дом 4, кв. 83».

---

[1] История жизни Виолы Таракановой описана в книге Дарьи Донцовой «Черт из табакерки».

— Ну и что? — удивилась я.

— Как это? Вы жили в двух шагах друг от друга и не встречались?

— Ну, если вы обратили внимание, мой адрес — дом семьдесят девять. Горская улица длинная. Действительно, странное совпадение. Только Елизавета проживала почти на проспекте имени Остапова, а я в противоположной стороне, возле рынка.

— Все равно небось встречались.

Я посмотрела в толстое, глупое лицо капитана, «украшенное» мелкими мышиными глазками. Ну не идиот ли он?

— По вашей логике получается, что все жители Ленинского проспекта, который тянется от Октябрьской площади до Московской кольцевой дороги, должны быть знакомы друг с другом? Или те, кто прописан по Тверской?

— Умные все стали, — закряхтел кабан, — значит, ничего сообщить по сути задаваемых вопросов не могете?

— Не могу.

— Ладно, ступайте, понадобитесь — вызовем.

— А что случилось с Марченко? — поинтересовалась я. — Сердце?

Кабан пошуршал бумагами.

— Выстрелили в нее.

— Мамочка! — ужаснулась я.

— Ступайте, — огрызнулся мент, — нечего любопытничать.

Не сказав этому свину в милицейской форме «до свидания», я выскочила в коридор и полетела домой. Представляю, как сейчас будет ругаться Олег. Часы показывали девять часов утра.

Открыв дверь, я на цыпочках прокралась в спальню и увидела нашу кровать. Моя сторона аккуратно накрыта покрывалом, слева, где обычно спит Олег, нет никого.

Я с удивлением осмотрела комнату. Однако странно. Обычно Куприн не утруждает себя уборкой постели. Сегодня же ровно натянул плед и положил на место подушку.

В полном недоумении я пошла в ванную и нашла там на веревке рубашку Куприна, выстиранную и уже сухую.

Было от чего прийти в изумление. Как правило, Олег запихивает грязное белье в бачок, а я, когда гора начинает подпирать потолок, засовываю ее в стиральную машинку. Гладит у нас, правда, Томочка. Меня этот процесс способен довести до депрессии. А Тамара включает телевизор и спокойно принимается за дело. Зато я привожу продукты и оттаскиваю в прачечную тяжелые тюки с пододеяльниками, простынями и полотенцами. Так что все по-честному.

Потрогав сорочку мужа, я вышла на кухню, увидела Тому и спросила:

— Кофе есть?

— Давай налью, — засуетилась она, — как съездила?

— Ужасно, — честно призналась я и начала рассказывать о своих приключениях.

Тамарочка, забыв про недомытую посуду, стала охать и ахать. Я, размахивая руками, плела нить повествования. И тут раздался телефонный звонок.

— Виола? — донеслось из трубки.

— Слушаю.

— Мне нужна Тараканова.

— Это я.

На том конце провода раздалось легкое покашливание.

— Вы любите своего мужа?

— Что за идиотизм, — прошипела я и швырнула трубку.

— Случилось что-то? — озабоченно поинтересовалась Томуська.

— Какая-то кретинка звонила, — рявкнула я, — телефонная хулиганка. Встречаются такие негодяйки, покупают телефонную базу и ну людям голову морочить.

Снова раздался звонок.

— Давай отвечу, — ринулась к столу Тамара.

Но я уже успела схватить трубку.

— Да!

— Не отсоединяйтесь, пожалуйста, — сказал тот же голос. — Я хочу вам добра.

— В каком смысле? — напряглась я.

— Ваш муж Олег Куприн завел себе любовницу, профурсетку Лесю Комарову, — зачастила «доброжелательница». — Имейте в виду, Леся не замужем и явно наметила отбить у вас супруга.

Я не успела даже слова сказать, как из трубки понеслись короткие, частые гудки. Наверное, на моем лице отразилось некоторое изумление, потому что Тома насторожилась и воскликнула:

— В чем дело?

— Бред.

— А поточнее?

— Некая дама сообщила, что Олег якобы завел любовницу. Вот ведь ерунда! Куприн — и измена! Смешнее и не придумаешь. Да у него все время уходит на работу!

Не в силах удержаться, я рассмеялась. Честно говоря, не ожидала, что Томочка воспримет всерьез заявление какой-то балбески. Я сама в детстве баловалась такими звонками, просто мои шутки были не такими злыми. Оставшись одна дома, набирала первые попавшиеся цифры и, услыхав «алло», спрашивала:

— Добрый день, беспокоят из домоуправления, вам унитаз нужен?

В большинстве случаев люди, не ожидавшие подвоха, мирно отвечали:

— Нет.

— Замечательно, — продолжала я, — тогда мы сейчас придем и заберем его.

Кстати, Томуська тоже принимала участие в этих забавах. Мы страшно веселились, слушая, как мужчины, поняв, что их одурачили, начинают материться, а женщины грозятся выпороть проказниц ремнем. Во времена нашего с Томочкой детства никто и не слыхивал об определителях номера, поэтому шкодничать можно было практически безнаказанно. Но мы никогда не творили откровенные гадости, не вызывали к кому-нибудь на дом милицию, «Скорую помощь» и пожарных, просто разыгрывали людей. Очень хорошо помню, как мы напугали неизвестную тетку, прикинувшись ее провинциальными родственницами.

— Тетенька, — верещала я в трубку, — неужто нас не помните? Галька и Танька. Из деревни мы, к вам приехали пожить, месяца на четыре.

— Да ну? — дрожащим голосом спросила несчастная.

— Ага, — подтвердила я, — гостинцы у нас, кабанчик живой.

— Живой?! — ужаснулась бедняга.

— Именно, — продолжала я, показывая кулак хихикающей Томочке, — живее не бывает.

— Господи, — пролепетала бедная, очевидно, интеллигентная незнакомка, — что ж мне с ним делать?

— Ветчину и тушонку, — подсказала я.

— Боже?! — воскликнула несчастная. — С ума сойти.

— Не волнуйтесь, — «успокоила» я жертву розыгрыша, — с нами дядя Ваня приехал, он кабанчика прирежет в ванной, колбасу сделает, будете ее потом до зимы есть. Специально подсвинка живьем приволокли, чтоб мясо по дороге не стухло. Вы за нами к десяти вечера на вокзал приезжайте, у самого входа встанем, мигом узнаете: дядя Ваня два метра ростом, мы с Танькой тоже здоровые, а кабан в мешке визжит.

— Почему к десяти? — только и сумела вымолвить вконец замороченная тетка. — Сейчас же два часа дня!

— Так дядя Ваня с Танькой в баню потопали, — выдала я, — вши у них, хотят от паразитов избавиться, а то чесаться надоело.

До сих пор не знаю, поехала ли ни в чем не виноватая женщина на Курский вокзал и как долго она там разыскивала здоровенного мужика с двумя подростками и верещащей свиньей. Надеюсь, что у нее все же хватило ума не ездить. Лично я бы ни за какие коврижки не пустила к себе таких родственничков.

Наверное, незнакомка сообразила, что ее разыграли наглые школьницы. Подчас нам с Томочкой взбредали в голову редкостные глупости, но позвонить по телефону и, услыхав женский голос, сообщить о супруге-изменнике? Нет, на такое мы не были способны, вот с кабанчиком вышло классно!

Я улыбнулась воспоминаниям. Тома с тревогой спросила:

— Что с тобой?

— Помнишь, как мы в детстве обманули довольно приятную особу: дядя Ваня и Танька со вшами, кабанчик в мешке...

Томочка расслабилась.

— Да уж, та женщина и впрямь оказалась очень милой. Другая бы стала орать и грозить милицией. Ты сама, услышь такое, что бы сделала?

— Ну... сложно сказать.

Она прищурилась.

— А то я тебя не знаю! Небось начала бы кричать и ругаться.

— Вполне вероятно, — усмехнулась я, — а может, вспомнила бы, что сама такой была, и подыграла бы детям. Олег давно убежал?

Вопрос явно риторический. Куприн, как правило, уносится из дома около восьми. Сама не понимаю, отчего решила спросить у Томы про моего майора. Но подруга, воскликнув: «Ой, горит!» — бросилась к тостеру.

Я удивилась, этот прибор имеет обыкновение отключаться автоматически, и сейчас на кухне совсем не пахнет гарью. Но не успела я высказать недоумение вслух, как раздался звонок в дверь.

Я пошла на зов и обнаружила на пороге своего папеньку с большим чемоданом в руке.

— Здравствуй, доча, — радостно воскликнул Ленинид и распростер объятия, — иди сюда, поцелуй папку!

Я тяжело вздохнула. Все ясно, он принял на грудь хорошую дозу спиртного, в нем уже не меньше бутылки. Если Ленинид «скушал» сто пятьдесят граммов, он просто глупо улыбается и мерзко прихихикивает, а когда опрокидывает в себя около двух стаканов, начинает меня целовать. Я же терпеть не могу объятий вообще, а уж пьяных в особенности.

— Тебя Наташка выгнала, — констатировала я, бросая взгляд на чемодан, — за пьянство. Давно пора. Только зря сюда притопал, мы честно предупредили: явишься подшофе, не пустим. Ступай себе с богом.

Папашка заморгал, потом с укоризной воскликнул:

— Ну доча! Не любишь ты меня совсем! Глянька, что я принес.

С этими словами Ленинид порылся сначала в одном кармане, потом в другом, вытащил карамельку «Чупа-чупс» без обертки и, стряхивая с нее налипшие крошки, забубнил:

— Знаю, любишь сладкое, вот вкусная конфетка, на палочке, лакомись на здоровье.

Похоже, я ошиблась, папашка набрался по самые брови. Стадия дарения «конфетки» предшествует полнейшему остекленению Ленинида. Он, скорей всего, выжрал почти литр водки. Ясное дело, что его нынешняя жена Наташка, дама суровая, борющаяся с пьянством мужа при помощи простых народных средств, кулака и скалки, выгнала свое сокровище вон. Но и я не лыком шита. Прожив все детство с алкоголичкой Раисой, терпеть не могу выпивох, и Ленинид великолепно об этом знает, хоть мы и встретились с ним, когда я, давно став взрослой, похоронила мачеху[1]. Поэтому сегодня не пущу к нам папашку. Пусть едет куда хочет и сидит там, пока не протрезвеет.

Глава 4

— Ну доча, — ныл Ленинид, опасливо косясь на меня, — не злись на папку. Один я у тебя, другого-то не будет. И не пил вовсе, так, пригубил чуток от

[1] История жизни Ленинида рассказана в книге Дарьи Донцовой «Черт из табакерки».

радости. Ей-богу, только пару бутылок пивка тяпнул, водки ни граммульки, ни капельки, лишь «Клинское» светлое, его даже детям дают, от него одна польза и никакого вреда.

— Что же тебя столь обрадовало? — спросила я.

— Так Наташка отдыхать уперлась! — счастливо воскликнул папенька. — Вместе с сыном и жабой. Путевку взяли, в санаторию отъехали, на трехразовое питание, нервы лечить.

— С кем? — удивилась я.

Воображение мигом нарисовало Наташку, весьма грузную особу, бодро шагающую к самолету. В руках наша бывшая соседка и моя теперешняя «маменька» сжимает банку, в которой сидит здоровенная лягушка с выпученными глазами. Но откуда она у Наташки? Жена Ленинида самозабвенно разводит цветы, а к животным совершенно равнодушна.

— С кем она уехала? — повторила я.

— С сыном и с жабой, — повторил Ленинид, — с моей тещей, чтоб ей минеральной водой захлебнуться там, любимой маме.

Тут только до меня дошло.

— Значит, Наташка с сыном и с матерью укатила на курорт?

— Точняк, — подтвердил папенька, — желудок полоскать.

— А тебя к нам отправили?

— Опять верно.

— С какой стати?

Ленинид горестно пожал плечами:

— Сам не пойму, дали чемодан и велели: «Ступай к своей доченьке драгоценной. Мы тебя тут одного не оставим, нажрешься, как свинья, грязь разведешь, баб притащишь». Сумку сложили и выпихнули.

Я ринулась к телефону. Ну, Наташка, погоди! Сейчас выскажу ей все, что про нее думаю.

— Эй, доча, — воскликнул Ленинид, наблюдая, как я яростно тычу в кнопки, — не старайся! Уперлись они, дома нет никого.

— Тогда ступай назад.

— Не могу.

— Почему?

— Да они дверь заперли, а ключи с собой забрали.

— У тебя что, своих нет?

— Не-а, они и мои утащили в санаторию.

— Послушай, ты же бывший вор, неужели не сумеешь замок вскрыть! — не утерпела я и тут же пожалела о сказанном.

Ленинид, говоря языком милицейского протокола, твердо встав на путь исправления, решительно порвал с преступным прошлым. И вообще, некрасиво напоминать папеньке об ошибках молодости. Сейчас он честный гражданин, отличный краснодеревщик, верный муж, а семь или восемь ходок на зону — я постоянно путаю, сколько раз он сидел, — остались в другой жизни. На данном отрезке времени Ленинид законопослушный гражданин, ну выпивает иногда, так кто из нас без греха?

— Эх, доча, — пригорюнился папенька, — вор-то вор, только по хатам не шебуршил, лопатники тырил у лохов[1], с замком управиться, правда, сумею, но прикинь, что со мной Наташка с жабой сделают, когда вернутся? Завизжат, словно потерпевшие, завоют... Уж пусти, Христа ради, впрочем, коли не захочешь, я на вокзал пойду. Мне не привыкать бомжевать!

Я посторонилась.

— Входи.

---

[1] «...по квартирам не лазил, воровал кошельки у растяп...»

— Ай, спасибо, ну дочура, ну хорошая, — зачастил Ленинид, снимая ботинки, — я вам помогу. Вон, дверца у шкафа болтается. Семен-то с Олегом безрукие, гвоздя не вобьют.

— Иди на кухню кофе пить, мастер, — усмехнулась я.

Злость куда-то испарилась. На Ленинида невозможно сердиться больше десяти минут подряд. Несмотря на возраст, папашка сохранил совершенно детское выражение глаз и обезоруживающую наивность.

Вернувшись в спальню, я с тоской посмотрела на стопку чистой бумаги. Скоро надо сдавать в издательство новую книгу, у меня же в голове зияющая пустота, никаких мыслей. О чем писать? Какую тему придумать? Наркоторговля? Мафия? Милиционеры-оборотни? Все старо, как мир. Стоит зайти в любой книжный магазин, и мигом натолкнетесь на кучку детективов, на тот или иной лад перепевающих старые песни.

Взгляд уперся в календарь. Еще пара дней, и мне начнет звонить редактор. Я до паники боюсь милейшую, интеллигентнейшую Олесю Константиновну. Только не подумайте, что она ругает меня. Нет, она просто очень любезно напоминает:

— Виола Ленинидовна, ждем рукопись.

Ни разу она не вышла из себя, не повысила голоса, но отчего-то я, слыша в трубке мелодичное сопрано редактора, мигом покрываюсь холодным потом и начинаю, глупо хихикая, говорить глупости. Скорей всего Олеся Константиновна считает меня полной идиоткой, но бизнес есть бизнес, а детективы Арины Виоловой, это мой псевдоним, по непонятной причине вдруг начали хорошо продаваться, поэтому редактор и терпит авторшу, постоянно опаздывающую сдать новую книгу.

Вот и сейчас следует немедленно приковаться к письменному столу, но никакого желания делать это у меня не возникало.

Оттягивая неприятный момент, я решила навести в спальне порядок. Вот разберу шкаф и сяду за работу. Хорошо, что Олега нет дома. Недавно, увидав, что я перекладываю вещи в гардеробе, Куприн заметил:

— Сегодня вторник. Между прочим, в воскресенье ты уже приводила в порядок шмотки.

— Они снова скомкались.

Олег ухмыльнулся:

— Да нет. Просто тебе неохота писать, вот и ищешь любой повод, чтобы не браться за книгу.

Я очень разозлилась в тот момент на мужа и довольно резко ответила:

— Вот уж не знала, что живу с психоаналитиком.

Куприн заулыбался еще шире.

— Юпитер, ты сердишься, значит, ты не прав. Римская пословица. Злись сколько угодно, но я уже знаю: в тот момент, когда нужно взяться за работу, писательница Арина Виолова начинает усиленно заниматься домашним хозяйством.

Вспомнив некстати этот диалог, я села к столу. Покусав ручку и нарисовав на бумаге строй чертиков, встала и, сама не понимая как, очутилась у шкафа. Руки схватили было свитер, но я тут же обозлилась. Это что же получается? Олег прав? Да никогда!

Отскочив от гардероба, я увидела свою сумочку и вытряхнула ее содержимое на кровать. Так и знала. Тут полно барахла! Сейчас наведу в ридикюле порядок и начну вдохновенно ваять новую книгу.

Получается, что Куприн вовсе не прав! Сумочка-то не шкаф! Ну-ка, посмотрим.

Книжка, губная помада, зеркало, расческа, пара мятных конфеток, кошелек — все нужные вещи. А это что? Мой браслет! Как он сюда попал? Ах, да! Он же лежал в купе на столике, проводник сунул его в сумочку. Вот и кофточка, мятая, словно ее жевала корова, и... часы. Я машинально вертела их в руках. У меня никогда таких не было.

Обычный кожаный ремешок, украшенный довольно крупными стразами, обычный плоский корпус из желтого металла. Под цифрой «12» виднелась надпись «Chopard». Скорей всего это копеечная, электронная поделка. Я не ношу часов, они мне не нужны. Почему-то я хорошо и так знаю, сколько времени. И откуда в сумке взялась сия вещица?

Внезапно в памяти всплыл диалог в купе.

Проводник, складывая вещи, каждый раз задавал мне вопрос. Я, ответив дважды «да», машинально сделала это опять. Просто обалдела, услыхав известие о смерти попутчицы, потому и кивнула. Часы принадлежат Елизавете Марченко, только ей они больше ни к чему. Надо выбросить «брегет» в помойку, и дело с концом. Таких «шедевров» навалом на каждом углу.

Взяв двумя пальцами ремешок за самый край, я вышла из спальни и наткнулась на Сеню.

— Ты дома? Надо же, обычно даже в выходной работаешь!

— Ага, — зевнул муж Томуськи, — сейчас убегаю. Решил один разок поспать. Надоело каждый день в шесть вставать.

— Правильно, — одобрила я, — надо иногда себя побаловать!

— Что это ты несешь, словно дохлую мышь? — поинтересовался Семен.

— Да вот, выбросить хочу.

— Дай поглядеть.

— На.

Сеня взял часики, повертел их в руках и присвистнул:

— Шутница! Выбросить! Где взяла?

Почему-то мне не захотелось говорить приятелю правду.

— Нашла.

— Где?

— Э...э... в подъезде.

— Каком?

— Нашем. Иду к лифту, смотрю, лежат. Ну я и прихватила, — самозабвенно начала я врать, — подумала, вдруг дорогие, а теперь вижу, дрянь копеечная.

Сеня уставился на меня.

— Они не дорогие.

— Я уже разобралась.

— Они не дорогие, — повторил Семен, — а очень дорогие, диких бабок стоят. Если и впрямь обнаружила их на лестнице, то немедленно повесь объявление. Интересно, кто у нас такие носит? Хотя, может, посторонняя женщина посеяла.

Я погрозила Сене пальцем.

— Сегодня не первое апреля. Я очень хорошо знаю им цену. У Кристи есть похожие. Помнишь, я покупала ей их за пятьсот рублей.

Сеня покачал головой:

— Нет.

— Вечно ты со мной споришь! Сама платила полтыщи.

— Не о том речь, — протянул Сеня, — у Кристи барахло, сделанное в Китае, ему красная цена две сотни, ты даже переплатила. А эти вот произведены фирмой «Chopard». Корпус золотой, стрелки тоже, цифры выложены настоящими рубинами, на ремешке бриллианты. Думаю, тысяч пятьдесят баксов игрушечка стоит.

— Издеваешься, да?

— И не думал. Видишь, надпись — «Chopard».

— Сколько, говоришь, они стоят?

— Пятьдесят тысяч долларов, — повторил Сеня.

— Не ври, таких цен на часы не бывает!

— И где ты их взяла? — вновь поинтересовался он.

— Нашла.

— В подъезде?

— Именно.

— Теперь ты не ври!

— Хватит мне голову дурить, — рассердилась я.

Сеня пожал плечами:

— Хозяин — барин. Хочешь вышвырнуть на помойку кучу денег — семь футов тебе под килем. Но послушай совет умного человека.

— Твой, что ли? — ехидно прищурилась я.

— Да, — совершенно серьезно заявил приятель, — отправляйся в часовой магазин и покажи там безделицу. Скажут, что цена ей полкопейки, тогда выбрасывай.

С этими словами он исчез в ванной, а я осталась в коридоре, разглядывая часы. Вот это стоит пятьдесят тысяч долларов? С ума сойти! Да нет, Семен просто издевается. Он у нас шутник, способный с абсолютно серьезным лицом разыграть кого угодно.

Очень хорошо помню, как пару месяцев назад Сеня приволок домой пакет с полуфабрикатами. Это оказались невероятно вкусные, восхитительные котлетки. Слопав штук пять, я поинтересовалась:

— Из чего же они сделаны? Не пойму никак, вроде курица, но по вкусу не совсем...

Сеня хмыкнул:

— Ни в жизни не угадаешь. Это мексиканский носорог.

Тарелка чуть не выпала у меня из рук.

— Кто?

— Мексиканский носорог, — повторил Семен, — в нашем супермаркете дают, у метро. Все хватают, потому что очень вкусно и недорого, всего двадцать рублей килограмм.

— Они просроченные? — с подозрением спросила Кристина, только что схомякавшая три штуки.

— Почему? — удивился Сеня.

— Больно дешево, — заявила девочка, — оттого и подозрительно. Если вкусно и стоит копейки, жди подвоха.

Сеня спокойно взял очередную котлетку и начал растолковывать дочери принцип ценообразования:

— Чем больше особь, тем она дешевле. Вот рябчик, к примеру, совсем крохотный, поэтому и стоит ого-го, а корова большая, посему говядина вполне доступна. Мексиканский же носорог животное пугающего размера. Теперь поняла?

— Ага, — кивнула Кристя.

— Надо купить про запас, — оживилась Томуська, — запихнем в морозильник. На самом деле отличные котлеты и готовятся мгновенно. Вилка, сходи в магазин.

Поскольку на меня возложена обязанность доставки на дом продуктов, я села в машину, доехала до супермаркета, схватила самую большую тележку и, вознамерившись забить ее до упора полуфабрикатами из мексиканского носорога, покатила по торговому залу.

Не найдя в холодильниках ничего похожего, я подошла к продавщице и поинтересовалась:

— Где у вас гамбургеры из мексиканского носорога?

Девица выпучила глаза.

— Кого?

— Мексиканского носорога.

— Господи! Чего только не продают! — потеряв профессиональную вежливость, воскликнула девушка. — Офигеть прямо! Спросите в информбюро.

Я подрулила к стойке и воскликнула:

— Есть у вас котлетки из мексиканского носорога?

Проходившие мимо покупатели остановились и начали с интересом прислушиваться.

Юноша, сидевший у компьютера, ответил:

— Их нет.

— Вот жалость! Уже раскупили. А когда еще привезете?

— Никогда.

— Почему?

— Их и не было.

— Как это? У вас покупали!

Минут пять мы с парнем спорили, потом он в сердцах воскликнул:

— Во народ пошел! Вчера одна дамочка чуть от злости не задохнулась, требовала яйца розового дрозда, теперь вы свалились на голову! Ну подумайте сами, откуда в Мексике носороги?

— Разве они там не живут?

— Нет, конечно.

Но меня не так легко сбить с толку.

— Вон у вас лежит коробка, написано «Американские ананасы». Насколько я знаю, эти фрукты в США не растут. Их там просто приготовили. Следовательно, носорога привезли из Африки в Мексику...

Окончание фразы застряло у меня в горле, потому что взгляд уловил в толпе людей, внимательно слушавших мою перебранку с парнем, довольно ухмыляющегося Семена. Все стало на свои места. Приятель просто разыграл нас и теперь от души веселился, глядя на меня. Потом Сеня признался, что вкусные котлетки на самом деле были из индюшатины.

В результате я перестала ходить в любимый супермаркет, потому что всякий раз, войдя в торговый зал, налетала на стойку справочного бюро и видела парня, который мгновенно с самым серьезным лицом заявлял:

— Мексиканского носорога еще не завезли, впрочем, испанского бегемота тоже, рекомендую курицу, дешево, сытно, вкусно, вы попробуйте, должно понравиться.

Может, теперь Сеня решил посмеяться надо мной опять? Держа часы, я вернулась в спальню, вытащила справочник, нашла нужный номер телефона, набрала его и услышала безукоризненно вежливый голос:

— Магазин «Время часов», Катерина, чем могу вам помочь?

— Я хочу купить подруге часы на день рождения.

— Прекрасный выбор.

— Золотые, цифры рубиновые, на ремешке камни.

— Великолепный вкус.

— И сколько могут стоить такие?

— К сожалению, я не могу назвать стоимость, простите.

— Почему?

— Стоимость зависит от многих вещей, к примеру, от размера камней. Вам лучше подъехать и выбрать модель.

— Хоть примерно.

— Очень сложно ответить.

— Ну какого порядка может быть их цена?

— Ну... точно не скажу, в нашем салоне от пяти тысяч и выше!

— Чего?

— Долларов, мы не переходили на евро.

— Это нижняя цена?

— Да.

— А верхняя?

Раздалось деликатное покашливание.

— Предела нет. Можно заказать и за сто тысяч, и за двести, все зависит от желания клиента.

— Спасибо, — пролепетала я.

— Это вам спасибо за то, что обратились к нам, ждем вас в магазине, кстати, мы имеем гибкую систему скидок, и вы можете получить в случае покупки наших часов ценный подарок.

Я быстро повесила трубку. Значит, в одном Сеня не соврал. Часы за пятьдесят тысяч американских рублей — это не миф. Оказывается, есть люди, готовые выложить за хронометр на запястье целое состояние. Просто не верится.

Я снова повертела часы, потом спрятала их в сумочку и стала одеваться. Сейчас же поеду в салон в Третьяковский проезд, покажу продавцам безделушечку, и, если она и впрямь стоит бешеных денег и не подделка, я немедленно отвезу их родственникам несчастной Елизаветы. Адрес ее я помню хорошо, бедняжка проживала на другом конце нашей улицы, в доме номер четыре.

Глава 5

Для тех, кто не знает, поясню: Третьяковский проезд расположен в самом центре Москвы, неподалеку от Красной площади, там находятся самые фешенебельные бутики, куда обычным москвичам не приходит в голову даже соваться. Да и зачем глазеть на товар, который никогда не купишь? И потом, я не знаю, как в других городах, но в Москве цена вещи еще не показатель ее качества.

Пять лет назад я за абсолютные копейки купила у бабуськи, стоявшей возле метро «Сокол», маечку. Честно говоря, просто пожалела старуху, топтавшуюся на морозе с абсолютно неподходящим для ледяного февраля товаром — тоненькими футболками. И что бы вы думали? Отдав за прикид тридцать рублей, я ношу его до сих пор. Стирала майку многократно, но ее ярко-бирюзовый цвет совершенно не потускнел, она не вытянулась, не деформировалась и до сих пор смотрится так, будто ее только что купили. Сделана она ловкими китайцами и не прикидывается фирменным изделием, ярлычок честно сообщает: «Made in China». А вот Томочка месяц назад купила себе очень симпатичную водолазку. Стоила она дорого, висела в магазине «Подиум» и была снабжена кучей бумажек и значков, чтобы покупатели знали: вы получили за свои деньги не абы что, а продукцию Армани. Но спустя пару дней обновка покрылась противными катышками, а после первого соприкосновения с водой сильно полиняла. Вот и гадай теперь, где лучше делать покупки. Очень часто в дорогих магазинах оказываются вещи отнюдь не эксклюзивного качества. А как сказано в одной всем известной книге: «Вся контрабанда делается в Одессе, на Малой Арнаутовской улице». Просто туфли, которые вы спокойно купите в обычном месте этак за тысячу рублей, в каком-нибудь «шопе» стоят в десять раз дороже. Кстати, имей я немереные метры долларов, все равно бы не стала покупать платьишко за десять тысяч «зеленых». Скорей всего меня просто замучают жадность и здравый смысл. Каждый раз, читая в газете «Мегаполис» рассказ о том, как некая певица упаковалась в джинсы стоимостью в годовой бюджет какой-нибудь малоразвитой африканской страны, я испытываю здоровое удивление. И зачем ей это, а? Ей-богу, издали совершенно непонятно, сколько стоили штаны, их следует носить наизнанку, чтобы окружающие заметили фирменные ярлычки. И потом, три четверти населения России даже при виде товарного знака не догадаются о стоимости вещи.

Кстати, намедни я забежала в супермаркет и вознамерилась купить там рулет с начинкой из мака. Выглядело сие кондитерское изделие просто великолепно. Я взяла лоточек, глянула на цену и, удивившись, сказала продавщице:

— Здесь ошибка.

— Где? — заинтересовалась она.

— Вот, смотрите. Цена — пятьсот рублей килограмм, — засмеялась я, — булка не может столько стоить, наверное, имелось в виду пятьдесят, случайно лишний нолик припечатали.

— Нет, нет, — покачала головой приветливая девочка, — именно пятьсот.

Я разинула рот. Кусок теста стоимостью в полтысячи целковых? Господи, из каких же ингредиентов его сделали? Вместо куриных положили яйца жар-птицы?

Очевидно, на моем лице отразилась такая гамма чувств, что продавщица попыталась объяснить ситуацию:

— Рулет с маком, понимаете?

Я моментально успокоилась. Ага, ясно, лакомство предназначено для наркоманов. Внутри пирога начинка из опийного мака, отсюда и его бешеная стоимость. Пойду куплю у метро плюшки с обычным маком по пять рублей за штучку. И, чтобы закончить сей пассаж, хочу спросить: дорогие мои, вы понимаете, зачем приобретать машину марки «Хаммер»? Спору нет, это великолепный вездеход, на нем страшно удобно раскатывать по Сахаре или преодолевать бездорожье Нечерноземья, но ездить на подобной тачке по Москве? Это же смешно. Я бы с огромным удовольствием поменяла свои раздолбанные, вечно ломающиеся, закипающие при малейшем повышении температуры и не заводящиеся при морозе «Жигули» на приличную, новую, небольшую иномарку, но «Хаммер» не взяла бы никогда. Вы спуститесь в метро в ластах и подводной маске? Да нет, конечно. А почему? Идиотский вопрос! В подземке нет воды, а в ластах неудобно стоять на эскалаторе и топать по бесконечным переходам. Вот так же нелепо выглядит на московских улицах и супернавороченный, предназначенный для экстремальных дорожных условий вездеход. Кстати, дамы, метущие подолами соболиных и норковых шуб платформы подземки, тоже вызывают у меня улыбку, равно как и женщины, нацепившие в десять утра для похода на рынок серьги, в которых сверкают бриллианты размером с куриное яйцо. Впрочем, нет, они возбуждают скорее тихую жалость. Вот бедняги! Они просто хотят привлечь к себе внимание и могут это сделать лишь при помощи украшений.

Но что-то я разворчалась, наверное, просто из зависти. Мне-то «Хаммер» не светит, а из золота я имею одну лишь цепочку.

Сжимая под мышкой сумочку, я добралась до Третьяковского проезда, нашла нужный магазин и, слегка поколебавшись, вошла внутрь.

Две продавщицы, блондинка и брюнетка, моментально бросились ко мне.

— Вы желаете купить часы?

— Женские? Мужские?

— Посмотрите сюда.

— Есть каталог.

— Вот новинка будущего сезона.

— Возможна скидка на этот товар.

— У нас при покупке дают подарок.

— Обратите внимание на центральную витрину!

Я попыталась остановить балаболок:

— Хочу просто задать вопрос.

Но девицы, впавшие при виде потенциальной клиентки в раж, принялись еще громче верещать:

— Садитесь сюда.

— Лучше на диван.

— Желаете чаю?

— Кофе?

— Зеленый? Черный?

— С молоком или лимоном?

— Вам не дует?

— Может, душно?

— Курите, пожалуйста.

У меня закружилась голова. Ну нельзя же так тараторить. Плюхнувшись в глубокое мягкое кожаное кресло, я вытащила часы и положила их на стеклянный столик. Продавщицы сразу замолчали.

— Сделайте одолжение, — попросила я, — скажите, сколько они стоят.

Девушки переглянулись.

— Вы их не у нас покупали, — почти сердито сказала беленькая девочка.

— Лучше обратитесь туда, где приобрели часы, — подхватила черненькая, — наверное, вам сделали скидку.

— Видите ли, мне их подарили.

— Так радуйтесь и носите, — улыбнулась блондиночка.

Я горестно вздохнула.

— Понимаете, я совсем не богата.

Продавщицы разом приобрели человеческое выражение лица.

— Но имею очень обеспеченную подругу, которая преподнесла мне сей презент. Честно говоря, я подумала, может, продать его?

Брюнетка хмыкнула:

— Ну мы-то не скупка.

— Я вовсе не предлагаю вам приобрести часы.

— А чего хотите? — уже без улыбки поинтересовалась блондинка.

Я просительно взглянула на них.

— Девочки, сделайте одолжение, оцените подарок: если он стоящий, я сумею из общежития выехать. Только не сердитесь на меня. И так себя некомфортно чувствую, никогда не захожу в подобные магазины и к вам бы не заявилась, только мне за эти часы предлагают пятьдесят тысяч долларов, вот я и прибежала за советом, ну не могут же они столько стоить.

Брюнетка вдруг приветливо улыбнулась.

— Давайте гляну. Лена, принеси женщине воды.

— Вам с газом? — оживилась Лена.

— Ой, не стоит беспокоиться.

— А мне приятно вас угостить, — прищурилась она, — к нам редко нормальные люди заглядывают, в основном одни фуфырлы, правда, Кать?

— Часы из старой коллекции, — сообщила та, — такими у нас давно торгуют. Хотя, может, ваша подруга купила их за границей. Камни настоящие, бриллианты чистой воды. Ремешок по спецзаказу сделан. Видите, камушков десять штук, а в базовом варианте всего два брюлика.

— Можно заказать ремешок?

— Конечно, — кивнула Лена, — денежки отстегнете, сделают что угодно, хоть крокодилу в брюхо будильник вставят. Некоторые такое хотят!

— Соответственно повышается и цена, — подхватила Катя.

— А за эти сколько?

— Надо бы ювелира позвать, — протянула Катя, — чтобы точно сказать. Только Олег Моисеевич сегодня после четырех будет. Вы придите попозже. Когда речь об эксклюзиве идет, лучше с ним посоветоваться.

— Ну хоть примерно скажите!

Катя задумчиво почесала бровь.

— Пятьдесят тысяч много. Думаю, около двадцати. Но Олег Моисеевич оценит камни и тогда назовет точную цену.

— Спасибо, — с трудом приходя в себя, кивнула я.

— К пяти подгребайте, — улыбнулась Лена, — до оценки не отдавайте, можете прогадать.

Оказавшись на душной улице, я изо всех сил прижала к себе ридикюльчик. Господи, а ведь чуть было не отправила часики в помойное ведро. Надо немедленно ехать туда, где жила Елизавета Марченко. Скорей всего ее муж Роман вместе с девочкой Машей дома.

Еле дыша от напряжения, я спустилась в метро, добралась до бывшей родной станции, потом села на автобус и, проехав мимо своего дома до другого конца длинной Горской улицы, вылезла возле здания с номером четыре.

Дверь мне открыл круглолицый парень. Учитывая, что Елизавета трагически погибла сегодня рано утром, юноша вел себя более чем странно. В одной руке он сжимал бутылочку пива, а на лице его гуляла радостная улыбка. Из глубины комнаты доносились раскаты смеха и музыка.

— Вы к маме? — спросил парень и икнул. — Извините, она на дачу уехала.

Я слегка растерялась, но потом спросила:

— Марченко тут живут?

— Точняк, — кивнул юноша. — Мы Марченко. Все: мама, я, Серега, и Нинка. Именно Марченко. Ик. Ик.

Я с неодобрением покосилась на бутылку пива. Скорей всего милый мальчик добавил туда водочки. Ну и ну, еще обед не наступил, а парнишка уже нагрузился.

— Полное право имею отдыхать в свободный день как хочу, — пошел в атаку Серега, — если мать вас не предупредила, что уезжает, и заказ не выполнила, то я совершенно ни при чем. Промежду прочим, день рождения у меня.

Я окончательно расстроилась. Неужели из милиции еще не сообщили родственникам о кончине Елизаветы? Ну и ситуация.

— Простите, а Маша с папой дома?

Сережа выпучил пьяноватые глазки:

— Кто?

— Девочка, маленькая, четырех лет. Маша Попова. Она сегодня из Праги приехала с отцом.

Глаза парня совсем вылезли из орбит. Он отступил на шаг.

— Кто?

— Дочь Елизаветы Семеновны Марченко, Маша. Мы с ней в одном купе ехали, — объяснила я, — очень симпатичная девочка, говорливая.

— Кто говорливая? — отчего-то шепотом спросил Серега.

— Маша Попова.

— Маша Попова?

— Да, — я стала потихонечку вскипать, — именно Маша и именно Попова! Дочь Елизаветы Семеновны Марченко!

— Чья дочь?

Ну надо же так наклюкаться! В полдень! Что же с Серегой станет к ужину?

— Елизаветы Семеновны Марченко!

— Маша?

— Да!!

— И Лизка?!

— Да!!!

— Маша с Лизой???

— Абсолютно верно.

— И Машке четыре года?

— Ну так она сама сказала.

— Сама?!

— Естественно! А что вас так удивляет? Дети к трем годам начинают вполне прилично изъясняться.

Серега уронил бутылку. Из горлышка выплеснулась на коврик светлая жидкость. В прихожей резко запахло пивом.

— Где же вы их встретили, а? — полным ужаса голосом воскликнул Сергей.

Я удивилась. Кажется, парень настолько испугался, что моментально протрезвел.

— В купе скорого поезда Прага—Москва. Я села в Вязьме, а они, похоже, ехали из столицы Чехии, впрочем, точно не скажу...

— Нина, — заорал Сергей, — сюда, скорей!

В коридор выскочила хорошенькая девушка, похожая на лисичку. Рыжие волосы, острый носик, уголки глаз слегка приподняты к вискам, на треугольном личике хитрое выражение.

— Что ты орешь! — сердито воскликнула она. — Немедленно бросай пить, совсем дурной становишься.

Но Серега, не слушая ее, стал тыкать в меня пальцем, бормоча:

— Она... Машку с Лизкой видела... в Праге... вот... рассказывает!

Нина нахмурилась, глянула на упавшую бутылку, помрачнела еще больше, затем поманила меня пальцем:

— Идите сюда.

Я обрадованно пошла за ней в глубь квартиры. Нина выглядела абсолютно трезвой и вполне здравомыслящей.

Приведя меня в небольшую комнату, она сказала:

— Уж извините, Серега второй день гуляет, день рождения справляет, никак не успокоится. Вы к маме?

Я набрала полные легкие воздуха и начала рассказ. Чем дольше я излагала историю, тем больше менялось лицо Нины. Когда я, вытащив часики, положила их на стол со словами: «Это все», — девушка лишь прошептала:

— О боже!

— Понимаю, — кивнула я, — мне очень неприятно быть вестницей несчастья. Ехала к вам абсолютно уверенная в том, что соответствующие органы уже сообщили родственникам о внезапной кончине Елизаветы Марченко. Ей-богу, поняв, что вы ничего не знаете, я испытала сильнейшее желание удрать, но ездить туда-сюда, имея на руках часы стоимостью в квартиру, просто побоялась. Еще раз извините и до свиданья.

— Стойте, — прошептала Нина, — не уходите. Я должна позвонить маме, немедленно. Господи, этого не может быть! Маша! Как она выглядит?

— Ну... обычная девочка, но говорливая, а что, ее нету дома? — удивилась я.

Нина неожиданно закрыла лицо руками и глухо сказала:

— Ее давно нет, уже три года.

— Вы что имеете в виду? Она живет не в Москве?

Нина вскочила, бросилась к телефону, потом, не набрав номера, кинулась к книжным полкам, выхватила альбом, перелистала его и ткнула мне под нос одну страницу.

— Скажите скорей, это она?

— Кто? — тихо спросила я, разглядывая изображение лысого, толстого младенца, похожего на маленького китайца. Огромные щеки подпирали глаза, превратившиеся в щелочки. Ручки в перевязочках, ножки — сарделечки...

— Это она? — настойчиво требовала ответа Нина. — Машенька?

— Сколько ей тут? — поинтересовалась я.

— Восемь месяцев.

Ей-богу, в этой квартире живут странные люди. Один пьет с утра, другая, похоже, не вполне нормальна. Ну как я могу опознать ребенка? Сейчас Машенька милое, темноволосое, кудрявое существо с ясными, карими глазками.

— Может, у вас найдется более поздняя карточка? — робко спросила я.

Но Нина уже не слышала меня, она говорила по телефону.

— Давайте посмотрю другие снимки Маши, — еще раз предложила я, увидев, что Нина отсоединилась. — Дети очень быстро меняются.

— Сейчас приедет мама, — невпопад ответила Нина, — а фотографий нету.

— Совсем?

Нина кивнула.

— Маша пропала три года назад, а Лиза... Впрочем, давайте подождем. Маме с дачи меньше часа ехать.

Глава 6

Почти час мы с Ниной ждали хозяйку дома. Наконец та влетела в квартиру и с ходу устроила мне допрос. Потом, слегка успокоившись, сказала:

— Меня зовут Роза Михайловна, нам надо поговорить.

— Да, конечно, — кивнула я.

— Сначала вы меня послушайте, — нервно велела она, — а уж после остальное обсудим.

Честно говоря, я не понимала, что еще тут можно обсуждать, но не стала перечить разволновавшейся Розе Михайловне. А та начала обстоятельный рассказ.

Семья Марченко всегда жила очень хорошо и этим отличалась от многих московских семей. Отец был директором продуктового магазина. Ясное дело, что в советские времена материальное благополучие семейства казалось незыблемым, поэтому супруги Марченко позволили себе иметь несколько детей. У них росли девочки, Лиза и Нина, а напоследок появился мальчик, Сережа. Их мать, Роза Михайловна, могла не работать, но она не хотела становиться домашней хозяйкой. Роза Михайловна была портнихой от бога. Работала она раньше в простом ателье, но имела отнюдь не простых клиентов, а элитных. Кто только не бывал в примерочной кабинке у приветливой Розы. Певицы, балерины, дамы-профессорши и даже кое-кто из жен членов правительства. Последние, правда, обслуживались в спецателье, там трудились тщательно проверенные КГБ мастерицы. Имея безупречную анкету, они зачастую были заурядными портнихами, без фантазии. А Розочка работала с упоением и из простого ситца шила невероятные наряды, оттого к ней всегда змеилась очередь.

Детей воспитывала Розина мать, Сирена Львовна. Лиза, Нина и Сережа никогда не ощущали себя брошенными. Да и с какой стати? Дом полная чаша, дача в одном из лучших поселков. Бабушка водила их в школу и покрывала все шалости.

Потом Розин муж умер. Но на материальном положении семьи это не сказалось. Роза Михайловна еще в 86-м, на заре перестройки, подсуетилась и организовала один из первых, как тогда говорили, кооперативов.

Неожиданно для всех маленькая швейная мастерская, ютившаяся в подвальчике, стала приносить доход и через четыре года превратилась в дом моды. На Розу Михайловну теперь работали десятки людей: художники, модельеры, закройщицы, портные, манекенщицы, фотографы, визажисты... Обладая неуемной энергией, деловой хваткой, обаянием и железным упорством, Роза Михайловна открыла еще парикмахерскую, салон красоты и магазин, в котором бойко торговала своими изделиями.

Империя Марченко выстояла в дефолт, и Роза даже сумела извлечь выгоду там, где остальные утонули. Воспользовавшись ценовой неразберихой и некоторым замешательством, дама в самый пик кризиса купила за копейки здание почти в центре столицы, и теперь ее клиентки могут полностью изменить свой внешний вид, просто передвигаясь с одного этажа на другой.

В общем, фортуна вовсю улыбалась Розе. Но имейте в виду, она — капризная дама. Иногда ей начинает казаться, что вам слишком везет, и тогда она для соблюдения равновесия развязывает мешок с несчастьями.

Неприятности посыпались на голову Розы, когда старшая дочь Лиза задумала выйти замуж. Уж как мать и бабка ни отговаривали девушку, та уперлась рогом и на все разумные замечания отвечала однозначно:

— Мне так хочется.

— Лизонька, — увещевала ее мать, — Петр — мальчик не нашего круга, он из провинции, без средств.

— Я так хочу.

— Поверь, деточка, — осторожно вступала в разговор бабушка, — он будет плохим мужем, уже сейчас грубит тебе.

— Мне так хочется.

— Отца нет, мать преподаватель, — перебивала ее Роза, — раскинь мозгами! Предприимчивый парень просто решил устроиться в Москве.

— Мне так хочется.

После недели бесплодных уговоров Роза Михайловна потеряла терпение и заорала:

— Через мой труп! Не бывать этой свадьбе! Никогда!

— Я беременна, — спокойно сообщила Лиза, — аборт делать поздно, пятый месяц идет.

Роза чуть не упала и принялась топать ногами, вопя:

— Чушь! Немедленно в больницу! Сейчас же! Вызовем искусственные роды!

Порядок навела бабушка Сирена Львовна. Сначала она о чем-то пошепталась с Розой, а потом объявила:

— Будет свадьба!

Роза Михайловна сшила дочери платье, ловко прикрывающее уже начинающий выступать живот, и сняла ресторан. Она даже приобрела зятю костюм и туфли.

Праздник удался на славу. Пили, гуляли сутки. На пиру присутствовали только родичи со стороны невесты. Жених привел лишь одного друга, своего свидетеля.

— Что же твоя мама не соизволила приехать? — довольно зло поинтересовалась Роза у Пети.

Тот вполне дружелюбно ответил:

— Далеко ей, да и дорого.

— Ну ради такого случая, — вздохнула Роза, — я дала бы сватье деньжонок, коль в нищете беспросветной живете.

Петр зыркнул на тещу своими черными жуткими глазищами и отвернулся, а Роза продолжала возмущаться:

— Может, она нас неровней считает? Кто она по профессии?

— Русский язык преподает, — ответил зять, — у нас в городе есть институт экономики, вот она там кафедрой заведует.

— Понятно, — тряхнула огромными бриллиантовыми серьгами Роза, — слишком интеллигентная. Мы-то, простые портные, люди с иголкой, можем слово «корова» с двумя «а» написать. Зарабатываем, правда, больше многих, ну да это ерунда... Ты маме-то сообщил, что я ресторан на триста человек заказала?

Петя покачал головой:

— Не-а.

— Да ну? — спросила теща. — Чего же? Постеснялся? А то, что мы вам квартиру к свадьбе подарили, трехкомнатную?

— Нет, — буркнул свежеиспеченный зятек.

Роза ухмыльнулась:

— Ага. Ну ничего, приедет в гости, сама увидит. Ты, Петруша, не стесняйся. Если мамочке-профессорше денег на кефир послать хочешь, я дам, мне не жаль, еще заработаю. Мы же теперь родня.

В таком тоне Роза разговаривала с Петей при любой встрече. Лиза злилась, но поделать ничего не могла. На просьбы дочери перестать унижать Петю Роза Михайловна всегда возражала:

— Кто его унижает? Я? Ты шутишь, детка! Наоборот, когда увидела, что у зятька брюки рваные, то предложила купить ему новые. Это он меня дырками на заду позорит!

— Мама, — пыталась урезонить Розу дочь, — ну он же студент! Откуда у него деньги?

— А твой студент подумал, как станет кормить жену и ребенка? — парировала Роза Михайловна. — На что он рассчитывал? На мои заработки? Хорош гусь! Себя одеть и прокормить не может, а семью завел. И мамочка его нос задирает. Ни разу не позвонила тебе. Во курва! Не приехать познакомиться с невесткой! Где такое видано!

И снова порядок навела Сирена Львовна. Нина, пытавшаяся подслушать, о чем бабушка толкует с матерью, уловила лишь одну фразу:

— Хватит дурить, Роза. Лизе просто повезло, что свекровь не проявляет к ней никакого интереса.

Роза на самом деле прикусила язык. Нина видела, что иногда маму душит откровенная злоба, но она огромным усилием воли сдерживала себя и даже, криво улыбаясь, говорила Пете при встрече:

— Здравствуй, дружочек.

Рождение Машеньки прибавило проблем. На шею Розы взгромоздился еще и младенец. Кроватка, коляска, памперсы, бутылочки, детское питание, одежда... Это только кажется, что крохе ничего не нужно, на самом деле ребенок — дорогое удовольствие.

Зять стал еще больше раздражать тещу. Петя вовсе не собирался работать, приходил из института и усаживался за компьютер. Конечно, у Лизы имелась вся бытовая техника: стиральная и посудомоечная машины, да еще Сирена Львовна, уже пожилая, но не потерявшая бойкости, прибегала к правнучке каждый день. Старуха готовила, гуляла с младенцем, помогала убрать квартиру. Роза злилась и шипела:

— Мама, я вполне способна нанять им домработницу.

— Ни в коем случае, — отмахивалась Сирена Львовна, — никаких посторонних баб в доме! У нас младенец.

Но когда Машеньке исполнилось два месяца, прабабку скрутил артрит. Роза моментально наняла Лизе прислугу. Сначала в дом пришла пятидесятилетняя Иветта, но вскоре Лиза сказала:

— Мамуся, я ее выгнала.

— Почему? — удивилась та. — У Иветты блестящие рекомендации.

— Оно верно, — кивнула Лиза, — только она мной командует, словно не я тут хозяйка. Наняла другую.

— Кого? — насторожилась Роза.

— Свою однокурсницу, Марину Райскую, ей деньги нужны.

— С ума сошла! — всплеснула руками Роза Михайловна. — Взяла вместо нормальной прислуги свиристелку.

— С ней веселей.

— Так пусть в гости приходит. Домашнюю работницу берут для мытья полов.

— Мне так хочется, — выдвинула свой краткий аргумент Лиза.

— Иметь в доме молоденькую девушку опасно, — предостерегла мать, — у тебя муж, а мужчины падки на новое тело.

— Фу, замолчи, — велела Лиза, — глупости говоришь!

— Ты еще дурочка, — продолжала учить неразумное чадо Роза, — не знаешь, какие вещи порой случаются. Вот послушай. У меня была подружка, Оля Симонова...

— Не знаю такую, — перебила ее Лиза.

— Так мы с ней расстались еще до твоего рождения, — вздохнула Роза, — а дружили крепко, в одну школу ходили, дня друг без друга прожить не могли...

— И почему разбежались? — заинтересовалась Лизавета.

— Я один раз в неурочное время домой заявилась, — грустно пояснила Роза, — ну и нашла Олю с твоим папой... так сказать... хм... в общем, понимаешь? Лучшая подруга! С тех пор сколько лет прошло, а мы до сих пор не здороваемся.

— И ты папе простила! — возмутилась Лиза.

Роза кивнула:

— Конечно, куда деваться было.

— Это только в старые времена случалось, — по-детски запальчиво воскликнула Лиза, — теперь люди другими стали! Маринке такое и в голову не придет, Петя меня любит. Вечно тебе, мама, глупости мерещатся. Мне бабушка десять лет подряд перед выходом в школу бубнила: «Иди через проспект аккуратно, машина сбить может». И что, все в порядке? Так и с подругой!

Глядя на раскрасневшуюся дочку, мать промолчала, хотя считала, что люди остаются одинаковыми на протяжении веков, и мужья охотно изменяют женам, и пешеходы погибают под колесами раньше карет, теперь автомобилей... Но с Лизой бесполезно спорить, она избалована, живет в достатке и решила, что весь мир крутится вокруг нее.

Марина Райская стала убирать квартиру Лизы, и чем больше Роза Михайловна сталкивалась с девушкой, тем сильней она ей не нравилась: хитрая, себе на уме, со лживо-приветливой улыбочкой на тонких змеиных губах.

Но спустя пару месяцев Роза почти успокоилась. Она специально, зная, что Лизы нету дома, под благовидным предлогом в самое неожиданное время являлась к дочери в квартиру. То фруктов принесет Машеньке, то игрушку... Однако ничего подозрительного зоркий глаз матери не замечал. Как правило, Марина оказывалась одна, укладывала Машу спать или гладила. Пару раз Роза натыкалась на Петю, но зять сидел в кабинете, у компьютера, а домработница, полностью одетая, спокойно чистила картошку на кухне. При этом учтите, что у Розы Михайловны имелись ключи от апартаментов Лизы. Она очень осторожно открывала замок и на цыпочках, чтобы не спугнуть предполагаемых любовников, кралась по коридору, но ничего криминального не происходило.

Роза Михайловна решила, что зять импотент, и потеряла бдительность. У нее настало трудное время. Сирена Львовна лежала в больнице, вторая дочь, Нина, поступала в институт, а Сережа внезапно связался с плохой компанией, начал курить... В общем, Розе Михайловне временно стало не до Лизы, и она перестала проявлять к семье старшей дочери нездоровый интерес.

Беда, как всегда, подкралась внезапно. Нине предстояло сдавать последний экзамен, и Роза Михайловна почти до утра не могла сомкнуть глаз. Ее грызла тревога. Ниночка пока набрала лишь девять баллов, вступительных экзаменов было всего три, дочери необходимо завтра получить пятерку, иначе она окажется за бортом института. Сами понимаете, в каком настроении пребывала мать, тем более что сдавать следовало немецкий, которым Нина владела не слишком хорошо.

За бессонной ночью последовало тревожное утро, но около часа дня позвонила радостная Ниночка и затараторила:

— Мамочка, я ответила на «отлично». Прикинь, мне попался единственный билет, который выучила просто назубок. Ну повезло!

Роза перекрестилась и пошла на кухню пить чай. У нее неожиданно разыгрался аппетит. Не успела она открыть холодильник, как снова зазвонил телефон, это была Лиза. Думая, что старшая сестра хочет узнать про успехи младшей, Роза радостно воскликнула:

— У нас «отлично»!. Нина поступила в институт!

Но Лиза словно не услышала радостной вести.

— Мама, приезжай ко мне.

— Что случилось? — насторожилась Роза, но дочь уже отсоединилась.

В душе матери вновь поселилась тревога, завтракать ей расхотелось, и, схватив сумочку, она ринулась на зов.

В квартире Лизы царил беспорядок. По полу мотались клубки тополиного пуха, повсюду были разбросаны вещи, а на кухне гора грязной посуды подпирала потолок. Среди этого разгрома сидела одетая в мятый халат Лиза.

Роза нахмурилась, обежала все комнаты, собрала пепельницы, набитые окурками, и сурово заявила дочери:

— Это безобразие! О чем думает твоя прислуга!

— Марины нет, — прошелестела Лиза.

— Ну и нечего было ее отпускать, — обозлилась Роза, — предупреждала же тебя: не нанимай близкую знакомую. С домработницей нельзя дружить, иначе очень трудно замечания делать! Ладно, а где Петр?

— Пети нет, — прошептала Лиза.

— И где он?

— Уехал.

— Куда?

— Вроде к матери, — ответила Лиза и захлюпала носом.

— Эка беда, — хлопнула себя по бедрам Роза, — муженек на пару дней укатил, радоваться надо, а не слезы лить. Хоть отдохнешь от него.

Лиза молча протянула ей листок. Роза Михайловна взяла его и стала читать ровные, аккуратно выведеные строки:

«Лиза, людям свойственно ошибаться, я не исключение, поэтому и женился на тебе. Не скрою, любил тебя безоглядно и просто закрыл глаза на множество твоих недостатков. Я очень хорошо понимал, что ты капризна, ленива и совершенно не приспособлена для роли матери семейства. Согласись, хозяйка должна уметь готовить, стирать, убирать. Впрочем, я искренне надеялся воспитать тебя. Наша жизнь могла сложиться по-другому, не вмешивайся в нее столь активно Роза Михайловна.

Я пытался внушить тебе одно, а мать другое. Если делал справедливый упрек о твоих чрезмерных тратах, теща кричала: «Моя дочь расходует свои деньги, ты пока ничего не заработал!» Это правда, я приносил копейки, но многие семьи проходят этап нищеты и благополучно преодолевают испытания. Ты же не хотела ни трудиться, ни заботиться о семье. В конечном итоге ни я, ни Маша тебе не нужны. Девочку воспитывала сначала Сирена Львовна, а потом няня. Ты предпочитала, будучи замужней женщиной, вести жизнь свободной девушки. Прости, мне такая семья не нужна. Долгое время я просто собирался уйти, меня останавливала лишь мысль о дочери. Пойми, я очень люблю Машу и не хочу, чтобы она росла без отца, только это соображение удерживало меня в чужой квартире, около женщины, тоже ставшей чужой. Но потом у нас появилась Марина, и я понял: вот человек, с которым я хочу прожить всю жизнь. У Марины есть все, чем никогда не обладала ты: трудолюбие, жалостливость, ответственность, аккуратность, скромность. Короче: мы полюбили друг друга и уезжаем вместе, навсегда. Машу я забираю. Тебе девочка всегда связывала руки, Марина ей больше мать, чем ты. Не надо искать нас, все равно не найдешь. Хочу предостеречь тебя от похода в милицию. Имей в виду, если обратишься в органы, я просто убью девочку. Ей будет лучше в могиле, чем с тобой. Ты свободна и вольна делать что угодно. Прими напоследок совет: подумай над этим письмом и сделай правильные выводы. Вполне вероятно, что ты снова решишь выйти замуж, не разрешай хозяйничать в своей новой семье Розе Михайловне. Она разрушит и этот брак. Мне не нужно ничего: квартира, машина, вещи, включая подаренные доброй тещей костюмы, остаются тебе. Петр».

Глава 7

Отшвырнув листок, Роза Михайловна ринулась в кабинет, а потом в спальню. Зять не соврал. На тумбочке лежали толстое обручальное кольцо и часы, преподнесенные Петру на день рождения тещей. В шкафу осталась его одежда и обувь. Петя ушел из богатого дома в чем пришел: в джинсах и рубашке. Он на самом деле ничего не прихватил с собой: ни дорогого кожаного портфеля, ни плаща из лайки... Не взял даже мелочей, вообще ничего. Увез лишь Машу.

В детской, на кроватке сиротливо сидел розовый зайчик. Роза Михайловна принялась лихорадочно оглядывать комнату. Ей сразу стало понятно: беглецы забрали лишь самое необходимое, большая часть приданого Машеньки лежала на полках.

Совершенно очумев, Роза полетела в спальню, схватила шкатулку с драгоценностями Лизы и принялась их пересчитывать. Вы не поверите, но все кольца, цепочки, браслеты, кулоны были на месте. Не пропало ничего: ни перстень с уникальным трехкаратным черным бриллиантом, ни раритетное ожерелье из розовых жемчужин...

Роза Михайловна лишь укоризненно покачала головой. Нет, не зря зять казался ей абсолютно непрактичным мальчишкой. Ушел и ничего не взял, ну и дурак! Кстати, очень хорошо, что этот брак лопнул, Лиза сейчас, конечно, расстроена, но скоро она утешится, и Роза Михайловна больше не пустит дело на самотек, сама найдет ей нового жениха.

Вернувшись на кухню, Роза обнаружила дочь в той же позе, у стола, возле пепельницы.

— Поехали домой, — велела мать.

— Я дома, — тихо ответила Лиза.

— Не дури, иди одевайся.

— Мама, он увез Машу! Я никогда ее больше не увижу!

Надо сказать, что Роза Михайловна, став бабушкой, изо всех сил пыталась полюбить внучку. Но девочка не вызывала у нее особо теплых чувств. Во-первых, именно из-за беременности Лиза вышла замуж, во-вторых, Маша уродилась до противности похожей на Петю: черноглазой и смугленькой. В ней не было ничего от светлокожей, голубоглазой Лизы, а когда на голове девочки стали отрастать первые волосы, стало понятно, что она вся удалась в породу Поповых, от Марченко ребенку не досталось ни одного гена. Внучка казалась Розе Михайловне кукушонком. Уродись Машенька светленькой, в Лизу, бабушка, наверное, испытывала хотя бы умиление при виде пухлого младенца.

Роза Михайловна, очень хорошо понимая, что полюбить Машу ей трудно, изо всех сил старалась изображать нежность и заботу. Она заваливала девочку дорогими подарками, покупала ей за бешеные деньги эксклюзивные, украшенные ручной вышивкой платьица, пытаясь таким образом успокоить изредка просыпающуюся совесть. Окружающие считали, что Роза Марченко просто обожает внучку, и порой подшучивали над ней, приговаривая:

— Может, пригонишь для Маши «Роллс-Ройс»? А то ей как-то не слишком комфортно на «Мерседесе» в поликлинику ездить.

Лишь Сирена Львовна угадала правду. Увидев один раз, как дочь собирается отвезти Маше гигантскую куклу, совершенно не подходящую по размерам для младенца, старуха тихо сказала:

— Розочка, ты ни в чем не виновата. Эта девочка целиком Попова. Но, может, тебе станет легче, если вспомнишь, что мой отец, Лев Кацман, был черноглаз и черноволос. Лично мне приятней думать, что Машеньке достались гены Кацманов, а не Поповых. Кстати, она морщит нос, как мой отец, и улыбается, как моя мама, Сара Израилевна.

Роза горестно вздохнула:

— Мамуля, я же не застала их в живых.

Сирена Львовна кивнула. Роза и впрямь никогда не видела деда с бабкой.

Теперь понимаете, почему Роза Михайловна, узнав о том, что зять, сбежавший вместе с любовницей, прихватил с собой и дочку, совершенно не расстроилась? Наоборот, она в глубине души даже испытывала радость. Маша могла помешать Лизе устроить новый брак. Не всякий мужчина согласится на брак с женщиной, обремененной ребенком. Все, что ни делается, — все к лучшему.

Но дочери Роза Михайловна, естественно, сказала иное:

— Не расстраивайся, милая, через три дня, ну максимум спустя неделю Маша вернется.

— Ты полагаешь? — всхлипнула Лиза.

— Конечно, девочка быстро надоест этой суке Марине, ей не захочется возиться с чужим ребенком.

— Но она же взяла Машу...

— Только для того, чтобы понравиться Пете, не волнуйся, давай подождем спокойно.

— Надо идти в милицию!

— Не стоит пока нервничать, — пела Роза Михайловна, больше всего желавшая навсегда избавиться от внучки и зятя. — Девочке худа не сделают, она же с родным отцом.

— Да, — кивнула Лиза, — Петька ее больше жизни любит.

— Вот видишь, — подхватила мать, — все завершится благополучно. Завтра получишь девочку.

Но и завтра о Маше не было ни слуху ни духу. Впрочем, Роза Михайловна только радовалась. Похоже, Петр вместе со своим отпрыском исчез из семьи Марченко навсегда. Лиза тоже неожиданно успокоилась. Слезами она больше не заливалась, и к вечеру следующего дня после описанных событий Роза практически успокоилась. Что ж, выходит, она оценила ситуацию правильно, у дочери не особо развита материнская любовь. Да и откуда бы взяться сему чувству? Первое время за Машей ухаживала Сирена Львовна, потом Иветта, затем Марина. Лиза занималась ребенком лишь вечером, да и то недолго.

И вновь Роза потеряла бдительность, занялась Ниной, которая собралась поехать на юг в неподходящей компании.

Через два дня Роза, проводив Нину вместе со своей подругой и ее дочерью в Турцию, вернулась домой и услышала назойливую трель телефона.

— Да! — весело воскликнула она, хватая трубку.

— Роза Михайловна Марченко?

— Я.

— Елизавета Семеновна Марченко кем вам приходится?

— Дочерью.

— Приезжайте по адресу ее местожительства.

— Да что произошло?

— Там объяснят, — сказал мужчина и быстро отсоединился.

Поняв, что случилась беда, Роза Михайловна кинулась к дочери и узнала страшную новость: Лиза покончила с собой, выбросилась с десятого этажа, с балкона своей спальни. На столе она оставила записку.

Не дай бог вам пережить то, что испытала Роза Михайловна, прочитав послание. Значит, она и впрямь не разобралась в душевном состоянии старшей дочери. Думала, что та спокойно пережила утрату, а на самом деле-то вышло что! Стараясь хоть как-то заглушить боль, Роза развила бешеную активность. Она устроила пышные похороны, купила самый дорогой гроб.

С тех пор прошло три года. Роза Михайловна не сумела отыскать Петра и девочку.

...Когда она замолчала, мне показалось, что в комнате не хватает воздуха, и я шумно вздохнула. Внезапно Роза схватила меня совершенно ледяными пальцами. Я вздрогнула.

— Вы кто по специальности? — воскликнула Роза.

Я заколебалась. Сказать правду? Назваться писательницей? Честно говоря, не очень люблю это делать. Как-то стесняюсь произносить фразу: «Я пишу книги».

По-моему, говорить подобные слова нескромно, и вообще, писатели — это Лев Толстой, Федор Достоевский, Иван Тургенев, в конце концов. Я же просто дворняжка от литературы, не слишком известный автор, пытающийся заработать себе на кусочек хлеба с маслом и сыром. Книг моих Роза Михайловна скорее всего не читала...

— Я частный детектив.

Роза изменилась в лице.

— Господи, на ловца и зверь бежит! Похоже, ваш бизнес не слишком удачен.

— Ну... так.

— Извините, но вы не выглядите преуспевающей.

— Мне на жизнь хватает.

— Небось маетесь в коммуналке, — предположила Роза.

— Нет, в отдельной квартире.

— Дом новый, кирпичный? — продолжила она допрос.

Слегка удивившись столь странному любопытству, я ответила:

— Нет, блочный.

— Ясно, — мигом сделала неправильный вывод хозяйка, — хрущоба! Потолок на голове, кухня меньше кофейной чашки, в санузле даже тараканам тесно...

— Но...

— Вот что, — не дала мне договорить Роза, — слушайте. Я имею роскошную трехкомнатную квартиру в тихом центре. Там давно никто не живет, она совершенно свободна. Продать ее не могу по личным соображениям, моральным, не юридическим. Пользоваться тоже не хочу, пустить жильцов считаю невозможным. Мебель, посуда, занавески, бытовая техника... Не дом, а полная чаша. Хотите, подарю вам квартиру?

— Мне?! За что? Вернее, с какой стати! Я совершенно не нуждаюсь в подобных «сувенирах».

— Я неправильно выразилась. Вы получите хоромы в качестве гонорара за работу.

— Какую?

— Нанимаю вас для поисков Маши и Пети. Девочка в Москве, вы видели ее.

Я страшно разозлилась на себя. Ну с какой стати назвалась сыщицей? Сказала бы, что работаю учительницей, и не попала бы в идиотское положение!

— Только не говорите, что клиенты к вам в очередь стоят, — предостерегла меня Роза, — сто против одного, что сидите без работы.

— Но с чего вы взяли, что та девочка ваша Маша?

— Мария Попова, дочь Елизаветы Семеновны

Марченко? — воскликнула Роза Михайловна. — Ясное дело, это она. Ну-ка, опишите еще раз ребенка.

— Ну... темно-каштановые волосы, большие карие, почти черные глаза, смуглая кожа... красивая девочка. Да, еще у нее родинка на внутренней стороне бедра причудливой формы. До сих пор я думала, что отметины бывают лишь круглыми, а...

— Это она, — прервала меня Роза Михайловна, — сомнений никаких. Маша! Она в Москве! Найдите мне внучку! Единственную память о Лизочке!

Я с сомнением покосилась на хозяйку. Сдается мне, что внучка совершенно не нужна Розе, ей хочется отыскать Машу, а через нее выйти на Петю. Госпожа Марченко горит желанием отомстить ненавистному зятю. Узнав, где проживает Маша, она выкрадет ее, чтобы причинить отцу боль. Мне не следует принимать участие в подобной забаве.

— Убитая в купе женщина скорей всего Марина Райская, — продолжала Роза, — вот уж кого не жаль! Получила по заслугам. Из-за нее Лизочка покончила с собой. Нет, не зря говорят: «Не рой другому яму, сам в нее попадешь!»

— Постойте, — невольно воскликнула я, — но каким же образом на руках у Марины оказался паспорт Лизы?

— Она его украла, — пояснила Роза, — когда уводила Петра. Я вещи посмотрела и успокоилась, в документы не полезла. Да кому они нужны! Ну а потом для похорон потребовался Лизин паспорт. Я все перерыла, перетрясла и не нашла ничего: ни аттестата, ни зачетки, ни водительских прав, ни свидетельства о браке и рождении Маши. Все эти бумаги стащила мерзавка Райская.

— Да зачем они ей!

Роза возмутилась:

— Неужто не понятно? По-моему, яснее ясного. Петр и Марина явно уехали из Москвы. Райская, наверное, везде предъявляла документы Лизочки. Кое у кого при виде неженатой пары с ребенком могли возникнуть ненужные вопросы. А так все в полном порядке. Семейные люди с младенцем. Она предусмотрительная дрянь, негодяйка, сволочь, мерзавка... Жила себе припеваючи под именем Лизочки, а моя дочь давно на том свете.

Я внимательно смотрела на разбушевавшуюся Розу Михайловну. Что-то в этой ситуации кажется мне странным, но что?

Глава 8

Я не успела толком понять, что же меня насторожило, как раздалась трель моего мобильного. Извинившись, я поднесла трубку к уху.

— Виола Ленинидовна? — раздался интеллигентно-вежливый голос моего редактора, Олеси Константиновны.

Я тихо хихикнула:

— Здравствуйте.

— Жду вас.

— Да? Уже?

— Конечно. Срок сдачи рукописи истек еще в пятницу.

— Правда?

— Абсолютно точно, передо мной лежит план.

— Э... понимаете, я никак не могу прийти!

— Вы не дописали книгу?!

«Не дописали»! Я ее просто не написала. На столе тоскует пара исписанных страниц. И, если честно, в моей голове вообще нет никаких мыслей о криминальном романе. Дело в том, что я не умею ничего придумывать, господь обделил меня фантазией. Если в школе, на уроке русского языка требовалось написать сочинение на отвлеченную тему, ну что-то вроде «Какой станет жизнь на земле в будущем», я всегда пасовала. Зато великолепно описываю произошедшие в действительности события. Рассказ о том, как я провела летние или зимние каникулы, всегда получался великолепным, откуда ни возьмись появлялись самые нужные слова и меткие выражения, яркие метафоры, в общем, пятерка зарабатывалась легко. То же самое происходит и с писательницей Виоловой. Несколько относительно неплохих детективов я сумела накропать лишь потому, что лично вляпалась в приключения. Сейчас же ничего экстраординарного со мной не произошло, и откуда взяться рукописи?

Только Олесе Константиновне правду говорить нельзя. Издательство выплатило мне аванс, денежки госпожа Тараканова все потратила, теперь, естественно, обязана представить результат своего вдохновения. И что прикажете делать?

Не успев толком поразмыслить над не слишком приятной ситуацией, я ляпнула:

— Не могу сейчас ничего отдать.

— Почему? — посуровела Олеся Константиновна. — Смею напомнить, что под договором стоит ваша подпись.

— Конечно, я подписала бумагу и не оспариваю этого. Но... э... сейчас я нахожусь за границей, на отдыхе. И никак не могу вернуться в Москву.

— Да? А к телефону подошли?

— Это же мобильный, а он у меня с роумингом, — выкрутилась я.

— Ясно, — протянула без всякого энтузиазма редактор, — и когда отдадите?

— Когда отдам...

Вообще-то я пишу очень быстро, если знаю о чем. Сажусь к столу, и за неделю книга готова. Я не отрываюсь на еду и сон. Олег называет меня «запойным писателем», это очень верное замечание. Несколько раз Куприн пытался объяснить мне:

— Ты неправильно организовываешь процесс труда. В твоей рукописи примерно триста пятьдесят страниц. Если станешь каждый день методично писать по десять, то никогда не опоздаешь со сдачей книги. Составь план — и вперед.

Но я так не умею.

— Виола Ленинидовна, — поторопила меня Олеся Константиновна, — отвечайте скорей, у вас же роуминг, счет придет немереный, когда отдадите книгу?

— Когда отдам... э... ну... через пару недель!

Повисло недовольное молчание. Я совсем перепугалась. Кажется, мне удалось довести каменно-спокойную редакторшу до белого каления.

Впрочем, Олеся Константиновна сумела взять себя в руки.

— Хорошо, — бесцветным голосом отозвалась она, — но это крайний срок. Или через четырнадцать дней, или... Издательство «Марко» заинтересовано в пишущих авторах. Уж извините, Виола Ленинидовна, но ваша популярность пока не слишком велика. Надеюсь, вы понимаете, о чем я толкую?

Забыв, что Олеся Константиновна меня не видит, я кивнула. Еще бы, конечно, понимаю. Если я нарушу и этот срок, меня пнут коленкой в главный рабочий орган писателя. Пожалуйста, не подумайте, что я имею в виду голову. Место, без которого прозаику невозможно творить, находится на противоположном от нее конце туловища. Я окажусь со своей нетленкой на улице и из набирающей обороты популярной писательницы превращусь в графоманку, пытающуюся пристроить свой труд в разные фирмы.

— Абсолютно точно отдам, — заверещала я, испытывая настоящий ужас, — Олеся Константиновна, милочка, поверьте! Не сомневайтесь, я вас не обманываю. Через пару недель, минута в минуту.

— У вас роуминг, Виола Ленинидовна, — ехидно напомнила Олеся Константиновна, — хорошо, жду рукопись в оговоренный срок.

Из трубки понеслись раздраженно-быстрые гудки. Я удрученно запихнула мобильник в сумочку. Редактор ни на секунду не поверила в байку про заграницу. Совершенно не умею врать, меня моментально раскусывают!

— Вот что, — бесцеремонно дернула меня за рукав Роза Михайловна, — выбирай сама: или квартира, или оплата твоего долга.

Я вынырнула из пучины мрачных мыслей и с удивлением спросила:

— Вы о чем?

— Ладно тебе выжучиваться, — хмыкнула госпожа Марченко, — все же ясно. Взяла нехилую сумму в долг, а теперь отдать не можешь.

Тут до меня дошло, что Роза Михайловна слышала лишь мои ответы на вопросы Олеси Константиновны. Постороннему человеку, не знающему, что речь идет о сдаче рукописи, вполне могло показаться, будто кто-то пытается стребовать с должника рубли. Впрочем, я и впрямь должница, только обязана отдать не купюры, а рукопись.

— Найдешь девочку — погашу твой долг, — повторила Роза, — давай, принимайся за дело.

— Может, вам лучше в милицию обратиться?

— Ну уж нет, — отрезала она, — толку не будет. Так как, ты согласна?

— Но почему я? В Москве есть крупные детективные агентства!

— Только ты видела девочку, знаешь, как она выглядит, у меня ведь нет ни одной подходящей фотографии Маши. Последняя была сделана, когда ей восемь месяцев исполнилось...

Внезапно в моей голове вспыхнул огонек. Измена мужа, предательство любимой подруги, пропажа дочери... из этого материала может получиться великолепный детективный роман! А что! Это выход! Вот она, моя книга. Кстати, найти Машу легче простого. Очевидно, Роза Михайловна права. Марина Райская жила по паспорту Лизы Марченко. Девочку Марина везла бабушке, она сама об этом сказала. Маша еще спросила: «А моя бабушка хорошая?» Скорей всего она разошлась с Петей, потому что в Москву ее сопровождал мужчина, которого Маша назвала дядей Ромой. Девочку он взял ночью в свое купе. Вопрос: куда он ее потом дел? Ответ прост, отвез матери Пети Попова. Розе Михайловне-то Машу не доставили. Следовательно, Марина везла девочку не к ней, а к другой бабушке, и Роман просто доставил малышку по нужному адресу. В общем, все довольно логично.

— У вас есть адрес бывшей свекрови Лизы? — спросила я.

Роза Михайловна потянулась к записной книжке.

— Да, но я никогда не ездила к ней в гости и не знаю, правильны ли сведения.

— Давайте, что имеете.

— Значит, беретесь за дело?

— Естественно. Говорите адрес.

— Никологорск, улица Победы, восемнадцать, — продиктовала Роза.

— А квартира?

— Нету, наверное, это частный дом, — предположила Марченко, — звать сию особу Раиса Николаевна Попова. Больше ничего не знаю, ни возраста, ни профессии.

— Но, насколько я помню ваш рассказ, Петр говорил, будто его мать преподаватель, кандидат наук.

Роза Михайловна презрительно скривилась:

— Сказать можно что угодно, вот я назовусь дочерью вождя племени мумбо-юмбо, вы поверите и станете мне поклоняться.

Я молча записала адрес. В целом не слишком приятная Роза Михайловна права. Про себя можно наболтать что угодно, люди склонны верить сказанному. Но вот с дочерью старейшины племени мумбо-юмбо милейшая дама переборщила, тогда она обязана быть иссине-черной негритянкой с курчавыми волосами-пружинами и бусами из ракушек на стройной шее. Врать все же следует с умом. Ну, предположим, Петя слегка приукрасил действительность. Допустим, его матушка просто преподает в школе, она не имеет ученой степени и не заведует кафедрой в институте. Что ж, вполне человеческое желание повысить свой статус.

Выйдя от Марченко, я влилась в толпу и пошла к метро. Каждое утро трачу по полчаса, раздумывая над простым вопросом, который вместе со мной задают себе тысячи москвичей. Нет, это не сакраментальные «Что делать?» и «Кто виноват?». Меня волнует более животрепещущая проблема: «Брать или не брать свою машину?» Почти как «быть или не быть». Если все же приму решение сесть за руль, то гарантированно попаду в многокилометровую пробку, везде опоздаю и задохнусь от бензинового смога, висящего над шоссе. Коли соберусь отправиться в метро, то снова задохнусь, потому как в подземке просто нечем дышать, меня затолкают потные соотечественники, а свободное место окажется лишь возле отчаянно воняющего бомжа. Так «брать или не брать»?

Сегодня я решила «не брать» и сейчас горько сожалела об этом. Стояла удушающая жара, путь до метро лежал по самому солнцепеку. Одурев от духоты, я совершила еще одну, почти роковую ошибку — вскочила в автобус и тут же поняла, что сейчас потеряю сознание. Железный ящик на колесах походил на душегубку. В салоне одуряюще пахло бензином. Я плюхнулась на сиденье и удивилась. Кругом полно народа — и есть свободное место. Может, его никто не заметил? Но, проехав полминуты, я поняла, в чем дело. Прямо под сиденьем вовсю работала печка. Мои ноги под джинсами сразу стали мокрыми, футболка прилипла к спине, по лицу потек пот. Наверное, я сейчас замечательно выгляжу: тушь с ресниц размазалась по щекам, помада с губ переместилась на подбородок.

В метро оказалось еще жарче, да еще около меня, шумно дыша, встала очень полная тетка в обтягивающем платье. Толстухе было явно хуже, чем мне. Красная, с измученным лицом, она держала в одной руке туго набитую сумку, второй уцепилась за поручень. Про такую вещь, как дезодорант, дама, очевидно, никогда не слышала, и я отвернулась в сторону, стараясь не дышать глубоко. Вот грязнуля! Да в любом ларьке полно всяких средств от пота. Впрочем, вдруг у нее нет денег?

Пытаясь оправдать давно не мывшуюся особу, я слегка подвинулась и очутилась возле молодого парня. Слава богу, от него пахло одеколоном. Но уже через пару секунд снова переместилась к тетке. Юноша, совершенно не подумав, вылил на себя целую бочку парфюма.

Весь длинный перегон от «Динамо» до «Аэропорта» я топталась между двумя вонючими пассажирами, в носу смешались разные запахи, к горлу подкатывала тошнота, перед глазами прыгали точки. На «Соколе» толпа поредела, я шлепнулась на сиденье. Вот и думай теперь, что лучше: обливаться духами или ходить потной? Во всяком случае, ясно одно: ни в какой Никологорск я сейчас не поеду. Побегу домой и нырну под душ.

Открыв дверь, я вползла в темный, прохладный коридор и с наслаждением вдохнула ароматы любимой квартиры. Пахло просто замечательно: свежемолотым кофе и еще чем-то родным, своим, привычным.

Послышалось уверенное топанье, и в прихожую выскочил Никитка, прижимающий к груди ярко-красную машину.

— Вика, матри, папа «БМВ» купив, — сообщил он.

Никитос поздно начал говорить и пока не слишком четко выговаривает слова, но я его великолепно понимаю.

— Отличная машина, — одобрила я.

Для меня остается загадкой, каким образом малыш ловко различает марки автомобилей. На прогулке он тычет пальчиком во все, что имеет четыре колеса, и сообщает:

— «Мерседес», «Лада», «Газель», джип.

Он никогда не ошибается. Не так давно мы пошли с ним в магазин, за мороженым. По своей привычке Никитка выставил пальчик в сторону лаковоблестящей иномарки, припаркованной у тротуара, и сообщил:

— «Ауди».

Я пригляделась. Честно говоря, плохо разбираюсь в марках машин, но «Ауди» отличаю от остальных, потому что она имеет характерный знак: блестящие кольца. Мне стало интересно, каким образом Никитос определяет, какая тачка перед ним, и я нарочно сказала:

— Ты ошибся. Это «Мерседес».

— «Ауди», — повторил Никита.

— Почему ты так решил?

— Там крышечки, — сообщил он.

Вот тут я пришла в окончательное изумление:

— Крышечки? Какие?

— Как на баночке, — пояснил Никитос.

— Ты хочешь сказать, что «Ауди» имеет крышки, как твои банки с едой?

— Да, — кивнул мальчик.

— И где они?

Никитка выдернул из моих пальцев свою маленькую, липкую ладошку, подбежал к иномарке и, указывая на фирменный знак, никелированные кольца, объяснил:

— Вика, матри, «Ауди», крышечки.

Я засмеялась.

— Это кольца.

Малыш захлопал глазами. Пришлось снять с безымянного пальца символ супружества и объяснять:

— Вот кольцо, туда можно продеть пальчик, оно внутри пустое. В крышечку ничего не пролезет, она плоская, понял?

Никитка несколько раз надел и снял мое колечко, потом снова подбежал к «Ауди» и заявил:

— Крышечки! Пальчик не входит.

Я тяжело вздохнула. Да уж, объяснила ребенку суть. Он все великолепно понял: раз не хочет нанизываться, это крышка.

Глава 9

— Котлетку хочешь? — крикнула из кухни Томочка. — Эй, Вилка, иди сюда, я только пожарила.

— Душно очень, может, вечером, попозже, когда Олег придет, — ответила я, входя на кухню.

Внезапно Тома резко покраснела, а на глазах подруги выступили слезы. Я испугалась, подскочила к ней, выхватила лопаточку и сердито сказала:

— Дохозяйствовалась. Хватит. Никому ничего мясного при такой жаре не хочется. Иди полежи, а я пока всех покормлю и за Никитосом пригляжу.

— Это ты сядь, — неожиданно серьезно ответила она, — и выслушай меня.

Я молча села и уставилась на Тому.

— Целую неделю мучаюсь, — выпалила та, — все не знала, следует ли тебе говорить. Извелась просто!

Вот тут я перепугалась окончательно. Тамара святой человек, очень откровенный и по-детски непосредственный. Скрытничать у нее не получается. Мы живем вместе много лет и давно стали роднее сестер. Между нами никогда не существовало особых тайн, а теперь их и вовсе нет. По сути, мы одна большая семья, естественно, изредка случаются недопонимания, конфликты, но всегда находится разумный человек, который остужает чрезмерно горячие головы домочадцев, и это, как правило, Тома. Что же такое она могла утаивать от меня семь дней?

Напрашивался лишь один ответ. Тамара серьезно заболела. Сначала она по привычке решила не обременять нас сообщением о недуге, но вот...

— Ни о чем не волнуйся. Немедленно отправим тебя в лучшую клинику: Германия, Израиль, США. Сейчас все лечат, абсолютно. Деньги найдем, о Никитосе и Кристе не волнуйся. Сеня отправится с тобой!

— Вилка, — перебила меня Тома, — я совершенно здорова. Речь идет о тебе.

— Обо мне?

— Да.

— И в чем дело?

— Скажи, ты любишь Олега?

— Конечно. Зачем жить с тем, кто не вызывает положительных эмоций?

— Всякое случается, — протянула она и принялась кашлять.

— Хватит, — велела я, — немедленно рассказывай, в чем дело!

Подруга снова покраснела и все выложила.

В прошлую пятницу в нашей квартире зазвонил телефон. Тома сняла трубку и услышала женский голос:

— Виола, ваш муж завел любовницу, Лесю Комарову.

Информаторша с легким злорадством сообщила место работы, возраст разлучницы, описала ее вид и добавила: «Если приедете к пяти вечера к конторе мужа и подождете пару минут, поймете все».

Тамара призадумалась. С одной стороны, она была рада, что трубку сняла не я, с другой — посчитала гадкое сообщение глупостью, однако все же насторожилась.

Волей-неволей она стала присматриваться к Куприну и заметила несколько странностей. Олег, раньше швырявший рубашки где попало, теперь раздевался в ванной и моментально затевал стирку. Согласитесь, удивительный поступок для мужчины, никогда не обременявшего себя домашними хлопотами.

Томочка не выдержала и с самым невинным видом поинтересовалась у него:

— Что это ты в енота-полоскуна превратился?

У Олега сначала забегали глаза, но потом он быстро нашелся:

— Да я в нашей столовой взял сосиски с кетчупом, капнул себе на живот. Вот и решил пятно застирать, а то въестся — и не отойдет.

Томочка кивнула. Она не стала напоминать моему мужу, что он уже несколько дней подряд старательно стирает сорочки. Неужели регулярно обливается томатным соусом?

В голове Томы поселилась нехорошая мысль: наверное, известие о любовнице правда. Олег, придя со свидания, уничтожает улики. Может, на воротничке остался след от губной помады или его дама сердца употребляет слишком едкие духи, а запах лучше всего отбивает холодная вода.

Дальше — больше. В субботу Олег отодвинул тарелку с гуляшом и недовольно буркнул:

— Плохо мясо получилось, с луком-пореем намного вкусней, почему ты его, как вчера, не положила?

Тамарочка спокойно ответила:

— Я никогда не употребляю порей.

Олег осекся и пробормотал:

— Да ну?

— Конечно, — невозмутимо продолжила Тома, — ты забыл? У Вилки на него аллергия, даже от запаха порея она пятнами идет.

— Помню, конечно, — стал врать Олег, — я его с зеленым болгарским перцем перепутал. Ты вчера с ним мясо приготовила, я чуть язык не проглотил, сегодня в сметане не так вкусно.

Можно было напомнить Куприну, что вчера на ужин она потушила карпа. Сеня дико ругался, вытаскивая из вкусной рыбы тонкие кости, а Олег явился за полночь и рухнул в кровать, не заходя на кухню. Но Томочка вновь промолчала, хотя ее мучила мысль: кто вечером угощал майора мясом с луком-пореем?

Затем она обратила внимание на еще одну странность. Когда у Олега начинал звонить мобильный, он отвечал не всегда, иногда, просто взглянув на дисплей, засовывал сотовый в карман, потом шел в ванную, включал душ и начинал тихо разговаривать. Куприн явно не хотел, чтобы кто-либо слышал беседу.

Во вторник доведенная до нервного тика Томочка решилась на крайний поступок. После того как Олег, посекретничав под шум воды, вышел и отправился на лестницу курить, она схватила оставленный им в прихожей мобильник и переписала последний определившийся номер.

В подруге явно пропал Эркюль Пуаро и Джулия Робертс в одном флаконе, потому что она потом пошла в спальню, взяла свой сотовый и позвонила.

— Алло, — прожурчал милый женский голос.

На слух даме было лет сорок.

— Анечка! — воскликнула Тамара.

— Вы ошиблись, — вежливо ответила дама и отсоединилась.

Томуля снова набрала тот же номер.

— Анечка!

— Вы не туда попадаете, — слегка раздраженно сказала незнакомка.

— Простите, — затараторила Тома. — Я купила

базу МТС, и там этот номер значится как принадлежащий моей знакомой Анне Коротковой.

— Нет, — поправила ее тетка, — это ошибка. Я Леся Комарова, больше не названивайте сюда. Никакой Коротковой здесь и в помине нет, ясно?

Томочка швырнула трубку в кресло. Более чем! Именно это имя и фамилию называла анонимная доброхотка.

После этого Тамара пошла еще дальше. На следующий день, забросив все дела, она устроилась неподалеку от входа на работу Куприна. В пять вечера к проходной подкатила красивая иномарка, из нее вышла великолепно сохранившаяся, может, чуть полноватая дама, выглядевшая лет на тридцать. Но Тамара сразу поняла, что разлучнице больше годков этак на десять. Поразило ее и материальное положение особы. Шикарная машина, модная прическа, дорогие туфли...

Бабенка закурила, опершись на капот. Спустя минут пять из проходной с самой счастливой улыбкой на лице выскочил Олег.

Он подошел к нахалке, пару минут парочка ворковала, а потом нырнула в авто и была такова.

Едва пришедшая в себя от негодования Тома вытащила мобильный и попыталась соединиться с Олегом.

— Абонент включил режим запрета входящих звонков или находится вне зоны действия сети, — сообщил автомат равнодушным голосом.

Она закончила свой рассказ.

Наверное, у меня был чрезвычайно глупый вид, потому что Тамарочка затараторила:

— Понимаю, это ужасное сообщение, но кто предупрежден, тот вооружен.

В ту же секунду я поднялась и ринулась в спальню. Тома ухватила меня за футболку:

— Ты куда?

— Сейчас сложу вещи Куприна в сумку и вышвырну во двор, — прошипела я.

— С ума сошла! — возмутилась подруга. — Куда же он пойдет?

— Да к своей цаце! Небось у нее квартира есть. И потом, мне все равно, куда он денется.

— Нет, стой, так нельзя.

— Почему? — искренне удивилась я.

— А вдруг он обидится и не вернется.

— Ну и фиг с ним, беру развод и девичью фамилию.

— Останешься без мужа.

— И великолепно. Я ему верила, а он...

Слезы градом потекли по щекам, к горлу подступил горький ком, руки затряслись от злости.

Томочка схватила меня за руки, впихнула в свою спальню, повернула ключ в замке и сказала:

— Только спокойствие. Сколько лет ты живешь с Олегом?

— Мы же выходили замуж в один день, — шмыгнула я носом, — четыре года назад.

— Именно. И что же, теперь отдавать супруга, которого столько времени воспитывала, в руки чужой крашеной дылды?!

— Не стану жить с вруном!

— Между прочим, Олегу скоро полковника дадут!

— Хоть генерала!!!

— Вилка, не кипятись. Представляешь, снова выходить замуж за другого, чужого, противного... привыкать к нему.

— Ну уж нет, — прошептала я, — одна проживу!

Вот почему он торт принес! Хотел прикинуться заботливым. Думал следы замести! Ну не сволочь ли! И потом, когда я вернулась из Вязьмы, у нас была убранная кровать... Томуська! Он не ночевал дома?

Она кивнула. Внезапно комок, стоявший у меня в горле, лопнул и растекся по телу холодными струями. Да, Олег невнимателен, он никогда не помнит никаких дат. Неаккуратен до безобразия, после него не войти в ванную комнату, на полу лужи, на зеркале пятна зубной пасты, в углу валяется нижнее белье, которое мой супруг метнул в корзину, но вновь не попал в цель. Куприн не занимается домашним хозяйством и обожает учить меня жизни. Порой он бывает невыносим. Иногда мне хочется убить его, но вот развестись... Подобная мысль ни разу не приходила в голову. Другого спутника жизни мне не надо, потому что Олег понимает меня, как никто другой. Одним словом, муж умеет вернуть мне хорошее настроение. Он очень добр и абсолютно не жаден. Да, майор никогда не приносит цветов и конфет, потому что в его понимании это не подарки, а ерунда. Но под Новый год он торжественно привел меня в большой магазин и надел на плечи хорошенькую шубку. А когда я воскликнула: «Это дорого!» — он молча вытащил пачку денег и увел меня из торгового зала в мехах.

Кто сидел около моей кровати, когда я, заразившись от одного ученика корью, свалилась с немыслимой температурой? Кто моет собаку Дюшку, потому что она всегда скачет по ванной, обдавая всех дождем из мыльных брызг? Кто приволок из командировки в Чехию жуткий столовый сервиз «Мадонна»? Кто, в конце концов, нацепив парадную форму, ходит в школу к Кристине, когда та в очередной раз обозлит директрису? Кто?

И теперь он станет делать все это для Леси Комаровой? Я заревела как белуга.

— Ну, Вилка, — зашептала Тамарочка, — успокойся. Все пока не так страшно.

— Ты полагаешь? — всхлипнула я.

— Конечно, — тоном столетней, умудренной жизненным опытом старухи ответила подруга, — надо просто отбить его у этой мымры назад. Вот на, я специально купила.

В моих руках оказался довольно толстый том в яркой глянцевой обложке. «Эля Малеева. Как гарантированно вернуть мужа в семью».

— Почитай, — велела Томочка, — я просмотрела, по-моему, очень разумно.

Я открыла страницу наугад: «Все мужики козлы, но если внимательно посмотреть вокруг, то твое сокровище не хуже других». Я кивнула, совершенно верно, мой хороший, самый лучший, просто замечательный, никому его не отдам!

— Мама, — в спальню принялась ломиться Кристина, — чего заперлась? Смотри, что я купила!

Тамара открыла дверь. В комнату вихрем ворвалась Кристя и начала демонстрировать нечто розовое, шуршащее. Но мне в этот момент было ни до чего. Сунув под мышку научный труд Эли Малеевой, я отправилась к себе и до полуночи тщательно изучала пособие по приводу неверного мужа в стойло семьи. Дочитав до конца, я, тяжело вздохнув, захлопнула книгу. Приходится признать: я сама, собственными руками разрушила счастье, вела себя совершенно неправильно, и теперь нужно проделать большую работу, чтобы вновь стать любимой женой. Уже завтра начну следовать советам автора. Вот тут, в аннотации, сказано: «Э. Малеева, психолог по образованию, ведущий специалист в области семейных отношений. Четыре раза выходила замуж, и всегда удачно. Имеет троих детей». Если она столько раз была счастлива в браке, то у нее стоит поучиться. Но без помощи Томочки мне не обойтись.

Позабыв, что часы показывают за полночь, я помчалась в комнату к подруге вырабатывать стратегический план. Нужно применить на практике первый из предложенных Элей Малеевой способов, он называется «Романтическо-эротический ужин».

Глава 10

Утром я ушла из дома около девяти, вернее, уехала. Очень не хотелось тащиться в Никологорск на электричке, поэтому я села в свою «шестерку» и покатила в сторону Минского шоссе. День обещал быть насыщенным: сначала следует найти мать Петра Попова, узнать, не у нее ли Маша, потом предстоит пробежаться по магазинам. Романтическо-эротический ужин требует обстоятельной подготовки.

Вы можете мне не верить, но по Москве я пролетела птицей, не попав ни в одну пробку. Улицы почему-то были почти пустыми, все автомобили куда-то подевались. Испытав радостное изумление, я оказалась на шоссе и спустя полчаса уже въезжала в Никологорск, крохотный поселок, обозначенный на карте как город из чистого недоразумения. Собственно говоря, тут имелась лишь одна проезжая, покрытая асфальтом улица, и носила она имя Ленина. Проехав по ней до самого конца, я увидела женщину, сидевшую на скамеечке возле одного из домов, и спросила:

— Не подскажете, где тут улица Победы?

— Тама, — махнула рукой аборигенка, — тудысь

ступайте, пехом, не проехать на машине, больно узко.

Оглядев нитеобразную дорогу, я оставила «Жигули» на обочине и пошла по извилистой, вытоптанной тропинке. Интересно, кому из местного руководства пришла в голову идея обозвать эту щель улицей Победы?

По обе стороны от меня теснились совершенно деревенские избушки, все, как на подбор, покосившиеся и старые. Неприятный запах, витавший в воздухе, сообщал о том, что в сем богом забытом месте отсутствует центральная канализация.

Восемнадцатый дом оказался последним и стоял он в «чудесном» месте. Улица тут заканчивалась, дальше, буквально в одном шаге от поломанного забора, начиналась свалка, а слева, за родным гнездом Петра Попова, простиралось кладбище, старое, тесно забитое простыми деревянными крестами и железными оградками. Странное существо русский человек, даже после кончины он не желает смешиваться с толпой, а пытается сохранить некую обособленность, отделяет свою могилу. Хотя, где ты после всего окажешься, какая разница! Впрочем, лично мне не хотелось бы очутиться навечно в подобном месте, рядом с помойкой. Уж лучше в тени деревьев, на холме, или нет, пусть мой прах развеют в воздухе, не надо никому рыдать на могиле Виолы Таракановой!

Воображение мигом нарисовало мрачную картину. Вот несколько крепких парней тащат гроб. За ним, обливаясь слезами, идет толпа. Впереди под руку ведут Олега, он совсем убит горем и едва передвигает ноги. Так ему и надо, пусть хоть у моей могилы поймет, кого потерял. Я выгляжу... ужасно! Кому пришла в голову идея нацепить на меня этот гадкий зеленый костюм? Цвет молодого салата страшно беднит, и я кажусь уродкой! Да еще мне повязали платок, вообще с ума сошли. Даже умереть нормально не дадут. В шкафу же висит очень красивый голубой пуловер и совершенно новые джинсы. Или мои родственники решили, что в джинсах на тот свет нельзя? Идиоты! Пусть немедленно переодевают.

От злости я топнула ногой. Поднялось легкое облачко пыли, видение исчезло. Ну и бред иногда приходит мне в голову. Надеюсь еще жить и жить вместе с Олегом. Впрочем, если не сдам вовремя рукопись Олесе Константиновне, жизнь станет не такой приятной, придется вновь искать учеников. Давай, Вилка, хватит нюни распускать.

Я толкнула калитку и очутилась в маленьком, заросшем сорняками дворике. Около крыльца спиной к забору сидела девочка, что обрадовало меня безмерно. Ну не молодец ли я? Точно вычислила местонахождение дитяти.

— Машенька, здравствуй!

Ребенок обернулся, и я поняла, что это мальчик, просто он давно не стрижен. Кудрявые волосы падали малышу на плечи, нет, это не Маша, да и старше он, ему лет шесть-семь...

— Деточка, позови бабушку.

Мальчик равнодушно отвернулся и снова принялся ковырять землю. Вместо лопатки у него была старая, черная от грязи столовая ложка.

— Котеночек, ты один?

Малыш не реагировал. Он не повернул головы и тогда, когда я, поднявшись по отчаянно скрипевшим ступенькам, открыла дверь избы.

В нос ударил запах то ли сырости, то ли гниения, а может, это был аромат бедности? Нищета била тут из всех углов. Я очутилась в довольно большой комнате, чистой и практически без мебели. У одной стены стоял диван с сильно потертой гобеленовой обивкой, посередине громоздился поцарапанный стол, два стула. Еще тут имелась тумба для телевизора, а из стены торчал провод антенны. Но самого телевизора не было. На окне висели пожелтевшие от старости занавески из тюля.

— Есть тут кто живой? — крикнула я.

В противоположном углу комнаты скрипнула дверь, и появилась женщина неопределенных лет в ситцевом халате и фартуке.

— Вам кого? — приветливо поинтересовалась она, вытирая мокрые руки о передник.

— Вы Раиса Николаевна?

— Нет, я — Зинаида Николаевна.

— Сестра Раисы, — догадалась я.

— Правильно, — кивнула она, — можете Зиной звать, я не привыкла к отчеству.

— Мне нужна Раиса.

Зина покачала головой:

— Ее нет.

— Вот жалость, — расстроилась я, — специально из Москвы прикатила, чтобы поговорить. Можно у вас во дворе подожду, посижу на скамеечке?

Зинаида сняла фартук.

— Раисы нет.

— Я поняла, она, очевидно, на работе, впрочем, я не стану вам мешать, сейчас уйду. Вы только мне объясните, где институт находится.

Зина села на стул, сложила на коленях большие, натруженные руки и с изумлением спросила:

— Какой институт?

— Ну тот, где Раиса Николаевна преподает. Схожу туда.

Зинаида заправила за ухо выбившуюся из пучка прядь и сказала:

— Никак не пойму, о чем речь.

— Вообще-то, мне нужен Петя Попов, если он, конечно, тут живет.

Лицо Зины просветлело.

— Ну наконец-то и до нас очередь дошла. Сейчас приведу.

— Он дома? — обрадовалась я.

— Где же ему быть, — дернула плечами Зинаида и ушла.

Я расслабилась и мысленно похвалила себя за необыкновенную смекалку. Даже если Маши здесь нет, Петя скорей всего знает, где девочка. Отец любит дочь, наверное, он часто навещает ее и сообщит мне, с кем теперь живет Маша. Правда, немного странно, что после развода девочка осталась с мачехой, но в жизни случается всякое.

Дверь отворилась, в комнате вновь появилась Зинаида, за руку она вела патлатого мальчика.

— Вот, — сказала хозяйка, — Петя, а тут документы.

На стол лег довольно пухлый конверт.

— Мне с вами ехать или сами его заберете? — спросила Зинаида.

— Это Петя? — воскликнула я.

— Ну да, — кивнула Зина, — вы бумаги посмотрите. Все точно оформлено, Петр Петрович Попов, круглая сирота.

— Мальчик — сын Пети Попова? — еще больше изумилась я.

— Верно.

— Сколько же ему лет?

— Седьмой пошел.

— А почему он все время молчит?

Зина всплеснула руками.

— Издеваетесь, да? Приехали забирать мальчишку в интернат для глухонемых и спрашиваете, почему он не говорит?

Тут только до меня дошла суть происходящего.

— Простите, очевидно, плохо объяснила вам цель своего приезда. Я не имею никакого отношения к заведению для несчастных детей-инвалидов.

— Да ну? — протянула Зина, в ее темных, похожих на вишни глазах заплескалось разочарование. — Что вам тогда нужно?

— Мне нужна Маша Попова.

— Это кто?

— Дочь Петра Попова-старшего, сына Раисы.

— У него была девочка?

— А вы не знали?

— Нет, — резко бросила Зина, — он нас стеснялся, всех, а Раису и Вальку в особенности. Неровня мы ему были, слишком гордый уродился и злой, хоть о покойниках плохо и не говорят!

— О каких покойниках? — встрепенулась я.

Зина подтолкнула мальчика к двери. Тот тихо, словно не живой ребенок, а тень, выскользнул из комнаты.

— Так Петька помер, — равнодушно сообщила Зина, — давно, три года скоро будет. Райка с Валькой тоже преставились, одна я осталась с парнем, вот и мучаюсь. В детский сад его у нас не берут, да и понятно, кому охота с немым возиться, а очередь в специнтернат никак не подойдет. Вот увидела вас и обрадовалась. Думала, кончились мои страдания, заберете докуку.

— Что-то я ничего не понимаю, — забормотала я, — откуда мальчик? Петя же женился на Лизе

Марченко, и у них росла девочка. Кто такая Валя? И потом, Раиса, она где преподавала?

Зинаида печально улыбнулась:

— Райка читать научилась, а вот писать едва могла. Хоть она мне и сестра родная была, только этакой прошмандовки свет не видывал. Три класса закончила, и все, дальше учиться не захотела. Уж ее мамонька колотила смертным боем, что под руку попадет, тем и отдубасит, только толку-то? Райка по два года в каждом классе сидела, потом полы мыть в магазин пошла.

Я молча слушала немудреный рассказ.

Наука не лезла Раечке в голову, зато она быстро поняла, для каких целей господь создал на свет мужчин и зачем последние придумали водку.

Возле сельпо на шоссе частенько тормозили машины. Шоферы покупали в лавчонке сигареты, воду, хлеб и симпатичную Раечку. Все, включая девушку, стоило недорого. Ни о каких способах предохранения от беременности девушка не слыхивала, поэтому почти ежегодно производила на свет по младенцу. Дети рождались слабые, долго на земле не задерживались, жили максимум по месяцу и отправлялись в мир иной.

Петя появился на свет, так сказать, под занавес. Раисе исполнилось в тот год тридцать пять, от ее былой красоты почти ничего не осталось. Но это были руины Помпеи, а не сарая, поэтому Раечка и соблазнила немолодого дачника, профессора, имевшего старенькую, больную жену. Это был самый долгий роман Раи, он тянулся целое лето, а через положенное время родился Петя.

Ребенок неожиданно выжил, вырос, пошел в школу. Всем знакомым стало понятно: мальчик удался на славу. Петеньке достались мозги папы-профессора. В классе он считался лучшим, задачки щелкал, словно семечки, сочинения писал грамотно и английский язык осваивал без труда.

Начавшая к тому времени крепко пить Рая иногда с огромным изумлением восклицала:

— Не парень, а мешок с умом! Кабы он на меня так внешне не был похож, подумала бы, что не я его родила.

Но, видно, в Пете имелись и мамины гены, потому что, не успев закончить школу, он связался с Валей, живущей в соседнем дворе, и целый год парочка бегала в сарай на отшибе. Мать Вали всегда пребывала в алкогольной амнезии и за дочерью не следила, а Раиса, тоже все чаще и чаще видевшая дно бутылки, не тревожилась. У нее рос парень. Какой с него спрос? В подоле не принесет.

Петя, закончив школу, получил медаль и укатил штурмовать московские вузы. А Валя родила мальчика, названного без особых затей Петенькой. Замуж девушка не собиралась, бывшего возлюбленного не разыскивала, денег не требовала, о младенце особо не пеклась. Выживет — хорошо, помрет — не беда. То, что ребенок глухонемой, нерадивая, постоянно полупьяная Валя узнала, лишь когда сыну стукнул год и она вознамерилась отдать его в круглосуточные ясли.

Вот тут в ней неожиданно проснулся материнский инстинкт, и Валя отправилась в Москву. Как ей удалось отыскать Петю в огромном мегаполисе, Зина не знала, но факт остается фактом: Петр приехал вместе с Валентиной назад, в родной Никологорск. Зинаида поначалу не узнала племянника. Перед ней стоял красивый, хорошо одетый юноша, совершенно трезвый, солидный. С перепугу Зина начала называть его на «вы», но Петя обнял тетку, и все стало на свои места.

Спешно расписались в местном загсе и зарегистрировали мальчика на фамилию Попов. Потом Петя собрался в Москву, перед отъездом он сказал Зинаиде:

— Похоже, ты в нашей семье одна не дружишь с бутылкой.

Она кивнула:

— На дух самогонку проклятую не переношу, от одного запаха косорылит.

— Понимаешь, — сказал Петя, — я человек честный, раз сделал ребенка, должен о нем заботиться, только потому и расписался с Валентиной. Но жить с ней не стану.

— Правильно, — одобрила тетка, — у тебя другая дорога, шагай по ней.

— Забрать мальчика к себе пока не могу, — продолжал племянник, — живу в общежитии, денег особых не имею, кукую на стипендию. Но сейчас попробую подзаработать и посылать Петруше алименты.

— А надо ли? — усомнилась Зинаида. — Все равно Раиса с Валькой пропьют. Ты им на бутылку ломаться станешь.

— Вот о том и речь, — нахмурился Петя, — тебе буду переводы слать. Пригляди за парнем.

— Он инвалид, — напомнила ему тетка, — ничего не слышит и не говорит. Хотя чему тут удивляться. Сколько раз Валентину с пузом из оврага пьяной приносили. Забудь ты, Петенька, про сына. Не жилец он. Зря ты дело со свадьбой затеял. Уезжай в Москву, найди себе хорошую, богатую девочку и живи счастливо. Не нужен тебе Петька, ему судьба здесь сгинуть.

Племянник помрачнел.

— Устроюсь в Москве и возьму сына к себе. Ты только догляди за ним, деньги буду присылать, хорошие.

Зинаиде не хотелось возиться с немым уродом. Но, поразмыслив, она согласилась. По-крестьянски хитрая баба рассудила просто. Маленький Петяша тихий, с хулиганами ему не связаться, подрастет чуть, можно будет к хозяйству приставить. А что еще немому делать? Пусть огород полет, картошку окучивает, корову доит. Отцовы деньги станут хорошей прибавкой к домашнему бюджету. Много мальчишка не съест, он маленький, покормил один раз в день, и довольно. В школу Петяше не ходить, значит, никаких расходов на учебники, тетради и ручки. Да и одевать особо его не надо, пусть таскает что есть. На чердаке сундук стоит, а в нем вещи умершего брата Зины и Раисы. Чем не наряды для инвалида? Еще и слишком хорошо будет.

Вот так и поехало. Спустя полгода после свадьбы Валя умерла, полезла по пьяни купаться и утонула. Петр стал вдовцом. Зинаида радостно перекрестилась, одной докукой меньше. В последнее время Валя приобрела привычку заявляться к ней в дом и требовать:

— Дай на бутылку, а то сына заберу! Украла моего ребеночка любимого!

Приходилось раскошеливаться. Петр не обманул, он исправно присылал тетке копеечку, и Зинаида боялась лишиться источника доходов.

Недолго после кончины невестки прожила и свекровь. Раиса скончалась тоже по пьяни. Выпила самогонки, легла в сугроб и заснула. Зина осталась с Петяшей одна. Она совсем не тужила по покойной сестре. Мальчик ее не обременял, рос, словно трава в поле, к тому же он оказался послушным и с ранних лет превратился в помощника. В общем, Зина чувствовала себя почти счастливой.

Однажды двадцатого числа почтальон не принес алименты. Промелькнул месяц, вновь подкатило двадцатое, и опять хромоногий Сергей с сумкой через плечо прошествовал мимо калитки их дома.

Зина нагнала письмоносца и спросила:

— Где мой перевод?

— Хрен его знает, — сплюнул Сергей, — нет тебе ничего.

Зина призадумалась. Только через полгода ее вызвали в собес и огорошили: Петяше, как круглому сироте, назначена пенсия.

Услыхав новость, она обомлела:

— Ну вы даете, работнички фиговы! Когда еще Валька померла, и только сейчас про денежки вспомнили!

— Так у мальчика отец был, — пояснила, зевая, толстая Алена.

— Почему был? — оторопела Зина. — Куда ж он теперь подевался?

— Помер.

— Кто? — заорала Зинаида. — Слышь, Алена, хватит из себя начальницу корчить! В соседних домах живем, я про твое исподнее все знаю, рассказывай нормально.

— Так говорю тебе, — мигом сменила тон Алена, — пенсия только круглой сироте положена. Петр Попов умер, уж несколько месяцев прошло, а до нас бумаги сейчас доползли. Ты мальчишку можешь на законных основаниях в детдом сдать.

— Как умер, — забормотала Зинаида, — почему? Молодой ведь, не пил, учился, работал... Что с ним приключилось?

— Хрен его знает, — равнодушно пожала плечами Алена, — вот тебе бумажка. Хочешь, езжай в Москву, тут адрес указан, вон внизу, гляди, отделение милиции, улица, дом. Там небось объяснят. Так чего, станешь Петяшу в детдом оформлять?

— Конечно, — обозлилась Зина, — зачем он мне сдался? Самой не прокормиться.

— Тогда его пенсию не получишь, — предостерегла Алена.

— Больно велика награда, — хмыкнула Зинаида, — полкопейки. Нет уж. Готовь документы.

Алена укоризненно покрутила головой, но вслух высказывать свое отношение к Зинаиде не стала. Все-таки соседка, следовало прикусить язык.

С тех пор прошло несколько лет, а Петяша все объедает Зину. С детдомом все оказалось не так просто. Чтобы Зинаида могла распоряжаться мальчиком, ну, к примеру, оформить его в садик или водить в поликлинику, Петр после смерти своей жены-пьяницы попросил тетку официально оформить опекунство над Петенькой. И теперь это очень мешало Зинаиде, потому что Петенька не считался полной сиротой, у него была опекунша. Да, Зина могла отдать его в приют, только в обычный глухонемого ребенка не брали, а специализированный оказался переполнен. И процесс этот тянулся до сих пор.

— Надо бы взятку директрисе дать, — вздыхала Зина, — а откуда средства взять? Не сто рублей же ей предлагать. Вот и стоим в очереди, маемся. Хоть бы Петька помер, что ли. Только он, на грех, здоровым уродился, ничего его не берет, до снега босиком бегает, даже не кашляет.

— Петя не сообщил вам о женитьбе на Лизе Марченко?

— Нет.

— И о том, что у него родилась дочь Маша?

— Нет.

Я замолчала. А что было сказать? Дверь скрипнула. На пороге появился мальчик, потряхивая спутанными волосами, он вытянул руку.

— Еще чего! — заорала Зинаида. — Жрать ему подавай! День на дворе! Жди до вечера.

Очевидно, ребенок понял, что ему отказано, и совершенно молча выскользнул за дверь.

— Вы его кормите всего один раз в сутки, на ночь? — вырвалось у меня. — Но мальчику положено завтракать, обедать, полдничать и ужинать!

— Кто это положил, тот пусть продукты и покупает, — окрысилась Зина, — а у меня лишней копейки нет.

— Но у вас вроде есть корова, хоть молочка налейте.

— Ишь какая добрая нашлась, — обозлилась хозяйка, — оно для людей, на продажу.

Я вынула кошелек.

— Можно у вас литр приобрести? Только налейте в две кружки.

Зинаида быстро сбегала на кухню и притащила молоко. Я взяла один высокий, темно-синий бокал и вынесла во двор. Петяша безучастно сидел на крылечке. Я погладила его по спутанным буйно-кудрявым волосам. Мальчик поднял глаза. У меня заболело сердце. Петяша смотрел так, как глядит крепко битая жизнью, не видевшая ничего хорошего дворовая собака. Я подала ему кружку:

— Пей.

Брови мальчика слегка приподнялись, на лице появилось вопросительное выражение. Я кивнула:

— Это тебе.

Ребенок молча взял емкость и прилип к ней губами. Меня удивила его деликатность. Петяша был явно голоден, но он не набросился на молоко, не стал хлебать его большими, шумными глотками, а пил тихо, аккуратно...

Забрав пустую посуду, я вернулась к Зине и сурово сказала:

— Вторую порцию дадите ему часов в шесть. Надеюсь, не обманете?

— Я честный человек! — возмутилась сквалыга. — Коли уплочено, то без вопросов.

— Вот тут еще деньги, правда, мало, больше у меня с собой нет. Покормите малыша сегодня обедом и ужином.

— Коли вам охота зря рубли бросать, то пожалуйста, — ухмыльнулась Зинаида, — сосисок куплю, он их один раз ел и все с тех пор просит, знаки подает.

— Отдайте мне бумагу из милиции.

— Берите, — пожала плечами тетка, — мне ни к чему она, чудом не выбросила, сунула за икону и забыла.

Мы вместе вышли на крылечко. Петя молча сидел на ступеньках, и тут я не выдержала:

— Зинаида, послушайте, вам ведь мальчик не нужен.

— Точно, — кивнула она, — одна докука.

— В конце недели к вам приедут и заберут его.

— Совсем? — обрадовалась Зина и перекрестилась. — Ну и слава богу.

— У меня есть бездетная подруга, она усыновит Петяшу.

Зинаида изумилась:

— Да ну? За фигом ей урод, может здорового взять.

— Нет, Рита захочет Петю.

— Ладно, — с недоверием кивнула тетка, — ежели так, то и бог с ним.

Я наклонилась к ребенку и тихо сказала:

— Потерпи еще немного, скоро у тебя будут мама, папа, бабушка, много игрушек, красивой одежды и вкусной еды. Да, и еще совершенно замечательная собака по имени Авоська. Хотя ты же меня не слышишь!

В этот момент Петяша неумело улыбнулся. Я пошла было к машине, но на полпути к калитке что-то толкнуло меня в спину. Я обернулась. Петя стоял у двери, водя из стороны в сторону поднятой правой рукой. Я помахала ему в ответ и вышла на дорогу. Странное дело, но отчего-то мне показалось, что мальчик услышал рассказ про Риту.

Глава 11

Наша с Томочкой бывшая одноклассница Рита Клепикова женщина во всех смыслах счастливая. У нее великолепная мама, сделавшая главной задачей своей жизни служение дочери. Ритка необыкновенно удачно вышла замуж за тихого, молчаливого Кирилла. От него в неделю и пары слов не услышишь, но это не помешало Кириллу защитить всевозможные диссертации, стать доктором наук, профессором, академиком, а недавно он основал частный институт и теперь уверенно руководит им. Материальных проблем у них нет, теща обожает зятя, он платит ей взаимностью, и все вместе любят Ритку, а та их. В семье имеется собака Авоська, В общем, на первый взгляд Рита кажется очень счастливой женщиной, которой не досталось от судьбы ни одного пинка. И только самые близкие люди знают, что случилось у Клепиковых несколько лет тому назад.

Рита ждала ребенка. Естественно, Кирилл положил жену в лучшую клинику, но там чего-то недоглядели, занесли инфекцию, и в результате Ритке сделали несколько операций, после которых она уже больше никогда не могла иметь детей. Однако она не расстроилась.

— Один сын уже есть, Петечка, — улыбалась она, — хватит наследников.

Но вскоре стало известно: Петя — глухонемой. Родители восприняли неприятную новость стоически, и Рита стала усиленно заниматься с мальчиком, водила его в специализированный центр. У Пети обнаружили талант художника, все стены в квартире Клепиковых были завешаны его картинами. На мой взгляд, ничего особенного, но Рита с восхищением восклицала:

— Вот увидишь, он будет великим живописцем.

Но Пете не суждено было никем стать, в возрасте пяти лет он попал под машину и скончался на месте. Целый год после трагедии Рита не общалась ни с кем из знакомых, а потом пришла к нам и заявила:

— Хочу усыновить ребенка, глухонемого мальчика, шести лет.

Мы с Томочкой, обрадованные тем, что подруга начинает приходить в себя, горячо поддержали Риту. Но найти такого ребенка оказалось трудно. Как назло, все подходящие по возрасту глухонемые дети не были полными сиротами. Вернее, они жили в интернатах, на гособеспечении, но де-юре имели мать, а иногда и отца. А ребенок не сирота не подлежит усыновлению, даже если родители и забыли о нем давно. Рита же упорно хотела, чтобы новый сынишка был ровесником умершего, поэтому сейчас она ищет уже школьника, но безрезультатно. И вот вышло, что я случайно наткнулась на такого мальчика, да его еще по невероятному стечению обстоятельств тоже зовут Петяшей.

Не откладывая дела в долгий ящик, я заехала к Рите на работу и объяснила ей ситуацию. Подруга, сильно побледнев, мигом кинулась к телефону.

— Кирюша, — закричала она, — Петенька нашелся! Он живет у страшной тетки, в городе Никологорске...

Я не стала дальше ее слушать и уехала. Рита очень сильно переживала смерть сына. В какой-то момент она, чтобы успокоиться, придумала историю, которую стала с маниакальным жаром рассказывать окружающим. Петечка якобы не умер, его ошибочно посчитали мертвым, привезли в морг, но там мальчик ожил и был украден неизвестными лицами с неясной целью. И вот теперь Рита разыскивает его.

Естественно, эта версия не выдерживала никакой критики. Я присутствовала на похоронах малыша, очень хорошо помню тот маленький гроб и ребенка в нем. Но Рите легче думать, что сын жив, и ее верные подруги никогда не возражали, когда несчастная заявляла: «Ездила вчера в детдом, но это не Петечка, его, очевидно, в другое место сдали».

Впрочем, среди новых знакомых Клепиковых находились люди, верившие в историю о киднепинге.

Задыхаясь от духоты, я доехала до нужного отделения милиции и спросила у дежурного:

— Садченко где можно найти?

Мент посмотрел на меня изумленно:

— Кого?

— Н.К. Садченко, — повторила я, — он мне бумагу прислал.

— Повестку?

— Нет, вот эту.

Дежурный взял листок.

— А... Сарпенко!

— Извините, тут нечетко написано.

— Второй этаж, комната двадцать четыре, — буркнул мент и потерял ко мне всякий интерес.

Я поднялась наверх, поскреблась в дверь и вошла в кабинет самого жуткого вида. Ну почему большинство районных отделений милиции похожи, как близнецы? Стены там покрашены в грязно-синий цвет. Пол, как правило, покрывает сильно истертый желто-коричневый линолеум, а санузел, если вас туда, конечно, впустили, выложен мелкой бело-черной плиткой. Унитаз не имеет ни круга, ни крышки, а из бачка с шумом льется ржавая вода.

Не лучше обстоит дело и с мебелью. Письменные столы, стулья и шкафы у стражей порядка разномастные, приобретенные в лучшем случае двадцать лет назад, сейфы похожи на железные, поставленные стоймя гробы, окна забраны толстыми рифлеными решетками, и их никогда не моют. Обязательным атрибутом кабинета являются графин с мутной водой и два стакана. А запах здесь стоит особый, описать его я не могу, так скорей всего пахнет беда.

Сидевший за столом капитан поднял голову.

— Вы ко мне? — уныло поинтересовался он.

Я глупо хихикнула:

— Ага. Из Никологорска приехала.

Капитан неожиданно оживился:

— Если вас на вокзале обокрали, то вы не туда обращаетесь. У них, на транспорте, собственное отделение есть.

— Не, — я изобразила из себя дурочку, — вы Н.К. Сарпенко?

— Да, — осторожно кивнул милиционер, — Николай Константинович.

— Во, — шлепнула я перед ним бумажку, — вызывали нас.

Николай прочитал текст и возмутился:

— Так это когда было! Сто лет прошло.

— Сразу ж хозяйство не бросить, — затараторила я, — Раиса приехать тадысь не смогла, корова у ей заболела, потом сама померла.

— Корова? — с неожиданным участием осведомился Сарпенко.

— Не, Райка преставилась, — бодро сообщила я, — вот меня и отправили поразведать, где, чего и как случилось. Может, хоронить надо!

Николай пару секунд моргал белесыми ресницами, потом спросил:

— Издеваетесь, да? Несколько лет прошло, какое погребение?

— Ну, мало ли как случается, — юродствовала я, — всяко бывает...

— И кто вы Попову?

— Ихней мамоньки третьего мужа дочь от второго брака.

Николай снова заморгал.

— Родственница, значит?

— Самая близкая. Вы уж разъясните, чего с Петькой приключилось, — заныла я, — а то меня дома ругать будут, в Москву скаталась, деньги потратила, ничего не узнала.

— Кому скажу, не поверят, — вздохнул Николай, — ладно, погодите пока в коридорчике.

Он вытолкал меня за дверь, тщательно закрыл кабинет и указал на колченогий стул:

— Тут подождите!

Я покорно села и стала ждать. Время тянулось словно жвачка. Наконец Николай снова появился передо мной, в руках он держал тоненькую желтую папочку.

Мы вошли в кабинет.

— Вашего родственника убили, — сказал капитан.

— Как убили? — совершенно искренне удивилась я. — Быть того не может. Кто? Почему?

Николай вытащил сигареты.

— «Висяк» это. Кто убил... зачем... Небось деньги парень имел, ну, зарплату нес, на ограбление похоже.

— Нельзя ли узнать более детальные подробности? — поинтересовалась я.

Николай с легким изумлением глянул в мою сторону. Я поняла, что, ошеломленная нежданной информацией, выпала из образа малоразвитой крестьянской бабы, и продолжила, шмыгая носом:

— Это моя тетенька, учительница, спросить велела. Прямо в голову втемяшила, так и скажи: «детальные подробности».

Николай хмыкнул.

— Да нет никаких особых деталей. Петра Попова обнаружила Ольга Савостьянова в подъезде своего дома на Краснокумской улице. Она же вызвала милицию. Женщина работает врачом, поэтому попыталась оказать Попову первую помощь, проявила сознательность, никого из любопытных в подъезд не впустила, место происшествия осталось незатоптанным, но толку чистый ноль. Следов мало, и нельзя с уверенностью сказать, что они принадлежат преступнику. Из кармана у Попова исчез кошелек, в котором была приличная сумма, с запястья сняли золотые часы, с шеи сорвали цепочку с крестом, типичное ограбление. Наркоманы небось орудовали. Ломало их, наверное, денег на дозу не было, а тут прилично одетый кент идет. Проводили до подъезда и избили, обычное дело, «висяк». Попов в больнице умер, к утру.

— Погодите, — воскликнула я, — а откуда же вы узнали про часы, цепочку и деньги? Он что, жив был, когда милиция приехала?

— Мертвее некуда, — отозвался Николай.

— Так откуда такие сведения?

— Никак вас не пойму, гражданочка, — устало перебил меня капитан, — вам чего надо-то?

— Когда вы нашли Попова, он, естественно, молчал, так?

— Так.

— Кто же рассказал о деньгах и прочем украденном?

— Жена его... как ее... вот тут... э... Елизавета Семеновна Марченко.

Боясь упасть со стула, я вцепилась пальцами в край обшарпанного стола.

— Лиза? Не может быть!

— Почему? — удивился капитан. — Ее сразу известили.

— Личность Петра Попова установили без проблем?

— При нем имелся паспорт, — машинально ответил Николай и нахмурился. — Вы кто такая? Не надо больше прикидываться деревенщиной из глухомани. Плохо получается, вначале еще ничего шло, а потом неубедительно стало.

Поняв, что роль была сыграна неудачно, я улыбнулась.

— Вас не обманешь.

— Это верно, — кивнул Николай, — так в чем дело?

— Моя подруга, Рита Клепикова, хочет усыновить мальчика-сироту, сына Петра Попова. Он сейчас живет со своей двоюродной бабкой, Зинаидой. Та очень хитрая, вот и выдает Рите информацию про малыша по каплям. Мы решили сами разузнать, что за беда приключилась с отцом ребенка. Мать у него спилась, есть свидетельство о ее смерти, а о Петре лишь ваше извещение. Очень сложная ситуация. Рита возьмет мальчика, а потом явится его папаша-алкоголик и станет предъявлять на него права. Вот я и приехала на разведку.

— Чего сразу-то правду не сообщили? — буркнул Николай. — Спектакль устроили...

— Думала, вы меня выгоните, в милиции не слишком-то любят с посторонними дела обсуждать.

— Не все сволочи, — сердито ответил капитан, — ладно. Пусть ваша подруга не сомневается. Мальчик сирота. Кстати, отец его алкоголиком не был, нормальный мужик. А вот жена...

— С ней что?

— Сообщили ей о несчастье, приехать попросили, а она из окошка сиганула или повесилась. Не помню сейчас точно, в общем, с собой покончила! Я потом даже переживал. Кто знал, что у них такая любовь была? Надо бы поаккуратней, приехать домой... Только времени у нас никогда нет, вот и позвонили по телефону. И ведь она мне спокойной показалась, не заплакала, не закричала, тихо так пообещала: «Обязательно приеду, чуть попозже, сейчас очень рано, часа через три-четыре». А потом раз, и готово! Но она по телефону про часы, крест и деньги рассказала.

— Не знаете, что Петр на Краснокумской делал?

— Понятия не имею. Если честно, то «висяк» он и есть висяк.

Я кивнула. Яснее некуда. Мужа убили, жена покончила с собой, а милиция особо напрягаться не стала.

— Вы точно уверены, что это Попов? Может, другой человек погиб?

Капитан щелкнул языком.

— У него во внутреннем кармане пиджака лежала телефонная книжка, на первой страничке все данные стояли: имя, фамилия, отчество, адрес, и паспорт в кармане.

Я внимательно слушала Николая. Сама так же поступила с еженедельником в надежде на то, что случайно потерянная записная книжка попадет к приличному человеку, который не поленится вернуть ее законному хозяину. Есть, правда, одно «но»...

— Книжку-то мог иметь при себе совсем посторонний мужчина, вовсе не Петр.

Николай вскинул брови.

— Вам бы следователем работать, четко мыслите. У него еще в кармане паспорт был, чего еще надо? Да и жена подтвердила по телефону: он это, черноволосый, смуглый, дома не ночевал... Все сошлось. Парня за госсчет хоронили. Жены нет, родителей тоже.

Я постаралась сгрести мозги в кучу. Ну и дела!

Глава 12

Несолоно хлебавши я вышла из отделения милиции и села в машину. Надо найти тихое местечко и попытаться хоть как-то осмыслить происходящее. Лучше всего сейчас податься домой. Тем более что мы с Томочкой договорились о... О черт! Я совсем забыла об измене Олега и о предстоящем романтическо-эротическом ужине!

Выбросив из головы все мысли, связанные с Петей и Лизой, я, прихватив с собой в качестве руководящего пособия книгу Эли Малеевой, бросилась в расположенный в двух шагах от отделения милиции торговый центр. Очень надеюсь, что там найдутся все необходимые прибамбасы!

Каждый раз, приходя в промтоварный магазин, я радуюсь, что времена кардинально изменились и больше не требуется часами стоять в очереди, чтобы купить себе, допустим, белье из Германии. В прежние, коммунистические времена приходилось моментально становиться в конец любого хвоста. Самый распространенный диалог тех лет звучал так:

— Вы последняя?

— Да.

— Я за вами, а что дают?

То есть сначала вы забивали себе место, а уж потом выясняли, какой предмет получите часа через два-три из рук хмурой продавщицы. В том, что маяться придется долго, никто не сомневался, как, равным образом, и в том, что некая вещь, которую «дают» в магазине, придется вам ко двору. В дефиците было все. По мере приближения к прилавку нервы расходились все сильнее. Вот злая на весь свет торгашка проорала:

— Трусов осталось мало!

— Больше двух в одни руки не давайте, — мигом отреагировали те, кто стоял в конце очереди.

— Еще чего! — завопили «головные». — Мы тут с обеда прыгаем, сколько нужно, столько и возьмем.

Иногда в магазинах стихийно вспыхивали драки, нервные тетки впадали в истерику. Да еще имелась особая порода — «льготники», например ветераны войны, которым товар отпускался по предъявлении документа без всякой очереди. Сами понимаете, какие слова неслись в спину тем, кто отваживался в обход всех подойти к кассе.

Дойдя наконец до прилавка, многие из нас констатировали: нужный размер закончился, желаемый цвет тоже, и вообще, вместо блузок, за которыми вы стояли, из подсобки вынесли сапоги «аляски», опять же не вашего размера. Но никому не приходило в голову уйти с пустыми руками, берем, что дают, наплевать на все! Большое ушьем, маленькое растянем, хуже обстояло дело с обувью. Но ведь имеются подруги. И если уж достались, то надо хватать «аляски» сорок второго размера. Вот принесем домой, полистаем телефонную книжку и найдем, кому пристроить сапожки. Долгие годы мы с Тамарочкой носили вещи, которые по разным причинам не подошли приятельницам. Поэтому сейчас я живу лучше, чем прежде, несмотря на то что больших денег у нас с Олегом не водится. Но их можно заработать, особенно если живешь в крупном городе.

Быстро сделав все необходимые покупки, я явилась домой и нашла на столе записку:

«Вилка, мы с Кристиной и Никитосом укатили на день рождения к Ленке Родионовой на дачу. Ленинида прихватили с собой. Сеня после работы тоже отправится к Лене. Вернемся завтра, к полудню. Тома».

Я засмеялась и оставила листок лежать на самом видном месте. Не надо, чтобы у Олега возник вопрос: с какой это стати мы с ним внезапно остались в квартире совершенно одни? А так ничего удивительного, весь народ веселится на пикнике. Просто замечательно, на Томуську всегда можно положиться, выполнит любое задание в наилучшем виде.

Следующие три часа я посвятила хозяйственным хлопотам и приведению себя в порядок. Когда в замке заворочался ключ, я выскочила в коридор и приняла рекомендованную Элей Малеевой позу: повернулась ко входу профилем, одну руку уперла в бок, правую ногу отставила в сторону.

— Привет, — устало выдавил из себя потный Куприн и грохнул около вешалки туго набитый портфель. — Как дела дома?

Меня обычно бесит этот вопрос. Как дела дома! Можно подумать, что Олега они и впрямь волнуют. Просто дежурная фраза. Если думаешь о семье, то хотя бы раз в день позвонишь жене с работы! Но Эля Малеева настоятельно рекомендовала не ссориться с супругом. «Сначала верни парня в семью, потом отомстишь ему за все», — писала она. Поэтому я кокетливо улыбнулась и пропела:

— Все отлично, милый, ты, наверное, устал. Ужин на столе!

Куприн стал разуваться.

— Может, хочешь принять ванну, — начала я заученную речь, — с пеной или ароматическим маслом?

Олег отшвырнул туфли.

— Что случилось?

— Ничего, любимый.

— Ты потеряла кошелек?

— Нет.

— Вляпалась в очередную историю?

— Говорю же, все в порядке.

— Разбила машину?

— С какой стати в твою голову полезли подобные мысли? — я стала потихоньку заводиться. — Вот и встречай тебя с нежностью, предлагай ванну.

— Оно и подозрительно, — засопел майор, вытряхиваясь из безнадежно измятого пиджака, — ты делаешься ласковой лишь в том случае, если чего-то натворишь.

Я хотела было швырнуть в него одежную щетку, но потом, вспомнив указание Эли Малеевой, взяла себя в руки и прощебетала:

— Милый, просто я люблю тебя и хочу сделать приятное.

— Ну-ну, — протянул Олег, — а почему ты нацепила на себя рваный халат?

Я заскрипела зубами от злости. Ну ничего себе! Да на мне дорогущий пеньюар, стоивший бешеных денег, и никакие это не дырки, а ажурное шитье. Можно ли быть таким идиотом! Принять эксклюзивную вещь за рванину! Нет, такое могло прийти в голову лишь Куприну!

Пока я в очередной раз пыталась подавить закипавшее бешенство, муж ушел на кухню. Пришлось признать, что первый раунд был мною проигран с разгромным счетом. Эля Малеева клялась, что при виде жены, стоящей в прихожей в соблазнительно распахнутом кимоно, неверный супруг мигом взвоет, словно голодный лев, и набросится на свою половину прямо тут, не сдержав сексуального порыва. Ничто не помешает ему овладеть женой: ни разбросанная обувь, ни беспорядок. Эля, правда, рекомендовала удалить из дома детей и помыть полы. «Вы даже представить себе не можете, что способен сотворить с парнем красивый полупрозрачный, кружевной халатик, — писала Малеева, — такая малость, и вы снова счастливая жена».

Я, между прочим, досконально выполнила ее указания, и что вышло? Муж сначала заподозрил всякие глупости, а потом просто прошествовал мимо меня, не проявив никакого интереса. Может, я не слишком эротично выгляжу? Или Куприн ослеп?

Внезапно на душе стало совсем нехорошо. Нет, он просто так влюблен в свою даму, что ничего не видит вокруг. Не стоит, однако, терять присутствия духа. Эля Малеева честно предупредила в конце первого раздела, что некоторые особи не сразу поддаются «лечению»: главное, не опускать руки и упорно идти к своей цели. Ладно, у нас впереди вечер с обширной программой, а пока займемся ужином.

— Есть чего пожрать? — донесся из кухни голос мужа.

Я кинулась на зов.

— Конечно, дорогой, я приготовила изумительное блюдо.

Олег молча ждал, пока я наполню его тарелку. Когда он увидел поданное яство, его глаза слегка расширились.

— Это что? — с недоумением воскликнул он.

— Спаржа по-андалузски с морепродуктами.

— Кто с чем? — не понял Олег, роясь в соусе.

— Спаржа, такой овощ, длинный, зеленый, очень полезный и необычайно вкусный, его ценят во всем мире, — объяснила я этому олуху.

— Никогда не ел такое, — протянул Куприн и, осторожно насадив на вилку кусочек, отправил его в рот.

— Мы раньше не готовили это блюдо, — заулыбалась я.

Олег проглотил спаржу и со страхом воскликнул:

— Господи, а это что за чудище?

— Где?

— Вот.

— Милый, кушай!

— Не хочу, оно ужасно выглядит, похоже на червяка с присосками!

Я снисходительно улыбнулась.

— Какое поэтическое сравнение! Это всего лишь самый обыкновенный осьминог. Необычайно полезная вещь, только попробуй.

Куприн покорно стал жевать морского гада. На его лице ужас сменился недоумением.

— Правда великолепно? — обрадовалась я.

Муженек кивнул.

— Слов нет, напоминает резиновую калошу, обмотанную тряпками.

От неожиданности я спросила:

— При чем тут тряпки?

— Значит, ты согласна с тем, что осьминог — резиновая калоша, — майор мигом продемонстрировал милицейскую смекалку, — твоя спаржа сильно смахивает на кусок бинта, который варили пару часов под крышкой!

Можете себе представить, чего мне стоило не броситься на него с кулаками? Таким людям, как я, следует за долготерпение давать медаль!

— У нас кетчуп есть? — мирно спросил Олег.

— Да, только к чему он?

— Вот думаю, если полить эту пакость, вдруг съедобной станет?

Пюре из некондиционных помидоров? Массу, сдобренную красителями, консервантами и прочей дрянью, вывалить в подливку, которую я вдохновенно готовила целый час? Что бы вы сказали своему мужу, услыхав подобное заявление?

— Послушай, Вилка, — спросил Куприн, отталкивая тарелку, — у нас нету пельменей или яиц? Может, омлетик сгоношишь? С колбаской?

Тут мое бесконечное терпение лопнуло:

— Как тебе не стыдно! Я приготовила просто неземное кушанье, а тебе подавай всякую дрянь! Нельзя всю жизнь лопать сверхкалорийные куски теста с начинкой из невесть чьего мяса или холестериновые яйца!

— Я не могу есть куски резинового шланга, — парировал Олег.

— Это исключительно полезное мясо!

— Осьминоги не мясо.

— Ладно, рыба.

— И не рыба.

— А кто? — еще больше разозлилась я.

— Не знаю, — пожал плечами Куприн, — семейство каучуковых, вид грелок.

— Ты пещерный человек! Весь мир ест морепродукты!

— А я не хочу. За каким чертом всякую гадость жевать? — вскипел супруг. — Между прочим, в некоторых странах собак жрут, кошек, лягушек, червей... Мне же больше по вкусу отбивные из свинины или говяжья вырезка.

— В осьминоге содержится некое вещество, — припомнила я книгу Эли Малеевой, — кстати, в спарже его тоже с избытком. Оно особенно полезно мужчинам.

— Чем же? — поинтересовался Олег, прихлебывая чай.

— Резко повышает потенцию.

Куприн отставил чашку в сторону.

— Ты хочешь сказать, у меня проблемы? Настолько серьезные, что придется хавать подобный ужин всю жизнь? Я, по-твоему, импотент?

Высказавшись, Олег встал и ушел. Я осталась возле несъеденных деликатесов. Ладно, не стоит отчаиваться. Небось его новая баба, Леся драгоценная, все подает с кетчупом, хозяйка фигова, руки таким отрывать надо.

Повздыхав несколько минут, я потрусила в спальню. Куприн лежал в кровати и читал газету. Увидав меня, он зевнул и буркнул:

— Будильник заведи.

Хотелось ответить: «Тебе надо, вот и действуй», но Эля Малеева настоятельно рекомендовала демонстрировать покорность, поэтому я сказала:

— Конечно, дорогой, как всегда, на шесть тридцать? Не волнуйся, непременно тебя разбужу, потому что великолепно понимаю значимость твоей благородной работы.

Олег отложил «Аргументы и факты» и уставился на меня. Я сочла момент подходящим и немедленно приступила к завершающему этапу эротико-романтического ужина.

Старательно улыбаясь, я начала медленно выбираться из халата. Если быть откровенной, то никогда до сих пор я не исполняла стриптиз, мне это просто не приходило в голову, и я слегка опасалась, что не справлюсь со сложной задачей. Но Эля Малеева была категорична: эротический танец должен возбудить в муже прежние чувства. Пришлось пойти на дополнительные расходы — купить красивый комплект нижнего белья. На мне был черный лифчик, такого же цвета трусики и чулочки на подвязках. Правда, надев обновки, я вновь заколебалась: понравлюсь ли Олегу в столь необычном виде. Но отступать было поздно. Наборчик стоил кучу денег, и его следовало использовать по прямому назначению.

Слегка запутавшись в рукавах, я выскочила из пеньюара. Олег хмыкнул. Обрадованная его реакцией, я постаралась принять самую соблазнительную позу и начала расстегивать бюстгальтер. Вообще говоря, сей предмет туалета мне совершенно ни к чему, грудь минус нулевого размера великолепно чувствует себя без всякой поддержки, но Эля Малеева писала: «Только полное соблюдение моих рекомендаций приведет к полнейшей победе и тотальному разгрому мерзопакостной разлучницы. Мужчины любят глазами, следовательно, соблазнительно-прозрачный лифчик вам просто необходим. И не забудьте зажечь благовония, представители сильного пола млеют от их запаха. Ароматические свечи или сандаловые палочки источают волшебный аромат. Наш похотливый козлик вдохнет пьянящий запах, увидит вас, красивую, и, забыв про любовницу-лахудру, превратится в страстного бенгальского тигра».

В этом абзаце было одно незнакомое мне прилагательное — «бенгальский»[1]. До сих пор я считала, что оно применяется лишь со словом «огонь». Многие на Новый год или другой какой праздник зажигают весело искрящиеся палочки. Но «бенгальский тигр» встретился мне впервые. Значит ли это, что из Олега должны при виде жены, исполняющей стриптиз, посыпаться искры? Или Эля Малеева имела в виду нечто иное? Ну да ладно. Вот только про курильницы я позабыла, а ведь купила их, не поленилась специально подняться на верхний этаж магазина и посоветоваться с продавщицей. Милая девушка предложила приобрести свечи под названием «Ложе страсти».

Вняв ее совету, я приволокла домой три странно изогнутые конструкции с торчащими фитилями, установила их на тумбочках, а зажечь забыла.

---

[1] Бенгалия — район Индии, где обитают хищные тигры.

— Милый, — томно прочирикала я, — подожди секундочку.

— Ну-ну, — сдавленным голосом протянул майор.

Я понеслась на кухню за спичками. Нет, Эля Малеева гениальна. Недаром она столько раз удачно выходила замуж. Похоже, Куприна страсть схватила за горло, он еле-еле говорит.

Когда желтые огоньки весело заплясали над восковыми пьедесталами, я продолжила действо. Хочу сразу предупредить тех, кто решил вернуть супруга в лоно семьи моим способом: девочки, снять лифчик эротично очень трудно: крючки расстегиваются с огромным трудом, сделать это небрежно-просто невозможно. Лично я извивалась минут пять, пытаясь так и эдак изогнуть руки, чтобы расцепить застежку.

Олег внезапно начал судорожно кашлять. Избавившись наконец от бюстгальтера, я, измученная донельзя, заботливо спросила:

— Милый, тебе хорошо?

Если верить Эле Малеевой, то Куприн сейчас сорвется с кровати и, искрясь, словно бенгальский огонь, бросится на меня с одним желанием...

— Ужасно воняет, — простонал Олег, — сейчас задохнусь. Что ты зажгла?

Я принюхалась. Может, индийцам миазмы, источаемые подобными свечами, и кажутся восхитительными, но сейчас в спальне отвратительно воняет жженой пластмассой.

Будучи младшими школьниками, мы иногда забавлялись поджогом расчесок, пленки и тополиного пуха. Бросали в лужи карбид. Но об этом как-нибудь в другой раз, мне вспомнились дурацкие детские шалости лишь по одной причине: по комнате сейчас плыл сизый дым, точь-в-точь такой, как в подворотне, где стайка второклассников орудовала спичками.

Кашель начал раздирать мое горло. Олег задул свечи, но от фитилей потек еще более густой смрад.

— Распахни окно, — велел муж.

— На улице жарко, и машин много.

— Лучше смерть от смога, чем от этой гадости!

Я молча послушалась. А кто сказал, что возвратить мужа в семью легко? Простой дороги мне не обещали, наоборот, Эля Малеева на каждой странице восклицает: «Не ждите скорой победы, действуйте методично! Успех приходит лишь к упорным!»

Конечно, Олег не привык есть спаржу с осьминогами, нюхать возбуждающие ароматы и смотреть стриптиз. Но я буду настойчивой, глядишь, он через месяц и втянется в процесс. Хотя я вынуждена признать: свечи воняют просто нестерпимо.

— Ты ложишься? — спросил Олег.

— Пока нет, — кокетливо ответила я и, повернувшись к супругу филейной частью, стала заниматься самой эротичной частью романтического ужина: стаскиванием крохотных кружевных трусиков.

Сзади послышалось громкое сопение. Значит, Олега проняло.

— Милый, — проворковала я, оборачиваясь, — скажи...

Конец нежной фразы застрял у меня в горле. Куприн, прикрыв лицо еженедельником, мирно спал. Я онемела от злости. Нет, каков! Жена не представляет для него никакого интереса, небось ездил к своей даме на свидание!

В полном негодовании я сделала шаг вперед, запуталась в не до конца снятых трусиках, пошатнулась и с громким воплем «Мама!» упала между кроватью и гардеробом.

Газета приподнялась, Куприн выглянул наружу, увидел меня полуголую на ковре и недовольно протянул:

— Вилка, хватит дурить. Ну сколько можно, спать хочется, и выключи это блеяние, прямо зубы сводит.

Вымолвив это, он мгновенно повернулся на бок и громко захрапел.

Кое-как я встала и ткнула пальцем в кассетник. Запись сладкоголосого Иглесиаса была куплена по наводке Эли. По ее глубокому убеждению, мужчины просто растекаются лужей, услыхав его песни.

Юркнув под одеяло, я решила сама обнять Куприна. Тот сонно пробормотал:

— Леся...

Леся!!! Это уже слишком! Может, пойти на кухню, схватить скалку — классическое русское народное средство борьбы с доморощенными казановами — и приложить ею майора по голове? Вдруг Эля Малеева ошибается, и мужа, решившего сходить налево, лучше всего «лечить» витамином «З»? То есть элементарными затрещинами?

Но тут по непонятной причине меня одолел сон, и я провалилась в темную яму.

Глава 13

На следующий день, едва дождавшись, пока Куприн уедет на работу, я кинулась к телефону и позвонила Розе Михайловне.

— Мне надо к вам приехать, прямо сейчас.

— Что-то узнали? — воскликнула она.

— Да, — я решила особо не вдаваться в подробности.

— До полудня успеете прибыть? Меня в два заказчики ждут.

— Уже лечу, — заверила ее я, — стою в пальто.

— В пальто? — изумилась Роза Михайловна. — Вы заболели? На дворе тридцать градусов выше нуля!

— Это я фигурально выразилась.

— Вы лучше поторопитесь, — вздохнула Роза Михайловна, — в самом прямом смысле.

Я нацепила босоножки и поехала по знакомому адресу.

Хозяйка сама отворила мне дверь.

— Ну, — с порога спросила она, — выяснили, где Маша?

— Пока нет.

Роза Михайловна нахмурилась.

— Тогда зачем пришли? Ищите скорей, вас же время поджимает, кредиторы должок поджидают.

— Мы на пороге разговаривать будем или впустите меня внутрь? — не дрогнула я.

Она посторонилась.

— Ну входите.

На этот раз меня попросту отвели на кухню, там у стола сидела над чашкой Нина.

— Ступай к себе, — велела ей мать.

Девушка молча взяла кружку и исчезла. Роза Михайловна прикрыла дверь и торопливо воскликнула:

— Говорите!

— Петя убит.

— Кто?

— Ваш зять, Петр Попов.

Марченко вздрогнула.

— Что?! Надо же, какая радость! И кто же его пристукнул? Если этот человек пойман, найму ему адвоката.

— Вы так ненавидели Петра?

— А за что мне его любить? Из-за парня я лишилась любимой дочери.

— Попова нашли в подъезде на Краснокумской. Вам этот адрес о чем-нибудь говорит?

Роза Михайловна равнодушно пожала плечами:

— Даже не слышала, что в Москве имеется такая улица. Хотя наш мегаполис непомерно огромен.

— Попова лишили жизни через пару дней после того, как он убежал вместе с Мариной.

Хозяйка отшатнулась.

— Вы хотите сказать, что он мертв уже несколько лет?

— Именно так. Более того, Лиза знала о несчастье, приключившемся с мужем.

— Невероятно, — прошептала, бледнея, Роза Михайловна, — вы несете несусветную чушь! Лиза покончила с собой!

— Уже после того, как работник милиции по фамилии Сарпенко сообщил ей о смерти мужа. Неужели дочь вам ничего не рассказала?

— Нет, — пролепетала Роза Михайловна, — хотя... ее записка...

— А что в ней было такого?

— Сейчас уже точно и не воспроизведу...

— Попытайтесь.

— Вроде так: «Дорогая мама, не могу жить без Пети и Маши. Вряд ли нам удастся встретиться на этом свете, а уж на том свидимся точно. Прощай, в моей смерти прошу никого не винить».

— И вы не поняли, что Попов умер? По-моему, Лиза четко дала понять, что она не надеется более увидеть мужа в живых.

— Я думала, она имеет в виду уход мужа из семьи, — протянула Роза Михайловна, — а оно вон что оказалось. Так где же Маша, а? Куда подевалась моя внучка?

— Пока не знаю, — тихо ответила я, — но всенепременно найду девочку. Вы можете мне назвать близких подруг Лизы?

— Приходили девочки, но кто они, теперь и не вспомню, — вздохнула Роза Михайловна, — вроде Галя... нет, Гуля... или Гульнара... Не один год ведь прошел!

— Адрес Марины Райской у вас был?

— Она не москвичка, — рявкнула Марченко, — из общежития, лимита безродная! Господи, вот ужасто! Вот несчастье! Значит, Петра убили, а Машенька осталась с этой... этой!.. Отчего она не вернула нам девочку? По какой причине забрала себе?

Я помялась и ответила:

— Пока не знаю.

Секунду Роза Михайловна сидела молча, потом ее шея стала просто бордовой. Неровные пятна поползли вверх и покрыли лицо дамы.

— Сука, — выплюнула она бранное слово, — дрянь! Да, я отговаривала Лизу от брака. Мне никогда не нравился зять, и он в конечном счете оказался самым настоящим мерзавцем. К сожалению, я была слишком нетерпима, поэтому свое отношение к Попову перенесла на ни в чем не повинную девочку. Маша казалась мне копией отца, и, чего греха таить, я лишь обрадовалась, когда она исчезла из моей жизни. Но с Лизой мы всегда были лучшими подругами. А потом, когда дочери не стало... я поняла... я осознала... сообразила, насколько виновата перед внучкой. Милая Виола, попробуйте найти Машу, вы моя последняя надежда, единственная, кто видел девочку четырехлетней. Ведь если я встречу малышку на улице, то не узнаю ее, а она спокойно пройдет мимо меня... Машенька, прости...

Неожиданно Роза Михайловна уронила голову на стол и судорожно зарыдала.

— Сделаю, что смогу, — тихо сказала я, — буду стараться изо всех сил.

Но хозяйка продолжала плакать. Я тихонько ушла из квартиры и вызвала лифт. Вдруг дверь квартиры Марченко приоткрылась, и показалась Нина. Поманив меня рукой, она побежала по лестнице. Я последовала за ней.

Между вторым и третьим этажом Нина остановилась и прошептала:

— Не пойду на улицу, а то мама еще выйдет на балкон и увидит нас. Она врет!

— Кто? — быстро спросила я.

— Мама.

— И в чем же состоит ее ложь?

— Она с Лизкой после свадьбы даже по телефону говорить не хотела.

— Вы ничего не путаете? — Я решила осторожно разведать обстановку. — Роза Михайловна сделала дочери шикарный подарок, квартиру.

Нина скривилась.

— У нас, между прочим, бабушка имелась, Сирена Львовна. Это ее жилплощадь.

— Неужели? Я поняла так, что Сирена Львовна жила здесь.

— Правильно, бабка здесь кантовалась, а ее комнаты пустыми стояли.

Слово «бабка» резануло мне слух.

— Похоже, вы с ней не очень ладили.

Нина заявила:

— Точнехонько. Бабка только Лизку любила, все они шушукались, обнимались, нас с Серегой не замечали. С самого детства так повелось. Сирена Лизке конфетку на ночь даст и одеяльце ей подоткнет, а мне лишь скажет: «Спокойной ночи», и все. Когда Лизка с Петькой любовь закрутили, мама сразу обозлилась и велела: «Выбирай, либо я, либо он». А Лизка ей в лицо заявила: «Конечно, Петя, он меня любит, а тебе на детей плевать. Только бизнес в голове, калькулятор щелкает, твои деньги подсчитывает. Я своих детей никогда ради денег не брошу».

И опять Сирена Львовна разрулила ситуацию, бабушка служила в семье Марченко мирным парламентарием. С белым флагом в руках она ходила от одной воюющей стороны к другой и в конце концов примиряла их. Вот и в тот раз она нашла замечательный выход. Лиза с Петей поселились в ее квартире. А спустя некоторое время, поняв, что дочь с внучкой закусили удила и не собираются мириться, старуха подарила апартаменты Лизе.

— Очень несправедливо, — возмущалась сейчас Нина, — отчего все всегда Лизке доставалось? С самого начала так повелось, ей лучшее, а нам с Серегой что останется. Знаете, после Лизкиной смерти квартира пустая стоит. Уж я просила маму, просила, прямо умоляла меня туда пустить пожить, а она ни в какую. Вот жадина, ни себе, ни людям. С какой стати бабка огромные хоромы Лизке отдала? Почему не вспомнила про нас с Сергеем? Вот Лизка счастливица, огребла все!

— Ваша сестра умерла, — напомнила я, — вряд ли ее судьбу можно считать счастливой.

Нина осеклась:

— Ну да. Только она сама решила убиться, с дури. Ну ушел муж к другой, и что? Следующего найди и живи на здоровье.

— Роза Михайловна никогда не ходила к Лизе? — решила я переменить тему.

— Ну потом они вроде как помирились, — поморщилась Нина, — установили худой мир. Два дня лижутся, четыре дерутся, их бабка всегда разводила, все ныла: «Девочки, не ссорьтесь. Лиза, будь умнее, Роза, дочери можно многое простить». Ходила мать к Лизке, а вот она сюда не совалась, муженек ей запретил.

— Вы не дружили с сестрой?

Нина вытянула нижнюю губу.

— Она кривляка была и эгоистка, все под себя сгребала.

— Можете вспомнить хоть кого-нибудь из подруг Лизы?

— Ну... нет.

Внезапно мне стало душно. В подъезде, несмотря на жару, были плотно закрыты все окна, от мусоропровода тянуло вонью. Стараясь не дышать, я продолжила «интервью»:

— Как же так? Наверное, друзья Лизы приходили в дом, вы общались, неужели никого не вспомните?

Нина надулась.

— Нет. Меня Лизка всегда из комнаты выставляла, если к ней кто заявлялся. За дурочку держала. Говорю же, мы не дружили.

Я, одурев от отвратительного запаха, потеряла всякое терпение и ляпнула:

— Ладно, я поняла. Вы с сестрой были в плохих отношениях. Похоже, что ваша мама тоже недолюбливала Лизу...

— И меня! — воскликнула Нина. — Мне вообще никогда ничего не доставалось! Совсем! Вообще!

Я глянула на золотые сережки, покачивающиеся

в розовых ушках капризницы, и проглотила все справедливые замечания.

— Мама врет, — кипя от негодования, продолжала Нина, — она знает, к кому Петька на Краснокумскую улицу шел! Вот! Она очень хорошо поняла, в чьем подъезде его укокошили!

— Погоди, — не утерпела я, — а ты откуда в курсе про Краснокумскую и смерть Попова? Ты знала, что Петра убили, и не сказала маме?

Нина хмыкнула:

— Да вы же сами только что все рассказали.

— Ты подслушивала!

— Нет, просто слышала, — пожала плечами Нина, — голос у вас въедливый, громкий.

Я пропустила мимо ушей ее последнее замечание и быстро спросила:

— Так к кому же шел Петр?

— А к Ларисе Дмитриевне.

— Это кто же такая?

— Бабушкина лучшая подруга. Они друг с другом перезванивались каждый день прямо! Слушать противно было: «Ах, ах, Ларисочка, ты как? Все в порядке?» Фу-ты ну-ты...

— Номер квартиры знаете?

Нина скривилась:

— Не-а.

— А телефон?

Девушка сунула руку в карман и вытащила блокнотик.

— Пишите. А вы можете потом снова поехать в милицию, ну туда, где вам сообщили про смерть Петра?

— В общем да, только зачем?

— Расскажите им, что мать врет, пусть ее за лжесвидетельство притянут!

У меня отвисла челюсть. Потом, с трудом взяв себя в руки, я хотела было резонно возразить девочке. Роза Михайловна не говорила неправды, она могла просто забыть адрес подруги матери, и я вовсе не представитель закона, никто не обязывает говорить мне истину. Но Нина не дала мне и слова вымолвить.

— Вы с Лариской-то поговорите, — продолжала она, — она тоже только Лизку любила, вечно ей подарочки делала, а мне шиш! Знаете, кто Петю убил?

— Нет, — растерянно ответила я, — понятия не имею.

— Так она же!

— Вы о ком говорите?

— Да о Лариске же! — сердито воскликнула Нина, — небось Лизка ей пожаловалась на то, что Петька с Маринкой трахается, вот Ларка и решила ради своей драгоценной кошечки постараться. Мне, между прочим, она никогда не помогала. Знаете, что один раз получилось?

Я покачала головой:

— Нет.

— Мне деньги понадобились, — тарахтела Нина, — мать, как всегда, в командировку умотала, бабка занудила: «Только на хозяйство имею», ну я и позвонила Лариске, попросила, совсем немного, на месяц. Так она...

Нина внезапно замолчала.

— Не дала! — завершила я за нее фразу.

— Точно, — сердито кивнула Нина, — да еще отчитала меня, а потом пожаловалась бабке, та матери рассказала. Влетело мне по первое число, мало не показалось. Между прочим, Лизке Лариса всегда деньги совала. Вот так! Вы в милицию вернитесь и расскажите: Лариска Петьку убила, Лизочке любимой угодить хотела, а мать врет.

Выплюнув последнюю фразу, ангельское создание исчезло, оставив в воздухе легкий аромат дорогих духов. От смеси запахов парфюма и мусора меня затошнило еще сильней, поэтому я поспешила выбраться на улицу.

Сев на скамеечку около песочницы, я вытащила мобильный и набрала номер.

— Да, — отозвался молодой, звонкий голос.

— Позовите Ларису Дмитриевну, пожалуйста, — попросила я, ожидая услышать: «Бабуся, тебя к телефону».

Но девушка ответила:

— Это я.

Иногда в семьях внучкам дают имя в честь бабушки, поэтому я спокойно продолжила:

— Но мне нужны не вы, а бабушка.

— Чья? — раздался тихий смешок.

— Ваша.

Из трубки донеслось сдавленное хихиканье.

— Она умерла.

— Какая жалость, — вырвалось у меня, — давно?

— Ну... точно год не назову... до войны еще дело было.

— Вы Лариса Дмитриевна, ближайшая подруга покойной Сирены Львовны? — вырвалось у меня.

— Да, а с кем имею честь разговаривать?

— Уважаемая Лариса Дмитриевна!.. — заорала я так, что маленькая собачка, вознамерившись пописать около песочницы, опрометью бросилась к хозяину, так и не начав процесса.

Выслушав мою пламенную речь, Лариса Дмитриевна коротко ответила:

— Жду вас.

Я бросилась к машине. Ну и повезло же мне! Через час встречусь с женщиной, которая способна пролить свет на темную историю.

Глава 14

Лариса Дмитриевна совершенно не казалась пожилой. Возраст ее с первого взгляда определить было трудно. Скорей всего она очень следила за собой. Просто удивительно, сколько лет можно сбавить, сбегав в парикмахерскую. Если вы удручены тем, что выглядите на свой возраст, сделайте модную стрижку, покрасьте волосы, а потом вновь смотритесь в зеркало. Ей-богу, потеряете целое десятилетие! А еще если сесть на диету, надеть брюки... Впрочем, речь сейчас не о том. Лариса Дмитриевна, наверное, занимается спортом. А может, просто обладает веселым характером, не хоронит себя раньше времени, оттого и сохранила молодость.

— Вы Виола? — уточнила Лариса Дмитриевна и пригласила меня в маленькую, чрезвычайно уютную квартирку. — Чего больше хотите? Чай? Кофе? Садитесь.

Бывают же такие милые женщины, от которых исходит радостная аура. Мне стало просто уютно.

— Если можно, с удовольствием выпью чаю.

— Отчего же нельзя, — улыбнулась хозяйка.

Потом она встала на маленькую табуретку и вытащила из шкафчика железную банку. Пока Лариса Дмитриевна хлопотала около заварного чайника, я оглядывала помещение. Все тут было крайне разумно устроено, каждый сантиметр крохотного пространства использовался с толком, даже экран, прикрывавший батарею, был превращен в полку, на которой лежали газеты. Я невольно отметила, что

Лариса Дмитриевна читает желтую прессу. Впрочем, сбоку от стопки не слишком респектабельных изданий лежал «Главбух» — серьезный, специальный журнал, рассчитанный на главных бухгалтеров, людей ответственных и аккуратных.

— В тесноте, да не в обиде, — засмеялась хозяйка, заметив мой интерес, — я, знаете ли, вынуждена гостей по габаритам выбирать. Так и говорю: «Извините, мои дорогие, но могу принять у себя лишь тех, чей вес не превышает бараний». Вот, например, одна моя подруга всегда без мужа приходит. Костя на сто двадцать кило тянет, и где его разместить?

Вокруг глаз Ларисы Дмитриевны собрались морщинки-лучики. Но от этого она стала выглядеть еще моложе.

— Ну-ка, рассказывайте все, — велела хозяйка, наливая мне ароматный чай.

Я сделала глоток и все ей поведала.

— Да, — вздохнула Лариса Дмитриевна, когда я замолчала, — честно говоря, я предполагала, что Розу замучает совесть, ну чем же Машенька была виновата? Тем, что появилась на свет от Пети? Бедная Сирена, она ужасно переживала, так любила внучку!

— Но только Лизу, — некстати заметила я, — насколько я поняла, судьба Нины и Сережи не очень волновала Сирену Львовну, а ведь они тоже родные внуки.

Лариса Дмитриевна молча подвинула на столе чашки. Было видно, что она колеблется, стоит ли продолжать со мной разговор, но в конце концов решилась:

— Внуки, да! Моей бедной подружки давно нет в живых... Ладно. Нина и Сережа никогда не были родными Сирене.

— Это как? — удивилась я. — Разве они не дети Розы Михайловны?

— Дети, — кивнула Лариса Дмитриевна, — самые что ни на есть собственные, только они ей никогда не были нужны. А Сирена — святая женщина, подняла их на ноги, вместо няни и домработницы у Розки служила. Она заботилась о детях, но полюбить искренне, горячо сумела лишь родную внучку, Лизочку.

Я растерянно моргала. Никак не пойму милейшую Ларису. Сирена — мать Розы. Лиза, Сережа и Нина дети этой женщины. Так почему же только Елизавета считалась родной бабушке?

Лариса Дмитриевна, заметив мое недоумение, продолжала тем временем дальше:

— Сирена испытывала настоящие душевные терзания из-за того, что ее сердце не способно принять Сергея и Нину. Я один раз не выдержала и заявила: «Хватит мучиться. Ты ничего плохого им не сделала. Наоборот, заменила мать. Не стоит терзаться!» Кстати, Лизочка была светлым, чистым, абсолютно бесхитростным существом, пошла в отца. Тот тоже сохранил до своей кончины совершенно детскую душу, а вот Сергей и Нина уродились жадными, злыми, все в своего отца.

Я окончательно перестала что-либо понимать и решила прояснить ситуацию:

— Простите, Лариса Дмитриевна, но каким же был покойный Семен Марченко? Светлым, чистым, абсолютно бесхитростным существом или жадным, злым мужиком?

Хозяйка мягко улыбнулась:

— Вы ничего не поняли? Лиза дочь не Семена...

— А кого? — вырвалось у меня.

— Юры, сына Сирены Львовны.

Пару мгновений я просто хлопала глазами, переваривая эту информацию, потом воскликнула:

— Так Роза Михайловна не приходится Сирене дочерью!

— Правильно, — подтвердила Лариса Дмитриевна, — она ее невестка.

— Но дети-то уверены, что Сирена их бабушка!

— Верно.

— Почему же Роза Михайловна говорила...

— Милая, — прервала меня Лариса Дмитриевна, — жизнь Сирены просто сюжет для захватывающего романа. Если располагаете временем, могу рассказать о ее судьбе.

— Я вся внимание, — заверила я, — начинайте.

Обстоятельства появления на свет Сирены Львовны были трагическими. Ее отец, Лев Кацман, так называемый старый большевик, отдал жизнь революции. Жена его, красавица Сара, дочь богатого человека, имела солидное приданое и отличное по тем временам образование. Но недаром говорят, что женщине следует освоить лишь азы науки, потому что, научившись читать умные книги, она начнет задумываться о смысле жизни, забросит домашнее хозяйство и станет самореализовываться вместо того, чтобы мирно рожать детей.

Сарочка имела несчастье влюбиться в бедного, даже нищего Кацмана. Денег у Левы не имелось совсем, зато в избытке было желания осчастливить весь русский народ, освободить его от оков царизма, дать простым людям свободу. Тот, кто хоть немного знаком с историей России, великолепно помнит, что случилось после того, как свершился большевистский переворот.

Несчастный русский народ, ради счастья которого и была затеяна революция, угодил из огня в полымя. Сначала переворот, потом Гражданская война, разруха, голод. Лишь к середине двадцатых годов жизнь слегка наладилась, но тут к власти пришел Сталин, и начались аресты.

Отчего-то принято думать, что массовые репрессии стартовали в тридцать седьмом году. Это неправда. Сажать в тюрьму недовольных новыми порядками граждан начали еще в восемнадцатом, продолжали все двадцатые, тридцатые, сороковые и даже пятидесятые годы. Внутри партии большевиков шла жестокая борьба за власть, поэтому очень часто к стенке ставили и тех, кто делал революцию, верных соратников Ленина и Сталина. Не избежал ареста и Лев Кацман. За ним и Сарой, как и за другими, пришли ночью.

Особую трагичность ситуации придавала беременность Сары. Ей предстояло родить в декабре, в камеру она попала в конце ноября, и младенец поспешил появиться на свет раньше положенного срока. Хорошо еще, что среди арестованных, набитых в маленькую камеру, словно сельди в бочку, нашлась пара уголовниц, мастериц на все руки. Они-то и приняли роды.

Вручив Саре крошечную девочку, замотанную в не слишком чистые тряпки, одна из «акушерок» мрачно сообщила:

— Лучше бы тебе ее не рожать!

— Почему? — прошептала Сарочка, прижимая к себе тихо сопящий кулек.

— И чего твою девку хорошего ждет? — сплюнула зэчка. — Отнимут и в детский дом отдадут. Получит другое имя и фамилию.

— Мою почему не оставят? — удивилась Сара.

Уголовница рассмеялась:

— А не положено. Ты все равно сдохнешь скоро,

не выживешь в лагере. Впрочем, даже если и не помрешь, то никогда дочку не найдешь. Никто тебе ее данных не сообщит.

— Почему? — лепетала Сара.

Зэчка с жалостью глянула на молодую мать.

— Лучше тебе ее не кормить, а то привяжешься к девке. Давай надзирателя позову, и отдадим младенца сразу. Если на свободу выйдешь, еще себе родишь!

— Ни за что! — воскликнула Сара.

Целых три месяца ей удавалось прятать девочку. Обитательницы камеры, все в основном имевшие на воле детей, как могли, помогали матери. Никто не «стукнул» тюремному начальству о нахождении в каземате грудничка. Но однажды вечером в душное помещение заглянул дядька в форме и, выкликнув десяток фамилий, велел:

— Завтра на этап пойдете. Хабар соберите, штоб только один мешок, увижу узлы, отниму.

Женщины принялись складывать нехитрое имущество, а Сара просто похолодела. Она поняла, что проводит с дочкой последнюю ночь. Завтра ребенка точно отберут. Вообще непонятно, почему этого не сделали раньше. Сара вошла в острог беременной. Ясно же, что женщина должна родить. Наверное, в слишком переполненной тюрьме о Саре Кацман просто забыли или не поставили по случайности в ее документах нужный штамп.

Сначала Сара просто обнимала дочь, потом с ней случилась истерика, камера притихла. Когда основная масса женщин устроилась спать, к Кацман подошла местная начальница, золотозубая Аня.

— Слышь, жидовка, — сказала она, — мысль есть.

— Какая? — прошептала очумевшая от слез мать.

— Не реви, — пнула ее Аня, — что толку. Вот ща Катька наколочку сделает.

— Кому? Какую?

— Девке твоей, на ноге, ближе к заднице, с внутренней стороны бедра.

— Зачем? — чуть не умерла Сара. — Не дам!

— Дура, — рявкнула Аня и выдернула из ее слабых рук кулек, — напишем имя и фамилию твоей дочки! Поняла?

— Нет.

— Во ...! — выругалась Аня, — ты точно балда. Девке дадут другое имя, а на ноге останется ее собственное. Она вырастет и спросит: это что? Да и тебе ее легче будет по примете искать. Доперло?

— Да, — еле-еле выдавила Сара.

— Тогда говори! — рявкнула Аня.

— Что? — растерялась та.

— Как девку зовешь?

— Олечка.

— Не пойдет!

— Почему?

— Так Ольг полно! В детдоме ей другую фамилию дадут. Думай! Редкое имя надо, ну... типа... э...

Тут во дворе завыла сирена, таким образом в тюрьме отмечали полночь.

— Во! — подскочила Аня. — Сирена! Вот и имя! Фамилия как?

— Кацман.

Аня утащила младенца в глубь камеры. Сара зажала руками уши, ожидая услышать дикий детский плач. Но отчего-то из угла, где над девочкой трудилась местная «художница», не доносилось ни звука.

Олечка вернулась к маме Сиреной. Сара глянула в безжизненное личико девочки с плотно закрытыми глазами и ужаснулась.

— Она умерла!

— Не гони туфту, — рассердилась Аня, — мы ей тютю сделали, ну, соску из хлеба с водкой, штоб не визжала, дрыхнет твоя дочурка!

Утром этап увели, младенца у молодой матери отобрали.

Сара выжила в лагере, более того, ее совершенно нежданно выпустили на свободу и разрешили жить в маленьком городочке Сверзь. Она приехала к месту обитания, устроилась уборщицей в местную школу и стала искать дочь. Почему-то она решила, что девочку отправили в один из московских сиротских домов. Сара составила список учреждений и принялась методично объезжать их. Сверзь расположена от столицы на расстоянии ста двадцати километров, и бедная мать все свободное время тратила на поиски. Идти к начальству она боялась, разговаривала с нянечками и медсестрами. Те сочувствовали ей, но разводили руками. Им никогда не попадалась на глаза девочка с татуировкой на внутренней стороне бедра.

Когда Сара вконец отчаялась, ей улыбнулась удача. Одна из медичек воскликнула:

— Да, видела такую! Она попала к нам в Дом малютки в очень запущенном состоянии, нога гноилась, чуть до гангрены не дошло. Еле выходили девочку.

— Она у вас! — воскликнула Сара.

— Нет, — отмахнулась медсестра, — тут дети лишь до трех лет содержатся, ее давно перевели в другое место.

— Куда? — безнадежно спросила несчастная мать.

Я не стану рассказывать, сколько сил и денег потратила Сара, отыскивая дочь. Каждый раз, нападая на след, она бежала в православную церковь и ставила там свечи перед всеми иконами, приговаривая:

— Уж не знаю, жива ты, зэчка Аня, или нет, но пусть тебе Христос поможет.

Только сейчас Сара поняла, какая гениальная идея пришла в голову грубой уголовнице. Если бы не татуировка, матери бы ни за какие пряники не найти ребенка. Даже несмотря на такую яркую примету, Сара потратила два года на поиски и отыскала дочь. Сирене тогда исполнилось пятнадцать лет, она училась в ремесленном училище, осваивала профессию пекаря. В метрике она значилась Леной по фамилии Иванова. Но Сарочка стала звать девочку Сиреной. Я специально не описываю тут, каким образом Лена официально превратилась в Сирену, поверьте, это было непросто, но к нашему повествованию сия история никакого отношения не имеет. Сара и Сирена больше не расставались, в их жизни потом случилось настоящее чудо. Из лагеря вернулся Лев Кацман, совсем больной, отпущенный умирать. Он с трудом нашел Сару, увидел дочь... В общем, Лев вместо отведенных ему месяцев прожил еще пару очень счастливых лет.

Сирена вышла замуж, правда, не очень удачно, ее брак рухнул спустя год после регистрации. Но девушка не переживала, потому что у нее остался сыночек, горячо любимый Юрочка.

Бабушка с мамой стали воспитывать мальчика. Можно без преувеличения сказать, что они вложили в него всю душу. Мальчик рос замечательный: умный, добрый, мягкий, талантливый. Сара, умирая, сказала дочери:

— Юра наша гордость.

И это было правдой. Сирена любила сына больше жизни. Она оказалась из редкой категории детдомовцев, умевших любить. К сожалению, дети, воспитываемые в казенных учреждениях, как правило, не способны на сильные чувства. Большинство из них терпят крах в семейной жизни, потому что не знают, что такое отношения между мужем и женой. Маленький ребенок, живущий в нормальной семье, наблюдает за мамой и папой, а где научиться детдомовцу?

Оставшись без родителей, Сирена все чувства перенесла на Юру, но она не была сумасшедшей матерью, которая твердит на каждом углу: «Вот, родила сына, теперь никому не отдам. Пусть только приблизится к нему какая-нибудь баба! Мигом вон укатится!»

Нет, Сирена хотела сыну счастья, поэтому, когда Юра привел в дом Розу, мать с радостью стала готовить свадьбу. Чтобы сделать приятное сыну, Сирена полюбила Розу, вернее, очень попыталась полюбить.

Правда, девушка настораживала ее своей откровенной жадностью, природным хамством и грубостью, но Сирена считала, что виной тому происхождение Розы. Ее невестка появилась на свет в семье сильно пьющих родителей. Девочку воспитывала улица, где набраться хороших манер?

Со старомодной тактичностью Сирена принялась образовывать Розу. И тут следует отдать должное Розе. Зерна упали в хорошую почву. Через год цветок помойки трансформировался в белую садовую розу. Сирена Львовна не могла нарадоваться на невестку. Впрочем, свекровь не была глупа и великолепно понимала, что Роза просто научилась хорошо скрывать свои недостатки.

Потом родилась Лизочка. Сирена Львовна встречала невестку с внучкой в родильном доме. Когда сын передал бабушке сверток, перевязанный розовыми лентами, та поняла, что до сих пор не знала любви. Все ее сердце разом было отдано Лизе. Казалось, судьба решила наконец вознаградить за все Сирену Львовну. Обожаемый сын, хорошая невестка, а главное, внученька Лизочка. Сирена бросила свою не слишком любимую работу и превратилась в няньку. Теперь каждое ее утро начиналось с улыбки Лизоньки. Но не успела Сирена Львовна насладиться спокойной жизнью бабушки, как получила от судьбы новый пинок.

Говорят, что господь посылает испытания лишь тем, кого любит. Если это утверждение верно, тогда Сирена Львовна являлась просто божьей избранницей, потому что горя, доставшегося ей, хватило бы с избытком на троих.

Однажды вечером Юра не пришел домой. Роза стала обзванивать знакомых, потом обозлилась, решив, что супруг загулял. Ночь они с Сиреной Львовной провели без сна, утром им позвонили из милиции. Тело Юры обнаружил дворник. На него напали хулиганы, ограбили, избили и оставили умирать буквально в двух шагах от родного подъезда. Убийц не нашли. Милиционеры лишь разводили руками, говоря: «Это практически невозможно!»

Сирена Львовна и Роза осиротели. Какое-то время молодая вдова сидела тихо, грустила, много плакала, потом оправилась, повеселела, стала задерживаться на работе, и свекровь поняла: у невестки появился новый мужчина.

Спустя год после кончины Юры Роза сказала:

— Я собираюсь выйти замуж.

— Правильно, — одобрила ее Сирена Львовна, — ты молода, надо устраивать свою жизнь.

— Спасибо тебе, — обрадовалась Роза, — я думала, ругать меня начнешь.

— Разве мать станет сердиться на дочь, если та хочет быть счастливой? — улыбнулась Сирена.

Роза бросилась на шею свекрови.

— Ты будешь жить с нами.

— Не уверена, что твоему супругу понравится присутствие в квартире посторонней женщины, — осторожно высказалась Сирена, — абсолютное большинство мужчин предпочитает не вспоминать о предшественнике. А тут я стану живым напоминанием о нем.

Роза внезапно посуровела:

— А Лиза?

— С ней-то что?

— Она уедет со мной.

Сирена охнула и замолчала.

— То-то, — покачала головой Роза, — девочка тебя обожает, ты без ума от нее. Нет, нам нужно жить вместе. Сама знаешь, я работаю целый день, никакого времени для ребенка не имею, придется нанимать няню. Бог знает кто попадется. Ты категорически не сумеешь ужиться с Семеном? Может, попробуешь, а? Ради Лизы.

— Я способна мирно сосуществовать с любым человеком, — воскликнула неконфликтная Сирена Львовна, — дело не во мне, а в нем!

— Это ерунда.

— Не скажи! Бывшая свекровь...

— Я сказала Семену, что ты моя мать, — перебила Сирену Роза.

— Мать? — подскочила свекровь.

— Да, — кивнула невестка, — по большому счету, ты сделала для меня намного больше, чем истинная родительница.

Из глаз Сирены градом потекли слезы.

Семена перспектива жить вместе с тещей не обрадовала, но Сирена Львовна демонстрировала крайнюю приветливость, готовила мужу Розы его любимые блюда и частенько говорила новобрачной: «Розочка, не тереби мужа, он устал. А ты, Сеня, лучше сядь у телевизора, кстати, я сегодня пиво купила, хочешь бутылочку?»

Не прошло и года, как Семен полюбил Сирену и начал считать ее кем-то вроде второй матери. На всех праздничных сборищах, при гостях, он вставал, поднимал бокал и говорил:

— Жена у меня хорошая, слов нет, но вот теща просто замечательная. Если разбежимся с Розкой в разные стороны, то я заберу Сирену с собой.

— Так я ее тебе и отдала! — вскрикивала жена. — Вот хитрец!

Одним словом, в семье царили совет да любовь... Затем на свет явились Нина и Сережа. Сирена Львовна поставила на ноги всех, она была идеальной бабушкой, но... но сердце ее было занято одной Лизой.

Глава 15

Лариса Дмитриевна замолчала.

— Однако в этой семье все оказались выше похвал, — вздохнула я, — Сирена Львовна, Роза и Семен.

— Он-то тут при чем? — весьма недовольно отозвалась Лариса Дмитриевна.

— Как же! Насколько я поняла, Нина и Сережа не знали, что Лиза им сводная сестра.

— Да, — мрачно кивнула Лариса Дмитриевна, — именно так.

— Не каждый мужчина признает дочь от первого брака своей, — продолжала я, — значит, Семен был очень положительным человеком. Кое-кто из представителей сильного пола плохо относится к собственным наследникам. Чего уж там говорить о чужих отпрысках!

— Семен был жаден до неприличия, — оборвала меня Лариса Дмитриевна, — да, он никогда словом не обмолвился о том, что Лиза не его дочь. Но таким образом он вел себя лишь по одной причине. Он великолепно понимал: Сирена обожает внучку. Начни Семен корчить рожу, он бы мигом лишился всех ее денег. Сирена бы взяла девочку и ушла. Да и Роза тоже думала в основном о тугом кошельке свекрови. Только по этой причине она изображала любовь к матери покойного мужа.

— Но почему Сирена позволила Семену удочерить Лизу? А как же память о родном сыне, о Юре? — недоумевала я.

— Сирена просто хотела, чтобы Лиза не чувствовала себя обделенной родительской любовью из-за смерти отца. Она сделала все, чтобы у внучки был настоящий отец, а не отчим.

— И сколько же лет Сеня и Роза прожили вместе?

— Ой, много, точную цифру не назову.

— Невозможно всю жизнь прикидываться, — покачала я головой, — значит, вы не разобрались в отношениях между своей подругой и ее родственниками!

Лариса Дмитриевна покраснела.

— Я не разобралась? Ну вы и сказали! Как раз именно я все точно знала. Это остальные поголовно считали Розу просто идеальной, а я понимала, что эта мадам очень хитра и просто использует Сирену, эксплуатирует ее любовь к Лизочке. И еще, Роза могла за копейку удавиться, поэтому и мела хвостом перед Сиреной. Дети Розе абсолютно не были нужны, да она ими и не занималась, кукушка! Вот спросите у нее, сколько раз милейшая Роза Михайловна водила своих отпрысков в школу? Да ей, чтобы перечислить эти уникальные события, хватит пальцев на одной руке. Вот Сирена, та шлепала в учебное заведение в любую погоду, с одной стороны ребенок, с другой его портфель и мешок со сменной обувью. Очень она старалась сделать из Розкиных отпрысков людей, но против генетики не попрешь. Лизочка получилась копией Сирены, а Нина и Сережа — это просто клоны Семена, они...

— Жадные и злые, — закончила за нее я, — похоже, вы их тоже недолюбливали.

— А с какой стати мне их обожать? — воскликнула Лариса Дмитриевна. — Нина лет в двенадцать, придя сюда в гости, украла с полки золотое кольцо. Я поймала воровку буквально за руку. Чтобы не поднимать шума, не стала ничего рассказывать Розе, но Сирене сообщила. Слава богу, эта девица более в моем доме не показывалась. Представляете, незадолго до кончины Лизочки Нина набралась хамства и позвонила мне, попросила денег в долг, наверное, полагала, что я забыла о ее воровстве! А Сергей начал пить. Какая радость в таких детках? Ворюга и алкоголик. Вот Лизочка была другой, девочка моя любимая! Скромная, нежная, тихая, никогда не вымогала у Сирены денег, не грубила, бежала всегда бабушке на помощь. Не зря говорят, господь забирает лучших. Бедная, бедная Сирена, несчастная Лизочка, надеюсь, они встретились на небесах.

— А почему Роза возненавидела Петю? — поинтересовалась я.

— Так опять дело в деньгах, — охотно пояснила Лариса, — я же говорила уже, Роза жадна до патологии. Она хотела Лизоньку совсем за другого пристроить. Богатого жениха присматривала, а Лиза вдруг проявила несвойственное ей своеволие и выскочила за Петю. Молодой муж был гол как сокол, вообще ничего не имел. Одни долги. Деньги он зарабатывать не научился, зато очень хорошо умел их тратить. Сирена отдала внучке свою квартиру, обставила ее и фактически содержала молодоженов.

А Лариса Дмитриевна, честно говоря, не слишком любила Петю. Ей, женщине, воспитанной в прежних традициях, казалось, что бремя по финансовому обеспечению семьи должно лежать на муже, а не на бабушке жены. Конечно, почти все юные супруги проходят через этап тотального безденежья, но в силу молодости большинство из них воспринимает финансовые трудности с юмором, понимая, что сразу всего не получить. Лиза же и Петя были ограждены от всех проблем Сиреной Львовной.

— Знаете, — грустно говорила сейчас Лариса Дмитриевна, — если получаешь что-то просто так, без труда, то и не ценишь. Петя начал говорить о том, что Сирена дает им копейки...

— Вы не знаете случайно каких-нибудь подруг Лизы? — спросила я.

Лариса Дмитриевна кивнула:

— Конечно, знаю. Помню одну — Ксюшу Жизневу. С Ксюшей Лиза еще в школе познакомилась.

— Не подскажете телефон?

Лариса Дмитриевна взяла большую, основательно потрепанную телефонную книгу и, переворачивая распадающиеся странички, пробормотала:

— Только я с девочкой давно не общалась и не знаю, вдруг она переехала? Впрочем, пишите ее координаты.

Я старательно перенесла цифры в блокнот и собралась продолжить разговор, но тут раздался звонок в дверь. Лариса Дмитриевна, извинившись, пошла открывать дверь. Через секунду я услышала тоненький голосок:

— Ну что же вы, Ларисочка, ведь обещали!

— Простите, Галочка, бегу.

— Поторопитесь, пожалуйста, уже началось.

— Да, да, я готова, только туфли надеть осталось.

— Вы уж не подведите, Ларисочка! Я так на вас рассчитывала.

— Бегу.

Раздался хлопок, и Лариса Дмитриевна вернулась в кухню.

— Извините, уважаемая Виола, но я вынуждена прервать беседу.

— Что-то случилось?

— Да нет, — успокоила меня хозяйка, — просто у нас сегодня собрание в доме, выбираем председателя кооператива. Я обещала отдать свой голос за Галю Лебедеву, вот она и прибежала в волнении. Собрание открылось, а меня нет. Надо поспешить.

— Но я еще не успела о многом вас расспросить!

— Давайте завтра, — предложила Лариса Дмитриевна, — с утра, правда, я пойду к врачу, но планирую к полудню вернуться. Позвоните мне в двенадцать, а потом подъезжайте.

— Можно последний вопрос? — взмолилась я, надевая туфли.

— Ну? — нетерпеливо воскликнула Лариса Дмитриевна.

— Вот вы постоянно говорили: Сирена Львовна содержала Лизу, она давала деньги, Роза и Семен боялись лишиться ее средств, поэтому усиленно изображали любовь... Она была так богата? И откуда у нее деньги?

— Кто? — растерянно поинтересовалась Лариса Дмитриевна.

— Сирена Львовна.

Повисло молчание.

— Не знаю, — наконец выдавила из себя женщина.

— Как это? — удивилась я.

— Мы никогда не вели разговоры о деньгах, — пробормотала Лариса Дмитриевна, — я не интересовалась, где Сирена берет средства. Просто знала, что она их имеет, и немалые. Впрочем, один раз, достаточно давно, Сирена попала в больницу, речь зашла об операции...

Лариса Дмитриевна пришла ее навестить и нашла ту в коридоре, около окна.

— Ты зачем встала?! Немедленно ложись, — возмутилась подруга.

— К соседке нотариус пришел, — пояснила Сирена, глядя на улицу, — завещание составлять. Неудобно в комнате находиться, пришлось выйти.

Ларисе не понравился ее тон, и она немедленно заявила:

— Ну тебе еще рано последнюю волю изъявлять!

Неожиданно Сирена ухмыльнулась:

— Мое богатство надежно спрятано, замок заперт, ключ у Лизы. В случае чего она автоматически станет владелицей всего, мне нотариус ни к чему.

Лариса Дмитриевна сочла разговор о наследстве несвоевременным и быстро перевела беседу в другое русло.

...Мы вышли вместе на лестницу, стали ждать лифт, а потом расстались у подъезда. Лариса Дмитриевна быстрым шагом пошла в сторону здания детского сада, где собирались члены строительного кооператива, а я села в машину и медленно покатила в центр. В голове вертелась куча не заданных Ларисе Дмитриевне вопросов. Почему Петя шел на Краснокумскую? Что за отношения связывали его с подругой бабушки Лизы? Насколько я поняла, Лариса Дмитриевна не любила господина Попова! Не знает ли пожилая дама случайно адреса Марины Райской? Не слышала ли она каких-нибудь новостей о Маше? Поверьте, это далеко не все, о чем я хотела поговорить с Ларисой Дмитриевной. Будь оно неладно, это идиотское собрание! Ну неужели на свете еще есть люди, для которых вожделенным является пост председателя кооператива?

Ладно, надеюсь, что ответы на все вопросы получу завтра после полудня. Лариса Дмитриевна кажется вполне вменяемой и приветливой. Услыхав, что Роза Михайловна наняла меня, частного детектива, для поисков пропавшей внучки, Лариса Дмитриевна сначала удивилась и с недоверием воскликнула:

— Но ведь прошло несколько лет после исчезновения Маши! Почему Роза лишь сейчас озаботилась?

Однако, узнав о происшествии в поезде, Лариса Дмитриевна мигом утратила суровое выражение лица и постаралась изо всех сил мне помочь. Кабы не это идиотское собрание!

Повздыхав, я двинулась в сторону дома. Мои мысли устремились от семьи Марченко на свою собственную. Эротическо-романтический ужин провалился с треском. Что делать? Эля Малеева потеряла мое доверие. Она-то обещала читательницам стопроцентный успех, и что вышло? Может, не стоило так верить автору пособия по приводу неверного мужа в стойло семьи? Ну и как поступить?

В полной тоске, страшно недовольная собой, я притормозила возле ларька. Мороженое! Сейчас съем шоколадный пломбир. Я очень его люблю, но только нашего, российского, производства. Не сочтите это заявление за квасной патриотизм. Когда на прилавки Москвы рухнуло продуктовое изобилие, я, отвернувшись от привычных эскимо, плодово-ягодного и сахарного рожка, бросилась к импортным аналогам. Вскоре восторг при виде ярких бумажек с надписями на иностранных языках слегка поутих, и я поняла: польское мороженое отвратительно, турецкое похоже на замерзшее мыло, французское немногим лучше. Поэтому я вернулась снова к продукции российских предприятий и теперь радуюсь, покупая лакомство, — очень вкусно и недорого. Вот автомобили, сделанные на родине, являются сущим наказанием и мучением для водителей. Там отсутствуют элементарные средства безопасности, наши конструкторы вроде никогда и не слышали о специальных подушках, призванных оградить шофера от травм, о... Ладно, хватит. Если коротко: ешьте наше мороженое и по возможности покупайте нормальные машины.

Потоптавшись у киоска, я схватила пломбир, сорвала хрустящую фольговую упаковку, откусила кусочек и внезапно увидела вывеску в окне близлежащего дома. «Потомственная колдунья вернет мужа в семью. Гарантия — сто процентов. Приворот на счастье, отворот любовницы. Недорого».

Ноги сами понесли меня к подъезду. С одной стороны, я абсолютно не верю во всякую чушь типа заговоров, а с другой... Ну чем черт не шутит? В борьбе за мужа все средства хороши!

Дверь распахнула аккуратненькая бабушка в беленьком платочке. Увидав меня, она прищурила блеклые голубые глаза и запричитала:

— Ох, милая! Вижу, вижу, зачем пришла! Разлучница злая тебя извести хочет! Муженька отняла. Ах ты, моя горемычная! Столько в него вложила и чего получила?

Внезапно к моему горлу подступили рыдания. Я попыталась сдержать их. Бабуся ласково продолжила:

— Поплачь, поплачь, легче станет.

Слезы потоком хлынули из глаз. До сих пор никому в голову не пришло пожалеть бедную Вилку. Эля Малеева в своей противной книжонке все время делала упор на моей виновности. Если послушать психолога, то получалось, что я собственными руками оттолкнула мужа. Шлялась по дому в халате, без макияжа, спорила с Олегом, проявляла слишком большую самостоятельность, не была слабой, не готовила обед из пяти блюд, не исполняла танец живота...

Но, милые мои, положа руку на сердце признайтесь, кто из вас сумеет выполнить требования сумасшедшего психолога? И потом, если бы я не проявляла самостоятельность и сидела сложа руки на диване, мы бы умерли с голоду и погрязли в бытовых неурядицах. Олег никогда не ходит за продуктами, не умеет вбивать гвозди, и на его зарплату не прокормиться даже кошке. Я как могла старалась помочь своему мужу, никогда не упрекала его, и вот награда. Да, я хожу дома в халате, и что? Это повод для измены? Ну тогда я просто обязана бегать по мужикам, потому что Куприн, вваливаясь в квартиру, моментально влезает в жуткое, но страшно удобное для него одеяние. Или ему можно, а мне нельзя? И никто ни разу не пожалел меня, только эта бабуся.

— На-ка, попей, — раздалось сбоку.

В моей руке очутилась чашка. Я со стоном выхлебала воду, слезы немедленно высохли.

— Во, — констатировала бабулька, — действует.

— Что?

— А водичка заговоренная. Ладно, пошли в залу.

Она провела меня в большую темную комнату. Из правого угла мрачно смотрели лики святых.

— Ты не плачь, — журчала старушка, — баба Маня поможет.

— Кто? — шмыгнула я носом.

— Меня бабой Маней звать, а тебя как?

— Виолой.

В глазах бабы Мани мелькнул огонек. Голову на отсечение даю, она любит по утрам лакомиться хлебушком с плавленым сыром «Виола».

— Горю легко помочь, — продолжала бабуся, — слушай рецепт, а еще лучше записывай. Тебе надо сделать зелье приворотное. Его состав: подорожник, да не простой. Сорвать его надо в полночь, на кладбище, на могиле невинной девушки. Затем лягушачья лапка.

— Лягушку тоже надо на погосте ловить? — лязгнула я зубами.

— Нет, — отмахнулась баба Маня, — бери где хочешь. Потом отыщешь камень сердолик и выдерешь шесть волосков из хвоста абсолютно черного кота. Усекла?

Я кивнула. Лягушачьи лапы продаются в супермаркете, правда, они французские, замороженные, но ведь баба Маня сказала, что совершенно безразлично, где я достану сей ингредиент. С сердоликом тоже просто. В прошлом году Ленка Киселева ездила отдыхать в Крым и привезла мне кулон как раз из сердолика. Черная кошка есть у нашей соседки Люси Покровкиной, вот только с подорожником чума. Очень не хочется идти ночью на погост.

— А нельзя растение в другом месте сорвать?

Баба Маня подняла вверх корявый указательный палец.

— Нет! Если чего не так сделаешь, не сработает!

Я приуныла.

— Все сложишь в кастрюльку, — неслась дальше баба Маня, — нальешь смертной воды и кипяти две минуты.

— А что такое «смертная вода»? — удивилась я.

Бабуля понизила голос:

— Жутко дорогая вещь. Жидкость, которую под гробом усопшего сутки держали.

— И где я возьму такую?

— Вот ее я тебе продам, — кивнула баба Маня, — для себя, правда, хранила, но жаль мне тебя, бедолагу, так и быть.

Она снова, кряхтя, встала, открыла буфет, вытащила из него поллитровую бутылку из-под водки, в которой плескалась бесцветная жидкость.

— На, держи.

— Спасибо, — прошептала я.

— Это не все, — предостерегла баба Маня, — начинай прямо севодни, не тяни. Сначала мужику этой водички в суп или чай налей.

— Сколько?

— Ну, столовой ложки хватит.

— А зачем?

— Он тогда дома останется, никуда не пойдет, помается с полчаса и спать ляжет. Вот тогда ты встань над ним и прошепчи: «Замок закрыт, ключ зарыт, кто придет, не найдет, спи, раб божий, до рассвета. Солнышко вознесется, ты проснесся, усе забудешь, жену полюбишь». И бегом на кладбище. Ночью зелье сготовишь и утром, запомни, утром, едва он глаза отворит, ты ему его и подай, пущай выпьет натощак. Все как рукой снимет. Здоровее коня станет.

— Олег и сейчас не больной, — сказала я, — раз любовницу завел, значит, ничего у него не болит.

— Так я про другое здоровье, — меленько засмеялась баба Маня, — семейное. Ступай себе, живи счастливо.

— А поможет?

— Безотказно. Никто не жаловался. Средство старинное, в нашей семье из поколения в поколение передается. Не сумлевайся. Еще мамонька моя им пользовалась! Только ничего не перепутай, ясно?

Я кивнула.

— Ну, бывай здорова. С тебя сто долларов.

— Сколько?

— Могёшь рублями, по курсу.

— Э... это очень дорого!

Хитрое личико бабы Мани сморщилось и стало похоже на скомканный носок.

— А торговаться нельзя, иначе не подействует. Я с тебя копейки лишней не беру. Это за воду, смертную. Вот она, зараза, дорогая. Хотя, ежели платить не хотишь, то могёшь сама подсуетиться. Значитца, так. Берешь бутылочку и наливаешь из чистого подземного ключа. Потом ищешь покойника, он должон быть человеком хорошим, добрым, христианским. Пробираешься у него под гробом семь раз с востока на запад и...

— Лучше заплачу вам, — прервала я бабу Маню.

— Вот и славно, — кивнула она, — пошли тебе господь всяких благ.

Глава 16

Прижимая к груди «смертную воду», я села в «Жигули» и поехала домой. По дороге притормозила у супермаркета, порылась в прилавке-холодильнике и нашла упаковку замороженных лягушачьих лап.

Кассирша, глянув на мою покупку, меланхолично предупредила:

— Это из жабы.

— Знаю.

— Мое дело сказать, — буркнула девица, выбивая чек, — а то кое-кто с цыпленком путает. С вас тысяча пятьсот.

— Сколько? — я чуть не упала.

— Полторы тысячи.

— С ума сойти! Да этих лягушек сотни в лесу!

— Вот и ловите там на ужин, — не сдалась кассирша, — и вообще, какие ко мне претензии? Так берете или отправитесь в лес на охоту?

Я молча расстегнула сильно похудевший кошелек. Однако Олег обходится мне все дороже и дороже, в прямом смысле этого слова. Может, стоило и впрямь отловить дикую квакушу? Или купить ее в зоомагазине? Брр! Никогда. Я не способна убить живое существо, ну их, эти полторы тысячи, еще заработаю.

Но, несмотря на уговоры, меня, извините за идиотский каламбур, душила жаба. Борясь с жадностью, я приехала домой, быстро шмыгнула в свою комнату и призадумалась.

Итак, «смертная вода» у меня есть, вот она, в бутылке из-под водки. Поколебавшись пару секунд, я вытащила пробку и понюхала содержимое. Похоже, что это и впрямь просто вода, во всяком случае, бесцветная жидкость не издавала никакого запаха. Хорошо, что еще нужно для приготовления зелья? Лягушачья лапа! Пожалуйста, их целый пакет. Сердолик тоже имеется. Шесть волосков из хвоста черной кошки и листья подорожника? За травой, как это ни ужасно, придется ехать на кладбище, оно, кстати, не так уж и далеко, находится в черте города. Там давно никого не хоронят, только очень выдающиеся личности могут сегодня получить на нем могилку.

Да и с кошкой проблем не будет, у нашей соседки роскошный экземпляр цвета антрацита.

Решив активно действовать, я, воспользовавшись тем, что Томочка мыла Никитку в ванной, а остальных домочадцев не было, быстро вытащила один окорочок земноводного и, положив в кастрюльку, поставила на подоконник, пусть потихоньку размораживается, зелье-то придется варить, когда вернусь с кладбища.

Затем я помчалась к соседке, сделала вид, будто заглянула просто так, от скуки, выпила пару чашек совершенно гадкого чая и незаметно выщипала у меланхолически лежавшего в кресле котофея пук шерсти из хвоста, четвероногое создание оказалось настолько индифферентно-ленивым, что даже не моргнуло.

Страшно довольная, я вернулась домой и обнаружила на кухне полный списочный состав семьи.

— Доча! — обрадовался Ленинид. — Припозднилась ты сегодня, садись, папка ужин сгоношил. Эх, пропали бы вы без меня!

Я с благодарностью посмотрела на Ленинида. Конечно, папашка по большей части невыносим. Он страстный любитель приложиться к бутылке. Стоит ему принять на грудь сто граммов, как на него нападает фантастическая болтливость. Но иногда папа бывает милым.

— Вот, — тарахтел Ленинид, потирая руки, — пришел с работы, вижу — никого. В холодильнике мышь удавилась! И так мне вас, девки, жаль стало, ну прямо до слез. Ща, думаю, мужики со службы заявятся и насуют вам в нос. Ужина-то нет! Вот и изжарил курят. Да вы ешьте, пока они теплые.

Я чуть не зарыдала от умиления. Милый, дорогой, заботливый папка! Зря на него злюсь, когда он куролесит — не со зла же, а по глупости.

— Вот только картошечки отварить не успел, — терзался папенька.

— Ничего! — воскликнул Олег. — Мы курицу без гарнира слопаем, пахнет замечательно!

— С хлебушком схарчим, — подхватил Сеня, — да ты цыплят чесноком засыпал! Ну, молодец!

Нахваливая зардевшегося Ленинида, мы стали брать с блюда ножки.

— Маленькая какая, — протянула Кристина, — наверное, от молочного цыпленка.

— Молочными бывают только поросята, — не упустил момента позанудствовать Олег, — цыплята не млекопитающие. Да, действительно, просто крошки.

— Вкус странный! — воскликнула Томочка. — В былые времена, в голодные годы, попадались такие куры, пахнущие рыбой.

— А мне нравится, — прогремел с набитым ртом Сеня.

Я скосила глаза вбок, увидела на мойке пустой пакет из-под лягушачьих лапок и мигом поняла, что за «курочку» приготовил папенька. Я молнией слетела с табуретки, схватила порожнюю упаковку и запихнула ее в помойное ведро. Если сейчас домочадцы поймут, что получили на ужин сочную квакушку, они немедленно убьют... меня. Все шишки свалятся на бедную мою голову, и первым здоровое негодование начнет выражать Ленинид.

— Экие вы привередливые, — затараторила я, — все вам не по вкусу. По мне, так замечательные цыплята! А насчет цвета... Просто курочка очень молодая, не успела еще жирок набрать!

Усыпив бдительность членов семьи, я стала решать следующую задачу: как бы не съесть кусок, который лежит у меня на тарелке. Признаюсь, никогда не пробовала жабу и, честно говоря, не имею ни малейшего желания это делать!

— Может, по рюмочке хлопнем? — робко предложил папенька.

Не встретив сопротивления с нашей стороны, он вытащил из холодильника бутылку водки и налил всем присутствующим мужчинам.

Три руки одновременно взялись за рюмки.

— Это же вода! — воскликнул через секунду Олег.

— Вот гадость, — подхватил Сеня, — хлоркой отдает! Ты где ее взял, водку эту?

— Так в прихожей стояла, — растерянно сказал папенька.

Я схватила поллитровку. Точно, они тяпнули по шкалику «смертной воды». С одной стороны, ничего ужасного. Баба Маня велела, чтобы муж, уличенный в неверности, опрокинул бы перед сном стопочку с этим напитком. Значит, никакого вреда в нем для Олега нет. Но ведь неизвестно, каким образом «смертная вода» подействует на Семена и Ленинида. Ладно папенька, у него, как и у Олега, рыльце в пушку. Недаром моя мачеха Наталья глядит за мужем, словно цепной пес за хозяйством. Но Сеня-то ни в чем плохом не замечен!

— Во сволочи, — обозлился папашка, — народ дурят! Сколько раз вам, девки, говорить, не ходите на оптушку, там таких лохушек, как вы, обманывают.

Я взяла бутылку.

— А ты не хватай любую тару с надписью «водка». Тут и впрямь вода налита.

— Кто же это сделал? — не успокаивался папашка.

— Я. Неужели не видел, что пробка не заводская? Ее уже открывали.

— Так, подумал, отхлебнуть хотели. И ваще, зачем ты туда воды набуравила?

— Цветы полить хотела, — нашлась я, — поставила отстояться.

— Идиотизм! — прокомментировал папенька.

— Ладно вам спорить, — улыбнулась Томочка, — если хотите выпить, возьмите в баре бутылочку.

После этой фразы разговор мирно перекинулся в другое русло. Семен и Олег начали обсуждать новую модель «Ауди», папенька стал играть с Никиткой, Тома принялась расспрашивать Кристину про контрольную по математике, а я, прихватив «смертную воду», потихоньку уползла в свою спальню.

Решив соблюсти полнейшую конспирацию, я легла под одеяло и притворилась спящей. Сейчас Олег тоже захрапит, а я понесусь на кладбище. Кровать скрипнула, муж добрался наконец до подушки.

— Вилка, — позвал он.

— М-м-м.

— Ты спишь?

— М-м-м.

— Вот хочу спросить...

— Завтра нельзя? — промямлила я, усиленно изображая, что засыпаю.

— Скажи, ты правда хотела цветы полиь?

— Да, — ответила я, — растениям нужна вода без хлора, поэтому водопроводную всегда отстаивают.

— Очень странно!

— Ничего необычного тут не вижу, — сказала я, — для многих людей цветы — живые существа. Кое-кто использует для полива бутилированную воду, но, согласись, это дорогое удовольствие, потому многие поступают просто: нальют в...

— Да это понятно, — отмахнулся Олег, — неясно другое.

— Что? — воскликнула я, изображая крайнее возмущение. — Дашь ты мне заснуть или нет? Я очень устала.

— Непонятно, — медленно тянул муж, — какие растения ты собиралась заботливо полить. У нас же дома нет ни одного горшка!

Только не надо убеждать меня, что вы всегда и везде говорите правду! Надеюсь, понимаете, какие чувства я испытала, поняв, что меня опять поймали на лжи?

— Не пори ерунды, — попыталась я исправить положение, — в коридоре кашпо висит!

— Так в нем же тряпочные цветы, — хмыкнул Олег.

Я старательно засопела. Пусть неверный муженек считает, что меня сбил с ног сон. Упаси вас бог выйти замуж за милиционера, никогда не сможете соврать, мигом вычислит!

Минут через пятнадцать с правой стороны кровати донесся молодецкий храп. Я осторожно выползла из-под одеяла. Вообще говоря, если ваш супруг принадлежит к племени храпунов — это настоящая катастрофа, я вам совершенно искренне сочувствую, потому что сама живу с таким. Но сегодня я невероятно обрадовалась, услыхав звуки «музыки». Слава богу, Олег крепко спит.

До кладбища я добралась в рекордно короткий срок и увидела крепко запертые ворота. Может, конечно, кого-нибудь подобное препятствие и остановило бы, но только не меня. Я очень хорошо знаю, что практически в любом заборе, а в особенности в том, который чинят за государственный счет, найдутся дыры. И уж совсем хорошо, если ограждение состоит из прутьев. Госпожа Виола Тараканова весит немного и легко просачивается в любую щель.

Побегав вдоль ограды, я нашла место, где прутья чуть-чуть изгибались, образуя между собой более широкое пространство. Протиснувшись в него боком, я легко оказалась на территории погоста. Пожалуй, впервые в жизни я обрадовалась тому факту, что господь забыл наградить меня бюстом. Имей я большую грудь, застряла бы, как Винни Пух в двери у Кролика. А так раз, два — и готово.

Я встряхнулась, словно мокрая собака, и оглянулась. И тут мне стало невероятно страшно. Вокруг в беспорядке высились надгробия. Я очутилась в самой старой, «непарадной» части кладбища. Дорожки здесь были узенькие, могилы прилегали впритык друг к другу. Огромная, неправдоподобно круглая луна освещала пейзаж. В мертвенно-белом свете деревья казались серо-пыльными, яркая листва потемнела. Кругом стояла просто могильная тишина. С другой стороны, какой она должна быть на кладбище?

Трепеща от ужаса, я пошлепала вперед, вздрагивая от каждого шороха. Ну скажите, пожалуйста, почему на погосте всегда так страшно? Если хорошенько подумать, то бояться следует живых людей, вот они способны причинить вам кучу неприятностей, а мертвые нет. Они вообще уже в мире ином, но почему тогда меня душит жуть? Отчего подкосились ноги?

Призывая себя к мужеству, я понеслась было вперед, но потом притормозила. Стоп. Успокойся, Вилка, ищи подорожник, никого тут нет, нечего трястись.

Поборов себя к мужеству, я стала разглядывать могилы. Так, Кузьменко Анна Филипповна, 1882—

1974 гг. Маловероятно, что это невинная девушка. Богачев Дормидонт Фомич... Он вовсе не подходит. Прочитав несколько эпитафий, я изумилась. Как-то принято считать, что в прежние времена, когда не было витаминов, антибиотиков и наркоза, люди умирали очень рано, от элементарных заболеваний, а любое хирургическое вмешательство почти всегда заканчивалось летальным исходом. Потом, в старину русские люди не имели никакого понятия о правильном питании. Почитайте великолепные произведения Мельникова-Печерского «В лесах» и «На горах». Целые главы посвящены описанию трапез в купеческой среде: осетрина, икра, свиной бок, поросенок с кашей, кровяная колбаса, мед с орехами, яичница из ста желтков... Представляете, какой уровень холестерина в крови имели наши предки!

Но сейчас я шла по погосту, подсчитывая годы жизни умерших, и немало удивлялась: семьдесят пять, восемьдесят четыре, вот господин Фокин дотянул до девяноста шести лет. Может, все рассказы о полезности геркулеса на воде враки? Вдруг нужно, наоборот, питаться жирным, сладким и калорийным?

В поисках могилы невинной девушки я углубилась в дебри и, о радость, увидела эпитафию: «Погибнув во цвете лет, ты не погибла для нас. Мама и папа». Ларская Елена, 1932—1955 гг.

Ага, ей было тринадцать лет. Теперь следует отыскать в зарослях, покрывающих могилу, подорожник. В те годы нравы были более суровыми, чем теперь, покойная явно девственница.

Открыв ржавую калитку, я подошла к деревянной скамеечке и хотела опуститься на корточки. Но вдруг из-за могильного камня раздался длинный, протяжный стон.

— У-у-у-о-и...

Словами не описать, какие ощущения охватили меня! Ноги приросли к земле.

— У-у-у-о-и... — повторился звук.

Почти без сознанияя плюхнулась прямо в заросли травы. Следовало бежать отсюда со всей возможной скоростью, но нижние конечности будто парализовало.

Перестав дышать от ужаса, я увидела, как из-за могилы медленно-медленно поднимается что-то белое, жуткое. Оно выпрямилось, заколыхалось, стало изгибаться в разные стороны, потом вдруг сказало:

— Зачем пришла? Чего надо? Это мое место! Лишь бы потревожить! Покоя нет. Ищи себе другое... А-у-о-и-ы...

Больше я ничего не помню. Влажная, пахнущая свежестью трава внезапно выросла и закрыла мое лицо. А потом темнота и тишина.

Я заворочалась на матраце и села, не открывая глаз. Господи, все бока болят, может, нам купить новую кровать? Что за чушь мне привиделась? Кладбище, могила, восставшая покойница, обозлившаяся на ту, что посмела нарушить ее покой. Да я просто мирно заснула около Олега!

Но тут до носа добрался запах влажной травы, я ощутила под собой мокрую землю и открыла глаза.

— На кого работаешь? — хрипло осведомилось существо, одетое в серый комбинезон.

— Вы кто? — прошептала я. — Ларская Елена, тринадцати лет? Извините, пожалуйста, я не хотела сделать вам ничего плохого, мне нужен подорожник с вашей могилы. Можно сорвать пару листочков?

Девушка засмеялась, потом полюбопытствовала:

— А он тебе зачем?

Привидению врать нельзя. Оно живет в параллельном мире, великолепно умеет читать наши мысли и страшно обозлится, поняв, что я вожу его за нос. Конечно, не очень приятно рассказывать незнакомому призраку про измену мужа, но, с другой стороны, что делать?

Кое-как я попыталась объяснить мертвой Елене Ларской суть проблемы, а под конец, чтобы сделать ей приятное, льстиво воскликнула:

— Вы чудесно выглядите! Ей-богу! Просто изумительно сохранились, приятно посмотреть. Бледноваты, правда, но это ерунда. Впрочем, если хотите, я могу оставить вам свою сумочку с косметикой, там и зеркальце есть. Будете слегка подкрашиваться перед выходом с того света...

— Ну и дура же ты, — с укоризной заметило привидение, — или совсем от страха голову потеряла.

Потом фантом протянул мне руку.

— Давай вставай, трава сырая, ща цистит получишь, потом всю жизнь будешь мучиться. Я вот застудилась, теперь постоянно фурадонин пью, а меня от него тошнит, прямо мрак!

Я машинально вцепилась в узкую, шершавую, теплую ладонь и воскликнула:

— Ты живая!

— Во, блин, — вздохнула девица, — до чего у человека мозги отшибить может. Смешно прям. Нет, ты точно дура! В заговоры веришь, за травой приперлась, призрака испугалась, вообще без соображения. Тебя в детстве головушкой об асфальт не роняли?

Я встала на ноги, доплелась до скамейки, плюхнулась на щелястую деревяшку и в полном изнеможении спросила:

— Ты кто?

— Ника, — ответил бывший призрак, ухмыляясь, — скажи спасибо, что Толика не позвала, что-то меня удержало. Сначала-то я подумала: ты на Кузьмича работаешь и на нашу территорию вперлась. Толян бы с тобой разобрался! Он лишний раз говорить не станет, сначала шею свернет, а потом соображать будет, зачем это сделал. На всю башку отмороженный, сама его побаиваюсь!

— Ты работаешь на кладбище? — изумилась я. — Кем?

— Черви мы.

— Кто?!

Ника вытащила сигареты.

— Хочешь?

— Нет, — покачала я головой.

Девушка опустилась около меня на скамеечку, с наслаждением затянулась и бойко стала рассказывать. Я лишь удивлялась, слушая ее историю. Чем только люди в этой жизни не занимаются!

Глава 17

Оказывается, все московские кладбища давным-давно поделены между «червями». Так называются люди, посвятившие себя поиску сокровищ. «Какие же богатства могут лежать в могилах? — с удивлением воскликнете вы. — К гробу багажник не приделаешь, золото, бриллианты и деньги усопшему на том свете не нужны, там иные ценности». Лично я до сих пор придерживалась этой точки зрения и оказалась совершенно не права.

Ника объяснила, что очень многие покойники отправляются в безвозвратное путешествие «упакованными» по полной программе. На женщин надевают драгоценности, мужчинам в карманы кладут портсигары, табакерки. Да мало ли что может найтись в могиле: запонки с бриллиантами, галстучные зажимы из платины, часы...

Работа «червя» опасна и кропотлива. Сначала он по книге захоронений выбирает самое, на его взгляд, подходящее захоронение. Бесполезно вскрывать могилу нищего, там ничего, кроме костей, нет. А вот единственная дочь богатого купца скорей всего окажется окружена интересными вещами. Даже если в гробу и не найдется изделий из драгоценных камней, то скорей всего обнаружатся молитвенник, Библия, игрушки. Страницы у книг, конечно, истлели, зато сохранились обильно украшенные переплеты. За эти раритеты можно получить приличную сумму.

В Москве имеется парочка антикварных салонов, торгующих исключительно предметами из захоронений. Естественно, покупателю никто никогда не скажет, откуда взялась на прилавке изящная серебряная безделица. И, конечно, вещицу старательно привели в порядок. Когда покупатель начнет проявлять излишнее любопытство и выяснять, кто до него владел портсигаром, то ему в конце концов приведут милую, интеллигентную старушку, которая бойко расскажет историю о покойном муже, хозяине безделицы, и своей крайней бедности, заставившей продать реликвию.

«Черви» практически не трогают могилы, датированные годами Советской власти, в те времена люди были бедными. А вот в последний приют братков лезут со спокойной совестью, там порой встречаются настоящие уникумы типа нательных крестов из чистого золота весом в полкило или футляров для мобильного аппарата, усыпанных бриллиантами. Правда, риск получить пулю в лоб от обозленных родственников тоже велик, поэтому самой лакомой добычей «червя» являются могилы прошлых веков, а их на наших кладбищах все меньше и меньше. Да и погосты давным-давно поделены между руководителями искателей сокровищ, тех, кто полез на чужую территорию, могут просто-напросто убить.

— Неужели тебе не страшно? — вырвалось у меня.

Ника пожала плечами.

— Привыкла. Тут главное — аккуратно действовать. Так вскрыть могилу, чтобы снаружи все нетронутым выглядело. Это целая наука. Не надо памятник ломать или цоколь бить. У нас инструменты специальные. Да тебе это не интересно. Иди, рви свой подорожник. Только почему ты решила, что Елена невинная девица? Знаешь эту семью?

— Нет, но вот видишь, на памятнике годы жизни «1932—1955». Она всего-то тринадцать лет на белый свет любовалась, бедняжка.

Ника усмехнулась:

— Да уж. Могу посоветовать лишь одно: в следующий раз бери на такое дело калькулятор. Елене было двадцать три, когда она умерла.

Я произвела в уме расчеты и чуть не заплакала от разочарования.

— Не куксись, — сморщилась Ника, — ладно, пошли.

— Куда? — шмыгнула я носом и поежилась от пронизывающей сырости.

Днем солнце палит словно взбесившееся и в городе стоит просто эфиопская жара, а ночью жутко холодно.

— На могилу невинной девицы, — спокойно сказала Ника и вытолкала меня за ограду, — туда плюхай, влево и до забора.

— Ты знаешь, где тут погребен ребенок?

— Я здесь про всех почти все знаю, — ухмыльнулась Ника, — вот тут Петр лежит, пил сильно и скончался в белой горячке, за ним могилка Анфисы Фурфыной, она прожила долго, почти до девяноста дотянула, только играла в карты и в нищете последние годы жила.

— Неужели?

Ника кивнула:

— В архивах бог знает что прочесть можно. Мне впору книги об усопших писать. Вот сюда, за этот ужас заворачивай.

Я задрала голову вверх и присвистнула. Прямо перед нами высился огромный, метра два в высоту, гранитный пьедестал, из него вздымался ввысь бронзовый торс мужчины, на шее его блестела толстая цепь, выкрашенная золотой краской.

— Это кто? — попятилась я.

Ника скривилась:

— Из братков. Вон там видишь у подножия руль? Это деталь его любимого «мерса». Жуткое зрелище!

— Да уж, — поежилась я, — впечатляет.

— Жаль Леокадию Михайловну, — вздохнула Ника.

— Это кто?

— Тут раньше могилка Фирсовой была, — объяснила моя спутница, — совсем заброшенная, видно, родственников не осталось, а кладбищенское начальство как докумекает, что покойничек без призора остался, мигом место продает. И вот вместо Леокадии имеем это бронзово-гранитное чучело в честь некоего криминального авторитета, павшего на тропе разборок. Мы пришли.

Я оглядела маленькую, ухоженную могилку. Вокруг слегка покосившегося цоколя росли цветы. Три ступеньки из белого мрамора вели к скульптуре плачущего ангела. Внизу была прикреплена табличка «Одоевцева Марфа 1900—1911 гг. Помолись за нас у престола Господа».

— Иди, бери свой подорожник, — подтолкнула меня Ника.

Я, продолжая светить перед собой фонариком, присела возле цоколя и воскликнула:

— Надо же, столько лет прошло, а за захоронением, похоже, ухаживают! Неужели до сих пор помнят? Ведь родителей девочки давным-давно на свете нет.

Ника вздохнула:

— Это я могилку в порядок привела, что-то мне эту Марфу жаль стало. И ведь наградила она меня.

— Кто? — подскочила я.

— Да девочка, — Ника ткнула грязным пальцем в белого мраморного ангела.

Я стала быстро выщипывать из травы, росшей по бокам могилы, листочки подорожника. Ну вот, меня стыдила, а сама не лучше. Каким образом покойница может кого-то наградить?

— Смотри, — продолжала Ника и медленно повернула одну из железных бомбошек, украшавших ажурную ограду.

Послышался легкий шорох. Фигурка ангела тихонечко отъехала влево. Я изумилась до крайности. Тайник! Ника с гордостью посмотрела на меня.

— Говорила же тебе, что старые могилы таят в себе подчас такие секреты! И ведь почти сто лет прошло, а механизм работает словно новенький, умели люди раньше делать, не то что сейчас. Я купила тут недавно диван, триста баксов отдала. И что ты думаешь? Он спустя неделю раскладываться перестал. А ведь тем, кто его склепал, небось известно было, что люди их творение открывать-закрывать станут. И, пожалуйста, напортачили, а тут шурует, как часы.

— И что же там лежало?

— Ну, в общем-то не слишком нужная в наше время вещь, но мне пригодилась, — улыбнулась Ника, — ящичек железный, набитый царскими бумажными деньгами. Я их нумизматам хорошо продала. Знаешь, кое-кто из наших предков использовал могилы родственников в качестве сейфа. Дома богатство хранить боялись, вдруг пожар или воры влезут, а на погосте милое дело нычку держать. Люди в прежние годы в бога верили, редко кто в склеп полезть решался!

Я хотела напомнить Нике, что почти все египетские пирамиды достались современным ученым разграбленными. Вера в господа не останавливала воров. Жадность, как правило, побеждает страх. Кое-кто предпочитает иметь незаконную звонкую монету на этом свете, полагая, что наказания на том можно вполне избежать. Но, глянув на Нику, я проглотила фразу.

— Насобирала? — воскликнула представительница семьи «червей». — Тогда топай домой. Давай выведу за ворота, не ровен час, еще на кого из наших нарвешься.

Домой я прирулила, зевая так, что трещали челюсти. Не знаю, как вам, а мне просто необходимо спать как минимум десять часов в сутки. И вообще, я самая настоящая сова, но переделанная в жаворонка, всю жизнь вскакивающая волею судьбы очень рано. Жалкая птичка, которой нужно хлопать крылышками за зарплату. Нет, неправильно, я не сова, я помесь ночной хищницы с певцом утра, потому что охотнее всего бы укладывалась под уютное, мягкое одеяльце в девять вечера, а вылезала бы оттуда к полудню. Я очень, очень, очень люблю поспать, но жизнь складывается таким образом, что раньше чем в час ночи до кровати не добраться, а в семь утра уже трезвонит будильник.

Борясь с желанием мгновенно шлепнуться на подушку, я сварила зелье и нырнула в кровать. Только голова уютно устроилась на подушке, глаза закрылись, как: «Тр-р-р-р!» — заорал будильник. Я рывком села и толкнула Олега.

— Вставай.

— Да, спасибо. Хр-р-р...

— Немедленно вылезай.

— Я уже в ванной. Хр-р-р...

— Опоздаешь.

— Да, да. Хр-р-р...

Разозлившись, я со всего размаха пнула Куприна пяткой. Муж сел и потряс головой.

— Который час?

— Семь.

— Да, действительно пора.

Зевая и охая, супруг начал нашаривать тапочки. Я вновь умостилась под одеялом. Могу еще немного подремать, но тут начавшие было закрываться глаза натолкнулись на кружечку, прикрытую крышкой, и весь сон мигом слетел с меня.

Вскочив на ноги, я схватила емкость с зельем и понеслась в ванную комнату. Куприн с самым несчастным видом водил по лицу бритвой. Я сунула ему кружечку:

— Пей.

— Зачем?

— Надо.

— Это что?

— Ну... очень полезно! Витамины!

Олег отложил в сторону станок.

— Не хочу.
— Почему? Это вкусно.
— Противно выглядит.
— Очень прошу, ради меня.
— Там волосы плавают.
— Где?
— Вон, видишь?
— Ерунда, глотай.
— Ни за что!
Я посмотрела Олегу в глаза.
— Ты меня любишь?
— Ну... в общем... думаю... конечно.
— Тогда пей.

Куприн скривился, потом тяжело вздохнул и опрокинул одним махом в себя зелье. Я, затаив дыхание, смотрела на мужа. Интересно, результат будет мгновенным или «лекарство» подействует лишь к вечеру?

Лицо Олега неожиданно вытянулось, глаза начали вылезать из орбит. Я испугалась, что он сейчас выплюнет снадобье, на приготовление которого было истрачено столько сил, и ткнула супруга под ребра.

— Немедленно глотай!

Олег машинально выполнил указание и застыл, словно превратился в гипсовое изваяние. Пауза затянулась, и я слегка встревожилась. Хотела всего лишь «отвернуть» мужа от любовницы, вовсе не собиралась его отравить. Да, конечно, супруг, хлебнувший изрядную толику яда, никогда больше не станет шляться по бабам, но, на мой взгляд, это слишком радикальное решение проблемы. Хотелось бы справиться с ситуацией без «экстрима».

Внезапно Олег схватился за зубную щетку и начал яростно шуровать ею во рту. Я обрадовалась, слава богу, Куприн ожил.

— Вилка, — простонал супруг, — что это было?

— Говорила же, витамины, американские, дико полезные и жутко дорогие, натуральные, растворимые, — зачастила я, — меня очень беспокоит твое здоровье, простужаешься часто, постоянно жалуешься на усталость, вот я и приобрела замечательную пищевую добавку.

— Ужасно, — еле выдавил из себя Олег.

— Что, так невкусно?

— Сначала я подумал, будто ты преподнесла мне водички, которой вымыла помойное ведро, — подробно описывал свои ощущения муж, — отвратительная жидкость со вкусом тухлой рыбы и грязной собачатины!

Ну, насчет рыбы он, пожалуй, прав. Когда я варила лягушачий окорочок, запах стоял еще тот, словно кипятила содержимое аквариума. А вот в отношении собачатины Олег ошибается. Волосы выдраны из кошачьего хвоста, и они вовсе не грязные.

— Надеюсь, больше никогда в жизни ничего подобного пробовать не придется, — заявил Олег и снова принялся чистить зубы.

Я внимательно следила за ним. Похоже, зелье не мгновенного действия. Мой муж не бросается на колени, не кричит о своей пламенной любви ко мне, не кается со слезами в содеянном, не бьет себя кулаком в грудь, не видно и намеков на раскаяние. Ладно, подожду немного, а пока пойду выпью кофейку.

На кухне возле плиты стоял папенька, на лице его было написано глубочайшее изумление.

— Слышь, доча, — оживился он при виде меня, — что за гадость вон в той кастрюльке?

— Это... — я начала было придумывать на ходу историю. Но тут из коридора быстрым шагом вошел Куприн.

— О чем речь ведете? — спросил он.

Ленинид ткнул зятю под нос ковшик с остатками зелья.

— Это что?

Олег задергал носом.

— Похоже на витамины, которыми меня Вилка потчевала. Глянь-ка, тут мясо плавает, какие-то тряпки...

— Это подорожник! — воскликнула я и тут же прикусила язык.

— Подорожник? — прищурился Олег.

— Ну да, сбор из травы, целебный.

— Фу, еще и дрянь какая-то сверху телепается, — Ленинид продолжал изучать содержимое кастрюльки, — ну и пакость!

— И я это пил! — взвился Куприн. — Да что у нас дома происходит?!

— Витамины, — бормотала я, отступая в прихожую, — изумительно полезная вещь.

— Отчего бы не купить простые пилюли, в коробочке, — продолжал возмущаться супруг.

— Отвар полезнее, — отбивалась я.

Внезапно Олег ринулся в туалет.

— Меня тошнит, — простонал он и хлопнул дверью.

Я мгновенно выхватила из рук папеньки кастрюльку, выплеснула содержимое в помойное ведро и с укоризной сказала:

— Кто тебя просит везде нос совать, а?

— Так я ничего же не сделал, — заюлил Ленинид, — просто спросил из любопытства.

Больше всего мне хотелось наговорить папашке гадостей, но звуки, доносившиеся из-за двери санузла, перебили это желание.

— Ну, Ленинид, погоди, — прошипела я и побежала к лифту. Сейчас Куприн выйдет из туалета и выдаст мне по полной программе за «витаминный отвар».

Отъехав на всякий случай за две улицы от дома, я схватила телефон и набрала номер старинной подруги Лизы Ксюши Жизневой. Кто, как не она, знает все про погибшую девушку. Лично у меня много знакомых, но подруга, которой я спокойно доверяю свои тайны, которой совершенно не стесняюсь и давно считаю своей сестрой, всего одна — это Томочка. Может, Лизу и Ксюшу тоже связывали похожие отношения? Полная надежды, я держала трубку у уха. Пи-пи-пи-пи... Похоже, дома у Ксюши никого, наверное, все члены семьи убежали на работу.

— Алло, — донесся бодрый мужской голос, — кто трезвонит, словно псих ополоумевший?

— Можно Ксюшу?

— Кого?!

— Ксению Жизневу.

— Ее нет.

— А когда будет?

— Вообще никогда.

Я испугалась:

— Она умерла?

— Вы че? — обозлился мужик. — Ксюха в Америку уехала, на работу по контракту, на пять лет, а потом там замуж вышла и назад не собирается. Я очень хорошо ее понимаю, чего тут делать-то? С голоду дохнуть?

— Извините, — пробормотала я, — а она не приезжает в гости?

— К кому? — зевнул с той стороны провода дядька.

— Ну... к вам.

— А за фигом ей ко мне кататься? — удивился собеседник. — Продала нам квартиру, и адью.

— У нее есть телефон?

— Да.

— Номер не подскажете?

— А я его не знаю.

— Зачем же тогда говорите, что она имеет телефон? — обозлилась я.

— Так в Америке небось он у всех есть, — хмыкнул мужик. — А что, вам очень ее номер нужен?

— Да!!!

— Позвоните тогда ее подруге Лене Марковой. Они не разлей вода были, она нас с Ксюхой и свела. Пишите номерок.

Я скрипнула зубами и набрала телефон Лены Марковой.

— Алло, — послышался хриплый голос.

— Можно Лену?

— Ну я, — просипело из трубки.

— Мы с вами незнакомы, — затараторила я, собираясь представиться.

Но Лена оборвала меня:

— Тогда за каким чертом в субботу спать не даешь? На часы глянь!

Суббота! Действительно, сегодня же выходной день.

— Простите, — завела было я и тут же осеклась.

Суббота! Я зря разбудила Олега. Ну и ну, очень некрасиво получилось. Минуточку, а куда же он пошел? На службу? У Куприна частенько случаются авралы, его рабочее время не нормировано, ведь он занимается искоренением преступности. Но что-то мне подсказывает, знаете, такой противный внутренний голос нашептывает в уши: «Вилка, Олег отправился к ней».

— Вот дрянь! — вырвалось у меня.

— Ты поосторожней там, — донеслось из трубки.

— Ох, извините, это не к вам относится!

— А к кому? — прошипела, очевидно, обозлившаяся до крайности Лена. — Вроде ты со мной беседуешь!

Я хотела было подыскать нужные слова, но внезапно горькая обида схватила за горло, слезы подступили к глазам.

— Мой муж...

— Эй, ты чего ревешь? — насторожилась Лена. — Уж не знаю, кто и зачем тебе глупостей натрепал, но мне твой муженек без надобности, своего только-только выгнала!

— Можно мне к вам приехать?

Из трубки долетел тяжелый вздох.

— Да не отбивала я твое сокровище!

— У меня совсем иной вопрос. О Ксюше Жизневой, вы знаете ее телефон?

— Зачем он вам?

— Хочу расспросить ее об одной девушке, Лизе Марченко.

— Лиза умерла, давно, несколько лет прошло.

— Знаю, я частный детектив, меня наняла Роза Михайловна, ее мать, для поисков своей внучки.

— Маши?

— Правильно.

— Немедленно ко мне, — взвизгнула Лена, — не задерживаясь! Пиши адрес.

Удивленная ее реакцией, я вытащила блокнот и сказала:

— Диктуй.

Глава 18

Лена оказалась щуплой девицей, одетой в изношенные, рваные джинсы. Впрочем, может, они были новыми, просто их специально состарили, сейчас модно носить такую одежду, в которой, как говорит Ленинид, уже трое умерло.

— Входи, — велела хозяйка и ногой сгребла в кучу валяющуюся в прихожей обувь, — топай вон туда, на кухню.

По длинному извилистому коридору мы углубились в квартиру. Мне показалось, что апартаменты бесконечны. Дверей, попадавшихся навстречу, было не сосчитать. Наконец я достигла цели и очень удивилась. Кухонька оказалась крохотной, едва ли пятиметровой. Оставалось лишь удивляться фантазии архитектора, который запланировал широчайший, совершенно не функциональный коридор и сделал местом для приготовления пищи каморку чуть больше розетки для варенья. А ведь всем известно, что кухня в России совершенно особое место, мы там не столько готовим, сколько разговариваем «за жизнь».

— Садись, — приказала Лена, — кофе будешь?

— Растворимый нет, лучше чай.

— Я тоже эту бурду не пью, — перекосилась хозяйка, — в джезве варю. Говорят, хорошо получается.

Не дожидаясь моего согласия, Лена открыла шкафчик, вытащила оттуда белую банку с надписью «Кофе» и насыпала в турку остро пахнущий коричневый порошок. Я наблюдала за девушкой. Наверное, окажись на моем месте Шерлок Холмс, он бы мгновенно сделал вывод: Лена очень аккуратна, если хранит арабику там, где ей положено быть. У нас дома тоже имеются подобные емкости с надписями, только в «Муку» насыпана вермишель, в «Лапшу» гречка, а в «Чай» сода. Туда, где следует держать сахар, мы спокойно кладем соль. Один раз, в канун 8 Марта, Сеня решил сделать всем женщинам нашей семьи сюрприз, купил билеты в театр и устроил культпоход. Когда мы вечером, страшно довольные, вернулись домой, то нашли Семена, хитро улыбающегося, в столовой.

— Вот, — заявил он, — извольте отведать, сам пек кекс, по кулинарной книге, это вам подарок к Женскому дню.

Превознося Сеню до небес, мы отрезали по хорошему ломтю, откусили и... мгновенно выплюнули. Большей гадости в своей жизни лично я не пробовала ни разу.

Начав разбираться, мы поняли, в чем дело. Сене понадобился для теста сахар. Он взял с полки банку с соответствующей надписью, отмерил два стакана и высыпал содержимое в муку с яйцами.

— Только такие дуры, как вы, — кричал потом в негодовании Семен, — сумасшедшие бабы, хранят сладкое там, куда нормальные люди насыпают соль!

Мне хотелось сказать ему, что ни одна хозяйка не вбухает в тесто что-то, не попробовав предварительно. Но я не стала произносить эту фразу вслух, Семен мог на нее неадекватно отреагировать. Кекс мы выкинули, а соль продолжаем держать в «Сахаре». А вот у Лены все на своих местах: кофе так кофе. Похоже, она маниакально аккуратна, вон какой у нее порядок на кухне, даже старые газеты сложены ровными стопками. Причем в одной — ежедневные издания, в другой — журналы сугубо профессиональные, под названием «Главбух». На секунду мой взгляд задержался на знакомой обложке. Где я совсем недавно видела «Главбух»? У Ларисы Дмитриевны, и тоже на кухне. Только у нее был один журнальчик, а у Лены их много, похоже, целая годовая подшивка.

— Какая у вас квартира огромная, — решила я начать разговор, — сколько же тут комнат?

— Просто катастрофа, — откликнулась хозяйка, осторожно наливая ароматный напиток в крохотные чашечки, — целых восемь. Апартаменты эти построены в начале прошлого века, они совершенно безразмерные. Я живу лишь в двух комнатах, остальные просто закрыты. Нет никаких сил на уборку, и отсутствуют деньги для содержания такого количества жилплощади.

— А вы не хотите продать квартиру? — предложила я. — Думаю, вам заплатят хорошие деньги.

Лена отхлебнула кофе.

— Подумываю на эту тему. Знаете, кто мне предлагал обмен? Роза Михайловна, мать Лизы. Представляете, не так давно она заявилась сюда, без звонка, около полуночи, и заявила: «Ах, ах, Ленуся, похоже, у тебя трудные времена. Вон во что квартира превратилась! Страх смотреть! Давай помогу? Поменяемся: ты переедешь ко мне, а мы к тебе. Естественно, я доплачу за разницу в метрах!»

— Что же вы не согласились? — спросила я и быстро добавила: — Так близко знакомы с Розой Михайловной? Она тут раньше бывала и знает, как выглядели комнаты при жизни ваших родителей?

Лена допила кофе.

— В прежние времена Розка прибегала сюда как портниха, она моей бабушке платья шила. Мой дедушка при коммунистах был большим бонзой, а Роза приходила с сантиметром на шее, кланялась и благодарила за чаевые. Потом все перевернулось, теперь она наверху, а я в сточной канаве. Думается, Розочка не зря ко мне притопала, унизить решила, показать, что она теперь хозяйка жизни.

— Может, не стоит так остро реагировать на ситуацию, — улыбнулась я, — вполне вероятно, что Розе Михайловне просто хочется жить в доме, построенном в начале двадцатого века. Многие из «новых русских» стесняются своего рабоче-крестьянского происхождения, они специально приобретают апартаменты в старых домах, а потом рассказывают всем, что живут в квартире предков.

— Быдло, — фыркнула Лена, — и Роза точь-в-точь такая, тут вы в цель попали! Только никогда ей в этой квартире не жить. Знаете, почему я вас позвала?

— Пока нет.

— Заплачу вам хорошую сумму. Сколько Роза пообещала, в случае если вы найдете Машу?

— Вообще-то такую информацию не принято разглашать.

— Ладно, — махнула рукой Лена, — храните свою тайну хоть до смерти. Я могу дать вам три тысячи, долларов, разумеется.

— За какую услугу?

— Скажете Розе, что Маша умерла. А на самом деле не станете разыскивать девочку.

— Вы знаете, где она?

— Нет, конечно. Только предполагаю.

— Назовите мне адрес.

— Еще чего! Чтобы Лизка в могиле перевернулась! — возмутилась Лена. — И потом, скорей всего, я ошибаюсь.

— Вашей подруге, наверное, станет спокойней на том свете, если она узнает, что Машенька не по посторонним людям мается, а проживает с родной бабушкой.

Лена хлопнула кулаком по столу. Маленькие кофейные чашечки подпрыгнули на блюдечках.

— Да вы ничего не знаете! — в сердцах воскликнула она.

— О чем? — растерялась я.

— Обо всем, — не успокаивалась Лена, — ладно, сейчас кой-что вам расскажу, а потом подумаем, как заставить Розку поверить в то, что Маша умерла. И вы мне должны будете помочь. Может, нам снять на фото чью-нибудь могилу, поставить там крестик с надписью «Маша Попова» и показать Розке? Пусть думает, что внучка скончалась от... от... от дифтерита. Говорят, это жуткая болезнь, от нее до сих пор дети погибают.

— Господи, какой вы ужас говорите! Подобные вещи даже страшно произносить.

— Вы меня послушайте, — рявкнула Лена, — а потом уж решайте, где настоящий ужас!

Я стала вертеть в руках хрупкую, похожую на наперсток чашечку, а Лена с жаром принялась за рассказ.

Розу она в свое время часто видела у бабушки. Но портниха совершенно не интересовала Лену. Девочке одежду не шили. Впрочем, нет, в младших классах Лена изображала на каждый Новый год снежинку. Карнавальные костюмы в те времена не продавались, и Роза мастерила белые платьица, обильно обсыпанные блестящими стразами, но, когда Лена перешла в пятый класс, необходимость в таких нарядах отпала.

Чем старше становилась Лена, тем большую антипатию испытывала к портнихе. Роза казалась ей неискренней, слишком улыбчивой и до приторности вежливой. Было видно, что она изо всех сил старается понравиться не только хозяевам, но и прислуге. Портниха демонстративно смеялась над глупыми анекдотами, которые обожал рассказывать шофер Марковых, и бесплатно кроила платья для их домработницы.

Однажды она привела с собой девочку, ровесницу Лены, и сказала:

— Знакомься, Леночка, это моя дочь Лиза, ей хочется с тобой дружить!

— А мне с ней нет, — ответила Лена и ушла к себе.

Но уже через пару мгновений девочке стало стыдно, и она пошла к бабушке.

Роза ползала на коленях, подшивая подол нового платья. Лиза тихо сидела в углу.

— У тебя есть кукольный дом? — спросила Лена.

— Нет, — робко ответила та.

— Пошли, мой покажу, — предложила Леночка.

С тех пор Роза стала каждый раз приводить с собой дочку. Нельзя сказать, что девочки испытывали огромную радость от общения друг с другом, но играли вместе без скандалов и рева.

Потом бабушка скончалась, и Роза с Лизой исчезли из жизни Лены.

Пролетели годы, Леночка поступила в институт. Как-то в конце сентября к ней подошла тоненькая девочка и спросила:

— Ты меня помнишь? Я Лиза Марченко. Моя мама, Роза Михайловна, работала у вас портнихой. Сразу тебя узнала, хоть и не один год прошел.

На Лену мигом нахлынули воспоминания о счастливом детстве, о тех днях, когда были живы ее родители и бабушка, о беззаботном, благополучном, сытом времени, когда не приходилось думать о том, как заработать себе на кусок хлеба. Воспоминания эти были такими горько-сладкими, что Леночка, не сумев сдержать порыва, бросилась к Лизе на шею.

Отношения возобновились, более того, они стали крепкими, доверительными, очень близкими. И скоро Лена поняла: Лизе живется дома совсем не весело. Честно говоря, Леночка никак не могла взять в толк, ну зачем Роза Михайловна произвела на свет троих детей. Ни Лиза, ни Нина, ни Сережа совершенно не интересовали мать. Бывшая швея теперь рулила серьезным бизнесом. Дело отнимало у нее все время, домашние заботы были возложены на бабушку Сирену Львовну.

Лене было не слишком приятно видеть Розу. Только не подумайте, что бывшая бабушкина портниха принимала внучку своей заказчицы с кривым лицом. Совсем напротив. Роза Михайловна была сама любезность. Она ахала и охала, узнав, сколько испытаний выпало на долю Леночки, ставшей в юном возрасте круглой сиротой. Роза с выражением самого полного сочувствия на лице предложила ей сшить совершенно бесплатно, в качестве, так сказать, гуманитарной помощи, пару юбочек. Но чем приветливее улыбалась удачливая портниха, тем яснее становилось Лене: Роза просто радуется тому, что внучка бывшей заказчицы сейчас под конем. Наверное, Роза Михайловна чувствовала себя униженной, ползая с булавками в зубах перед дамами, шившими вечерние наряды. Вот поэтому сейчас она и пытается показать Лене ее место.

По счастью, Роза Михайловна нечасто приходила домой раньше полуночи, и Лена благополучно избегала встреч с ней. Вот Сирена Львовна была другой. Леночка никогда не чувствовала себя около нее униженной.

Потом с Леной случилась неприятность. Студенты поручили ей купить подарок к юбилею ректора института. Купюры собирали со всех групп, и в результате в руках у первокурсницы Марковой оказалась огромная сумма в тысячу долларов.

— Ступай в ГУМ, — посоветовали ей однокашники, — и возьми там дорогую авторучку.

Леночка отправилась выполнять поручение, выбрала необходимую вещь, подошла к кассе, стала рыться в сумочке и поняла, что ее обворовали.

В полной прострации она приехала к Лизе и свалилась с рыданиями на диван. Подруга стала засыпать ее вопросами, и в конце концов Лена рассказала ей все.

— Что теперь делать? — захлебывалась плачем несчастная. — Такие деньжищи!

Лиза убежала и вернулась с Сиреной Львовной.

— Прекрати истерику, — сердито сказала старуха, — от твоих воплей деньги не вернутся. Неси-ка лучше свою сумку, давай еще раз проверим все щели, они могли попасть за подкладку.

— Я вытрясла все, — колотилась как в лихорадке Лена.

— Тащи сюда ридикюль, — не дрогнула Сирена Львовна, — всяко случается.

— Ты лежи, — подхватилась Лиза, — я сама принесу.

Через мгновение на диване появилась сумочка из кожзама.

— Позволь мне посмотреть? — с церемонной вежливостью попросила Сирена Львовна.

— Хоть на кусочки ее разрежьте, ничего там не найдете, — прошептала еле живая от переживаний Лена.

Старуха молча расстегнула «молнию» и принялась выкладывать на плед всякие мелочи: пудреницу, расческу, коробочку с мятными конфетками, губную помаду, пачку сигарет, копеечную зажигалку...

Увидав последние вещи, Сирена Львовна укоризненно покачала головой:

— Курить вредно, пообещай немедленно, что бросишь это занятие.

Лена пропустила мимо ушей справедливое замечание. После произошедшей неприятности, даже катастрофы, она не собиралась вступать в дискуссию на тему о здоровом образе жизни.

Сирена Львовна вдруг улыбнулась.

— А это что?

Лена уставилась на пачку зеленых купюр.

— Деньги! — завопила Лиза. — Бабусенька, где ты их нашла?

Продолжая улыбаться, Сирена Львовна показала распоротый шов.

— Так я и знала, что в подкладке прореха есть, — сказала она, — сама сколько раз таким образом деньги «теряла».

— Ну здорово! — суетилась Лиза. — Классно. Вот видишь, а ты рыдала!

— Да уж, — покачала головой Сирена Львовна, — тебе, Елена, следует посмотреть на себя критическим взглядом. Курение — скверная привычка. И наведи порядок в сумке, зашей подкладку.

Обалдевшая от счастья Лена отправилась домой. Сидя на кухне, она стала разглядывать вновь обретенные доллары и сразу заподозрила неладное. Во-первых, как уже говорилось выше, купюры собирали по всем группам, и они были разного достоинства. Сейчас же перед Леной лежали одни стодолларовые бумажки. Во-вторых, она отлично помнила, что пачка была перехвачена двумя резинками: красной и синей. Сейчас же стопку дензнаков скрепляла светло-желтая. Было только одно объяснение странной метаморфозы, и Леночка поехала назад, к Сирене Львовне.

Старуха выслушала ее и спокойно ответила:

— Я не понимаю, как только подобная чепуха могла взбрести тебе в голову. Я простая пенсионерка, где, по-твоему, могу взять такую большую сумму? Кстати, имей я тысячу лишних долларов, никогда не стала бы тратить их на тебя. Естественно, деньги достались бы Лизе.

— Спасибо, — прошептала Лена, — никогда не забуду, какую услугу вы мне оказали.

— Никак в толк не возьму, — Сирена прикинулась дурочкой, — о чем речь идет?

— Сирена Львовна была богата? — спросила я.

Лена кивнула.

— Да. Все вокруг считали, что Роза содержит мать, и портниха, то есть, простите, бизнес-вумен, и впрямь имела отличную прибыль. Только у Сирены денег имелось намного больше. Я слышала один раз, как Роза у нее просила в долг, чтобы с налоговой расплатиться.

— Где же Сирена Львовна черпала золото?

— Понятия не имею. Кстати, ее деньги хранились не дома, она их где-то прятала.

— С чего ты взяла?

Лена мрачно ухмыльнулась.

— У Лизки брат есть, Серега. Совершенно отвратительный тип! Он вор, у Розы порой деньги пропадали. Она на кого только не думала, пока не поняла: дорогой сыночек тырит. С тех пор на все шкафы замки навесила, а ключи с собой таскала. Впрочем, там и Нинка своего не упустит, тоже мастерица все, что плохо лежит, к рукам прибрать. Поэтому Роза и стала на ключницу похожа, а у старухи все нараспашку стояло, нет, она деньги где-то прятала. Да не об этом речь. Вы дальше слушайте.

Следующую часть повествования Лены можно было смело пропустить мимо ушей. То, что мать не разрешила дочери выйти замуж за нищего Петю и выгнала молодых из своего дома, я уже знала. И слова о том, что Сирена Львовна предоставила молодоженам свою квартиру, тоже меня не изумили, зато потом удивлению моему не было границ.

— Она ведь постоянно приходила к ним, — воскликнула Лена, — просто обожала свалиться как снег на голову и начать скандал!

— Кто куда являлся? — не поняла я.

— Роза к Лизке, — пояснила Лена, — дня не проходило без визита любимой мамаши. Войдет, усядется и заведет: «Петя — голодранец. Лиза, ты опозорила семью».

— Почему же они ее пускали? Зачем дверь открывали?

— Так у Розы свои ключи от квартиры имелись.

— Отчего Лиза не выгоняла мать?

Лена развела руками:

— Лизка такая мягкая была, молчаливая, совершенно неконфликтная. Она все надеялась, что Роза образумится и перестанет их третировать.

Но Роза Михайловна, ощутив полную безнаказанность, распоясалась окончательно, потеряла, так сказать, тормоза. И тогда Лиза с Петей решились на отчаянный шаг, они задумали убежать от «милой» родительницы.

Был разработан целый план, к исполнению которого привлекли подругу Лизы, Марину Райскую. Петя написал письмо, из которого явствовало, что Маринка является его любовницей. Якобы они хотят пожениться и поэтому уезжают, Машу Петя забирает с собой. Лиза должна была сначала правдоподобно разыграть скорбь, а потом, написав «предсмертную записку», инсценировать самоубийство.

Глава 19

— Каким же образом она намеревалась прикинуться мертвой? — ошарашенно воскликнула я.

— Да очень просто, — объяснила Лена, — Маринка Райская родом из Подмосковья, примерно в семидесяти километрах от столицы есть деревня Кузовкино. Возле села протекает речка, вроде маленькая, но коварная. Быстрая, со дна ледяные ключи бьют, омуты на каждом гребке. В речушке летом по пять-шесть человек тонет. Снимут дачу и полезут купаться. Москвичи местных не слушают, те честно пришлых предупреждают: не лезьте в воду, беда может приключиться, сведет ноги судорогой, и пиши пропало! Но толку-то!

Вот коварство водной артерии и решила использовать в своих целях Лиза. Она предполагала оставить на берегу свою сложенную одежду, обувь, а сверху положить записку примерно такого содержания: «Жить без мужа не могу» и так далее. Естественно, на место происшествия прибудет милиция, только тело искать станут спустя рукава. Запустить водолаза в речушку невозможно. Дно у нее илистое, мигом муть поднимется. Да и часто утопленников тут затягивает в омут. Потычут стражи порядка баграми в воду, взбаламутят грязь и уедут. Такое, кстати, происходило возле Кузовкина не раз. Лизу через некоторое время признают мертвой, а она на самом деле вместе с Петей и Машей будет жить в Санкт-Петербурге, он большой, в нем легко затеряться.

Я только удивлялась фантазии Лизы. Она, казалось, предусмотрела все. Ее документы: паспорт, свидетельство о браке, бумагу, подтверждающую рождение Маши, страховые полисы — в общем, всю шкатулку, должна была прихватить с собой Марина Райская. Были куплены вещи для девочки и даже найдена квартира, временная. Там Пете, Марине и Маше предстояло прожить несколько дней перед отъездом в Петербург в ожидании Лизы, которой предстояло привести в действие план «самоубийства».

«Утонув» и оставив вещи, Лиза собиралась приехать к супругу. В тот же день семейной паре вместе с ребенком предстояло навсегда отбыть из Москвы. А Лене предписывалось поднять тревогу. Подруге велено было носиться по деревне, звать Лизу, с которой якобы она приехала в Кузовкино искать злую разлучницу Марину Райскую. Затем Лена должна была «найти» на берегу одежду и письмо... В общем, МХАТ отдыхает!

На мой взгляд, в плане были прорехи, но, учитывая настойчивое стремление наших правоохранительных органов избавляться от «висяков», спектакль мог иметь успех.

— Но куда же потом делась бы Марина Райская? — не утерпела я.

— А она бы просто осталась тут, — пожала плечами Лена.

— Да ну?

— Ага. Маринке полагалось рассказать ментам, которые будут заниматься этим делом, что она с Петей поругалась не на жизнь, а на смерть. Любовник якобы взял ребенка и ушел, а вот куда — она не знает.

— И Марина не испугалась?

— Чего? За адюльтер у нас никакого наказания в Уголовном кодексе не предусмотрено.

— Но Роза Михайловна могла капитально насолить Марине. Знаешь, она до сих пор ненавидит Райскую.

— Я тебя умоляю, — прищурилась Лена. — Розка только обрадовалась, узнав, что Маша и Петя ушли. Что же касается Лизы... Ну, может, она и стала бы изображать при посторонних горе, только Роза терпеть не могла дочь.

— Зачем же тогда она наведывалась к ней каждый день?

Лена вытащила сигареты.

— Хрен ее знает! Жизнь портила, развести с Петькой хотела, какая теперь, черт возьми, разница, когда все так повернулось?

— И как только Лиза с Петей не побоялись! — не успокаивалась я.

— Чего? — поинтересовалась Лена, выпуская изо рта сизое облачко дыма.

— Ну им предстояло остаться одним, без денег, с крохотным ребенком, в незнакомом городе...

— Кто вам сказал, что у них не было средств?

— Я так поняла.

— Вовсе нет. Сирена Львовна знала о задуманном плане.

— Да?!

— Совершенно точно. Это она нашла квартиру, где Маринке с Петькой предстояло ждать Лизку, на Краснокумской. У нее там подруга жила...

— Лариса Дмитриевна?!!

— Вроде так тетку звали. Она согласилась приютить всех на пару дней.

— Так Лариса Дмитриевна тоже все знала?

— Ну вот этого мне не рассказывали, — пожала плечами Лена, — может, нет, а может, да! Я и не интересовалась особенно. Меня другие проблемы волновали. Где они жить станут в Питере, на что? А куда Петька с Маринкой и Машей на пару дней сунутся, мне было все равно.

Лена решила поделиться своей тревогой с Лизой. Та выслушала ее и улыбнулась:

— Не дергайся. Пока перекантуемся. А потом бабушка нам собственную квартиру купит, где-нибудь через год, когда все прочно забудут про нас.

Лена заколебалась, но потом все-таки высказалась:

— Сирена Львовна пожилой человек, вдруг с ней что случится, кто тебе поможет? Будете всю жизнь по чужим углам мыкаться.

— Если бабуля, не дай бог, скончается, — ответила Лиза, — я стану наследницей всего ее огромного состояния.

— Как же ты сможешь предъявить права на деньги, — не успокаивалась Лена, — тебя ведь будут считать умершей! Все Розе достанется.

Лиза помолчала, потом сказала:

— Нет, она не получит ничего. Ключ у меня, про замок никто не знает, про бабусины деньги тоже. Ни один человек не подозревает, что Сирена богата, лишь я в курсе дела. Ты не волнуйся. Я всегда буду обеспечена, при жизни бабули и после ее смерти. Только мне на эту тему говорить не хочется.

Лена успокоилась — если у подруги есть средства, тогда проблем нет. Это только говорится, что не в деньгах счастье, на самом же деле, чем тяжелее кошелек, тем легче жизнь.

Первая часть задуманного Лизой плана прошла без сучка без задоринки. Петя, Марина и Маша перебрались к Ларисе Дмитриевне. Лиза вызвала к себе маму и старательно разыграла убитую горем жену. Лена только удивлялась, откуда у ее тихой подруги взялись такие великолепные актерские способности. Лиза так отчаянно рыдала, что не поверить ей было просто невозможно. И Роза Михайловна позволила себя обмануть. Лиза позвонила Лене и с нескрываемым торжеством заявила:

— Представляешь, она мне посочувствовала!

Лена лишь покачала головой. Да уж, наверное, Лизавета выглядела совершенно убитой горем, если Роза решилась сказать дочери хорошие слова. Вообще говоря, Марковой вся задуманная афера казалась глупой и даже опасной. Она боялась, что Роза моментально разберется, что к чему, и накостыляет дочери по первое число. Бывшая портниха скора на руку и в момент злобы может, не задумываясь, надавать затрещин.

Но после того как ликующая Лиза завопила в трубку: «Она поверила!» — Лена почти успокоилась.

А зря, потому что дальше события начали развиваться самым непостижимым, страшным образом.

Ночью в квартиру Марковой позвонили. Лена схватила трубку и спросонья весьма невежливо брякнула:

— Какого черта! Кто там? Чего молчите?

— Лизу убили, — донеслось из тишины, — насмерть.

— Это кто? — обомлела Лена. — С кем я разговариваю?

— Ты меня не узнала. Это Марина Райская.

— Господи, — очнулась Лена, — ты что такое несешь?

— Мы с Машей уезжаем.

— Куда? — закричала Лена. — Что с Лизкой?

— Туда, где нас убийца не найдет, — ответила Марина, — прощай, Ленок, больше не увидимся.

Из трубки понеслись короткие гудки. Абсолютно не понимая, что происходит, Лена трясущимися руками набрала номер Лизы. Ей ответил мужской голос:

— Бондаренко слушает.

— Простите, — пролепетала Лена, — я не туда попала.

— А куда вы звоните? — проявил любопытство незнакомый Бондаренко.

— Своей подруге, Лизе, извините еще раз, разбудила вас.

— Вам нужна Елизавета Марченко?

— Да.

— А вы ей кто?

— Знакомая.

— Марченко выбросилась из окна, в доме работает милиция, а...

Не дослушав, Лена отсоединилась. Ей казалось, что она видит жуткий сон, кошмар и никак не может проснуться. Пометавшись по квартире, Лена позвонила Сирене Львовне и нарвалась на Нину. Маркова не любила младшую сестру своей подруги, а та платила Лене той же монетой. Но сейчас Нина, рыдая, сказала:

— Ой, Леночка, у нас такое горе!

Затаив дыхание, Лена выслушала ее рассказ и спросила:

— Лиза жива?

— Когда в больницу привезли, еще дышала, — всхлипнула Нина, — стали операцию делать, да зря, нету больше Лизки. Ну зачем она из окна прыгнула? Мало ли от кого мужья уходят, и ничего!

— Теперь вы понимаете, почему Машу нельзя Розе Михайловне отдавать? — тихо закончила Лена свой рассказ.

— Нет, — осторожно ответила я.

— А вот Маринка Райская сразу сообразила, в чем дело, — вздохнула Ленка, — и увезла Машу.

— Уж извините, я ничего не понимаю. Может, объясните мне? — попросила я.

Лена кивнула.

— Мы ведь все учились в финансовом институте, на бухгалтерском отделении. Я устроилась на работу в бухгалтерию еще в институте, меня сразу взяли. Не хочу хвастаться, но у меня просто талант финансиста, и на фирме, куда я толкнулась, это сразу поняли. А из Маришки классный бы главбух получился, — продолжила Лена.

— Эй, погоди, — прервала ее я, — Марина же у Лизы няней служила, при чем тут бухгалтерия?

Лена улыбнулась.

— Маринка с Лизкой очень крепко сдружились, я даже ревновать немного стала. И сначала на Лизу обиделась, когда она Маринку к себе жить позвала.

Целую неделю Лена дулась, а потом успокоилась и поняла, что подруга просто пожалела Райскую. Лена тоже нуждается, но у нее есть квартира, а Маринка мыкается в общежитии. Райская же в благодарность старалась помочь Лизе, у той начисто отсутствовало желание заниматься домашним хозяйством, а еще они с Петей любили вечером сбегать в кино, вот Маринка и караулила Машу и варила обеды. А чтобы Роза Михайловна не устроила очередного скандала, Лиза сказала матери, будто наняла Райскую няней.

Когда Лизавета решила «поставить спектакль», Лена поняла: подруга по-прежнему ценит ее. Более того, Лиза была уверена, что только Лена и Марина могут ей помочь.

— И знаешь почему?

— Нет.

— Мы главные бухгалтеры от рождения.

Я усмехнулась:

— Интересная характеристика.

Лена абсолютно серьезно кивнула:

— Да. Понимаешь, бухгалтер — это не профессия, а образ жизни. Неаккуратному, безответственному, неусидчивому, да и просто глупому человеку в бухгалтерии нечего делать. Допустим, не сходится баланс на двадцать копеек. Ерундовая ведь сумма. Большинство из нас потеряет ее и не заметит, сущая ерунда. А бухгалтер будет сидеть и разбираться, не успокоится, пока не найдет медные полушки. Но нельзя быть собранным на службе и расхлябанным дома. Бухгалтером надо родиться. И еще, он должен уметь хранить тайны. Знаешь, как говорят те, кто достиг больших высот в бизнесе? Ругайся с кем угодно: с женой, мамой, поставщиками, оптовиками, но упаси тебя бог начать конфликтовать со своим главным бухгалтером. Понимаешь, лицо, отвечающее за финансы, конечно, подчиняется директору, но, перефразируя известную пословицу, можно сказать: начальник голова, а главбух карман. И какими бы ни были умными мозги, прозябать им в бедности без кошелька.

— Это ты к чему говоришь?

— Да к тому, что мы с Маринкой, — вздохнула Лена, — обладали всеми нужными качествами и язык крепко за зубами держали. Маринка еще постоянно в профессии совершенствовалась, повсюду с собой журнал «Главбух» носила, читала в метро, автобусе, трамвае. Любую свободную минутку использовала, листает страницы и бубнит: «Очень интересно, по всем полочкам разложено». Она и меня подбила на «Главбух» подписаться, за что ей спасибо, и впрямь очень полезная вещь, конкретные ответы на сложные вопросы найти можно.

И еще, Маринка была занудой, в хорошем смысле этого слова, она крайне аккуратно обращалась со своими вещами и злилась, если я, к примеру, ее «Главбух» брала. Ну не поверите. Она каждый журнал подписывала, на первой странице ставила фразу: «Журнал принадлежит М. Райской. Просьба не брать». Только Райская давно говорила: «Между прочим, если бы я так не любила профессию бухгалтера, могла бы хорошей актрисой стать».

И между прочим, у нее талант был! Маринка в театральном кружке занималась, главные роли исполняла. Она так изображать умела! На пустом месте зарыдать могла. Кстати, Лизка сама в тот же кружок бегала и кой-чего умела. Но Маринка была очень талантливая, поэтому Лизка ей и поручила главную роль в спектакле. И ведь не просчиталась. Когда дело по-страшному повернулось, Маринка быстро ситуацию просекла, и Машку спрятала, да так ловко, что никто ее не нашел. Теперь врубилась?

— Нет!!!

— И как только ты частным детективом с такой тугой соображалкой работаешь! — воскликнула Лена. — Марина поняла, что и Петю, и Лизу убили, Машка следующая на очереди, поэтому и убежала.

— Убили, — эхом отозвалась я. — Ну с Петей понятно, его ограбили, но Лиза-то сама выбросилась с балкона.

— С чего ты это взяла? — прищурилась Лена.

— Так она записку оставила, предсмертную.

— В ней-то все дело, — поджала губы Маркова.

— Почему?

— Мы с Лизкой долго думали, как должно выглядеть письмо, которое следовало оставить на берегу, возле одежды. И так прикидывали, и этак, писали разные варианты, наконец остановились на одном. Лизка его накатала и спрятала, черновики мы выбросили. Убийца знал про предсмертную записку, он столкнул Лизку с балкона, а листок положил на стол.

— Ну ты и придумала! — подскочила я на стуле. — Знаешь, не надо излишне усложнять ситуацию. Думаю, все было намного проще. Петю убили в подъезде, а Лиза решила, что не сможет жить без любимого мужа, и выпрыгнула с балкона в состоянии аффекта.

— Никогда, даже в состоянии аффекта, Лизка бы не забыла о Маше, — сердито оборвала меня Лена, — она обожала дочку. Это из-за нее Лизок замутила историю с побегом. Она не хотела, чтобы Машка росла под влиянием Розы, не желала, чтобы мать покорежила ее судьбу, оттого и решила в Питер удрать. И потом, странно выходит. Ну посуди сама. Лизке сообщают о смерти Пети. Она не бежит за дочкой, не звонит Маринке, а сигает с балкона. С какой стати?

— Ну, — протянула я, — Роза Михайловна объясняет это просто. Лиза поняла, что более никогда не увидит Машу.

— Ага, — кивнула Лена, — поэтому менты и не стали суетиться. Муж бабу бросил, ребенка увез... Только мы с тобой знаем, что Лиза могла моментально заполучить Машку назад. Один звонок Маринке, и девочка снова дома. Потом... аффект... Странно получается. Лизка слышит весть о кончине Пети, теряет рассудок настолько, что, забыв о любимой дочери, бросается к балкону, но по дороге останавливается, роется в письменном столе, находит записку и кладет ее на видное место? Знаешь, если предположить, что ей капитально снесло башню, тогда она должна была просто сигануть вниз, забыв про все. А коли она позаботилась о записке, следовательно, могла ворочать мозгами, а в этом случае Лиза сразу бы подумала о Маше. Так-то вот!

— И как, по-твоему, разворачивались события?

— Лизку скинули вниз и положили на стол письмо. Петя тоже не случайно погиб, очередь была за Машей, и Маринка спасла девочку, — твердо заявила Лена.

— Но зачем их всех убивать!

Лена пошла к плите и вновь принялась варить кофе.

— Я долго думала над этим вопросом, потом поняла. Сирена Львовна была богата. Свои деньги она завещала Лизе. А после смерти жены кто наследник? Муж и дети. Вот поэтому и убили Петю. Тут еще одна странность есть, только я не сразу докумекала. Петю били грабители, отняли у него часы и все ценное, скорей всего его бы на месте прикончили, но мерзавцев спугнула соседка.

Я кивнула.

— Правильно, Ольга Савостьянова, врач по профессии, она вроде вызвала «Скорую», милицию и оказала Пете первую помощь.

— Именно так и было, — кивнула Лена, — едем дальше. Якобы милиционеры позвонили Лизе и сообщили о несчастье.

— Верно. Сотрудник по фамилии Сарпенко, я у него была.

— Ага, — подхватила Лена, — все одно к одному складывается. Муж погиб, жена в шоке, бах с высокого этажа. Но одна маленькая деталька, просто крохотная, на которую никто не обратил внимания. Петю били, но не убили. Грабители убежали, нанеся ему много ран, Петр был не жилец, но его живым погрузили в «Скорую» и увезли. Более того, ему сделали операцию, и Попов дотянул до утра, скончался он в районе шести. А Лизка выбросилась с балкона раньше. То есть Петя в тот момент был жив, милиция никак не могла сообщить жене о кончине мужа. Да, ей, наверное, позвонили и заявили: «Ваш муж стал жертвой ограбления и в тяжелом состоянии отправлен в больницу».

Ну не мог никто сообщить о кончине парня преждевременно. Да хоть тебе сто раз ясно, что он умрет, все равно ты не имеешь права на подобные заявления, если ты официальное лицо! Правда, странно все выглядит? Лиза получает весть о том, что ее супруг тяжело ранен, и вместо того, чтобы бежать в больницу, она выкидывается из окна?

Я молча смотрела на Лену. А та продолжала дальше:

— Да насколько я знаю Лизку, она бы полетела сначала к Пете, а потом бы забрала к себе Машу.

— И как она бы объяснила свое поведение матери? Роза же небось принялась бы допрашивать дочь, задавать настойчивые вопросы, типа: «Так ты знала, куда уехали Петя и Марина?»

— Она бы что-нибудь придумала, — стояла на своем Лена, — тот, кто планировал черное дело, слегка напутал со временем, а менты ничего не заметили, ситуация казалась им понятной, да и кому нужно очередное дело об убийстве. Только статистику портить.

— Так кто же их убил?

— Роза, — безапелляционно заявила Лена, — ей деньги были нужны, а бабушка, очевидно, не дала. Вот Розочка и задумала наследство получить, она небось денежки давно к рукам прибрала.

— Ну и зачем сейчас ей Маша?

— Она ее убить хочет.

— Ну и глупости лезут тебе в голову!

— Нет, — разозлилась Лена, — девочка в опасности. Уж не знаю, где Маринка ее прятала, наверное, увезла из столицы, раз Роза до нее не добралась. Но сейчас они обе: и Маринка, и Маша — кандидатки на тот свет. Роза отлично понимает: Марина знает про деньги, про то, что девочка наследница. Она может потребовать...

У меня закружилась голова.

— Похоже, Марина ничего не потребует.

— Почему? — насторожилась Лена.

Я залпом опустошила вторую чашечку кофе и, перестав корчить из себя детектива, сказала:

— Послушай теперь меня. Может, ты встречала иногда на прилавках криминальные романы, написанные Ариной Виоловой? Ты читаешь детективы?

— Иногда, — кивнула Лена, — вечером, если совсем устала. Про Виолову слышала, даже одну книгу купила, «Гнездо бегемота». Лабуда полная, но моментами забавно. А при чем тут дюдики?

— Арина Виолова мой псевдоним.

Зрачки Лены медленно стали расширяться.

— Врешь!

— Сейчас нет, не перебивай, — вздохнула я, — пришлось тут мне ехать в поезде Прага—Москва...

Глава 20

Наш разговор с Леной затянулся надолго.

— Может, это не Маринка была! — с надеждой воскликнула Маркова. — Вдруг какая-то однофамилица.

— Елизавета Семеновна Марченко с дочкой Машей? Да еще у девочки такое характерное родимое пятно на ноге, на внутренней стороне бедра.

— Это не родинка, — медленно проговорила Лена.

— А что? — удивилась я. — Что еще может быть у крошки на таком месте?

— Татуировка.

Мои глаза буквально вылезли на лоб.

— Татушка? У маленькой девочки? Ты с ума сошла!

— Да не я, а Лиза, — мрачно ответила Лена, — она свою бабушку до опупения любила. У Сирены Львовны на ноге...

— Знаю, — перебила я рассказчицу, — ее мать, Сара, сидя в тюрьме, сделала дочери тату, чтобы не потерять ребенка.

— Ужасное время, — передернулась Лена, — хорошо, что меня родили не в те годы. Я, правда, никогда отметину у Сирены Львовны не видела, но она ведь не ходила передо мной голой. Лиза мне эту историю рассказала. Так вот, когда родилась Маша, моя ненормальная подруга сначала хотела дочку назвать Сиреной. Но бабушка категорически возразила против этого.

«Нельзя давать девочке имя живой родственницы, — твердила она, — и вообще, не следует называть младенца в чью-то честь. Ребенок тогда повторит судьбу этого человека. Мое детство и часть отрочества были безрадостными, да и потом было много проблем. Не хочу, чтобы внучка столкнулась с похожими. Дай ей самое простое, незатейливое имя, ей-богу, лучше будет».

Лиза всегда слушалась горячо любимую бабушку, поэтому записала дочку Машей. Но мысль сделать Сирене Львовне приятное гвоздем сидела у Лизаветы в голове, и в конце концов она додумалась до полного идиотизма, взяла и сделала крошке татуировку на внутренней стороне бедра.

— Ну и кретинизм, — не выдержала я.

— Ужасно, — подхватила Лена, — хуже и не придумать! Где только мастера нашла! Я, впрочем, знаю где! У Маринки Райской любовник был, Рома Казуаров, он в тату-салоне «Марс» работал. На мой взгляд, совершенно жуткий тип, я его, когда первый раз увидела, чуть не описалась от страха. Голова бритая, в ушах штук шесть колец разного размера висят, руки в рисунках. Страхолюдина омерзительная, но Маринке он нравился. Впрочем, многие наши с курса к Ромке ходили татушки делать, очень все его хвалили, говорили: настоящий художник, отличный специалист.

Видно, не зря клиенты доброжелательно отзывались о Казуарове. Крохотная Маша перенесла нанесение рисунка легко, у нее не возникло ни малейшего осложнения.

— И все-таки ужасная глупость, — не успокаивалась я, — девочка вырастет, рисунок деформируется, может уродство получиться. А еще она могла бы предъявить маме претензии. Вполне вероятно, ей не захочется иметь татушку, да и мини-юбку не надеть.

— С одеждой напряга не будет, — вздохнула Лена, — картинка у нее на внутренней стороне бедра, очень высоко, ее постороннему глазу заметить очень трудно. Но, я согласна, все могло быть!

— А что на ней изображено? Или Лиза решила написать на ноге имя дочери и фамилию.

— Нет, — хмыкнула Лена, — хоть на это ума хватило. Рисунок неправильной, многоугольной формы, такая рамочка выколота, а внутри... Ну точно не помню. Цветок, вроде лилии или лотоса, в общем, что-то такое, из него высовывается змея, которая держит в зубах ключ. Слушай, у змей бывают зубы?

Я засмеялась.

— Вроде да, они же иногда кусаются!

— Тогда правильно. А на рамочке орнамент, какие-то слова, точки, закорючки. Сложный рисунок, даже непонятно, как такое наколоть можно, но Рома хороший мастер.

Внезапно перед моими глазами развернулась картина. Маша канючит, прижимая к себе взлохмаченную куклу: «Хочу к дяде Роме!»

«Он в соседнем купе», — говорит ей мать.

— У тебя есть телефон Казуарова? — воскликнула я.

— Нет.

Я попыталась унять бешеное сердцебиение. Вот он, конец ниточки. Марина Райская, испугавшись за жизнь Маши, увезла крошку. Но одной воспитывать ребенка тяжело, а если она перебралась с ним в чужой город, то ей, очевидно, стало невмоготу. Наверное, Райская позвонила бывшему любовнику. Значит, Маша сейчас должна быть у этого Ромы, во всяком случае, имя совпадает!

— Теперь понимаешь, что Машу нельзя отдавать Розе? — наседала на меня Лена.

— Я понимаю, что девочку нужно непременно отыскать, как можно быстрее.

— Это еще зачем? — насторожилась Лена.

— Затем, что Роза Михайловна знает: ребенок в Москве. Если твои рассуждения верны и она задумала избавиться от всех, кто имел законное право на наследство, тогда Маше грозит нешуточная опасность. А я-то никак не могла понять, ну с какой стати Роза, более чем равнодушная к внучке, вдруг стала умолять меня отыскать ее. Нет, Машу надо срочно найти.

— Зачем? — повторила Лена.

— И ты еще упрекала меня в плохой сообразительности! Да чтобы предупредить тех, с кем сейчас живет девочка: ее могут убить!

Лена заморгала.

— Да, да, конечно.

— Ну-ка, быстро вспоминай все, что знаешь про Романа Казуарова!

Лена растерянно замямлила:

— Ничего не знаю, кроме того, что он сидел в тату-салоне.

— Говори его адрес.

— Понятия не имею, меня Маринка в гости к Роме не приглашала. Вот машина у него была, вроде «Фольксваген» подержанный, а может, «Форд», я в марках плохо разбираюсь, номера, конечно, не помню...

— Я не про домашний адрес Казуарова спрашивала. Знаешь, где салон находится?

Лена схватила записную книжку.

— Ага, вот, и улица и дом, телефона нет. Только я там последний раз несколько лет назад была. Салон мог давным-давно закрыться!

— Понятное дело, все равно я съезжу и проверю, а ты...

В этот момент затрезвонил телефон. Лена схватила трубку и закатила глаза.

— О боже! Опять! Ну сколько раз говорить, он мне не нужен, рыбак, блин, забирай его себе! Невелико счастье!

Отшвырнув трубку, она гневно сказала мне:

— Слыхала? Я мужа недавно вон выгнала, так теперь его нынешняя пассия мне сцены ревности закатывает!

— И не жалко было, — с неподдельным интересом поинтересовалась я, — родного мужа и другой отдать?

— Сначала, конечно, я переживала, — охотно делилась со мной Лена, — пыталась его вернуть. Всякие способы испробовала, один очень даже замечательным оказался, прибежал Лешка назад, и все у нас вроде наладилось, жили не тужили. Но потом такая фишка случилась! Нет, ты только послушай!

Леша страстный рыбак и порой уезжал посидеть с удочками на берегу тихой речки, один, без супруги.

— Понимаешь, — объяснял он жене, — я работаю в сумасшедшем ритме, только на природе и могу расслабиться, причем в полном одиночестве.

Наивная Лена верила муженьку, она искренне считала, что он перестал ей изменять, и со спокойным сердцем отпускала его на рыбалку. Ничего подозрительного она не замечала. Супруг отправлялся рано утром, одетый соответствующим образом: в старую куртку и поношенные, практически никуда не годные джинсы. В таком прикиде не свильнешь на свидание. Возвращался Леша на следующий вечер, грязный, мокрый, и приносил рыбу.

Так вот, совсем недавно Леша в очередной раз отбыл с удочками неведомо куда. А вернувшись, сунул Лене пакет с добычей.

Она ничего не понимает в рыбе, ей что акула, что хек, все едино. Готовить рыбу она не умеет, да и не нравится ей возиться со скользкой, покрытой чешуей тушкой. Поэтому, чтобы не обидеть мужа, она быстренько кое-как чистила его добычу, а потом варила что-то, отдаленно напоминающее уху. Леша же любил процесс ловли рыбы, есть ее он не желал, поэтому похлебка доставалась собаке, и все были довольны.

Неизвестно, как долго бы продлилась идиллия, не приди к Лене в гости Соня Ланская.

Увидев, что подруга чистит рыбу, она спросила:

— Минтая купила? А мне он не нравится, сухой очень.

— Все равно Джулька слопает, — усмехнулась Лена, — мы рыбу не любим.

— Зачем тогда покупаешь? — изумилась Соня.

— Лешка с рыбалки принес, — ответила, смеясь, Лена, — у нас традиция: он тащит улов, я его варю, а Джулька жрет, полный консенсус.

Соня расхохоталась:

— И где Лешка взял рыбешку?

— В речке.

— Подмосковной?

— Да.

— Дура ты, Ленка, — с жалостью проговорила Соня, — минтай только в море живет, он для пресной воды не создан. И потом, глянь, вон у той внутри все заморожено.

Лена уставилась на тушку, потом швырнула ее на пол. Неверный муж был изгнан вон. Пока Леша топтался на лестничной клетке и ныл: «Ну Ленк, ты че, офигела?» — жена быстренько сложила его шмотки в сумку, сунула туда рыбу и вышвырнула к лифту со словами: «Пусть тебе уху другие варят».

Пришлось Лешке убираться к пассии. Но, видно, кобелиную натуру не переделать. Поселившись у своей любовницы, парень начал и от нее бегать налево, теперь его нынешняя баба звонит пока еще законной супруге и закатывает сцены ревности.

— Скажи, пожалуйста, — робко спросила я, — о каком таком замечательном способе вернуть назад мужа ты только что вела речь?

Лена прищурилась.

— А что? Та же проблема?

— Ну... в общем... да!

— Гони его вон!

— Жалко.

— Вот поэтому мужики и ведут себя так, — с горечью сказала Лена, — знают: жены все стерпят. Кабы боялись, что их по башке шандарахнут, мигом бы про кобелирование забыли. Ладно. Можно вернуть мужа, заставив его ревновать. Парни странно устроены. Сидит супруга дома, варит щи, смотрит телик, значит, можно ей на голову плевать. А ежели она начинает с другими кокетничать, цветы домой приносить, по вечерам задерживаться, вот тогда они пугаются, понимают, что соперник появился.

— Но мне как-то не с руки заводить любовника.

— Так и не надо. Просто попроси кого-нибудь спектакль разыграть. Знаешь, как я поступила?

— Ну?

— Мой муженек раньше восьми домой не являлся. Вот я приоделась, причесалась, намазалась, расфуфырилась по полной программе и села с мужиком в кафе, недалеко от его службы. Одолжила парня у своей знакомой, объяснила ему его роль, а сама позвонила супругу на сотовый, голос изменила и пропищала:

— Леша, Лена сейчас в «Золотом улье» на свиданке с хахалем сидит.

Мой благоверный прилетел как реактивный и давай из-за двери за нами подглядывать. А я уж расстаралась! Глазки строю, губки надуваю, хихикаю, букетик нюхаю. Одного раза хватило. Все, Лешка за мной на работу приезжать стал, дома у телика сел. Чуть я к двери, он следом бежит. Только потом он успокоился, а я дурака сваляла, стала его на рыбалку отпускать.

Я вышла от Лены с легким головокружением и, сев в машину, попыталась переварить полученную информацию, но мысли путались и в конце концов потекли совсем в ином направлении. Возбудить в Олеге ревность? А что, может, так и следует поступить? Куприн абсолютно во мне уверен. Он очень хорошо знает, что я не стану шляться по чужим мужикам. Наверное, нужно преподнести ему урок. Знаете старый анекдот о том, как крестьянин продавал на базаре курицу? К нему подходили люди и спрашивали:

— Почему ты решил избавиться от несушки?

Мужик простодушно отвечал правду:

— Да она яиц не несет совсем, характер дурной, всех в курятнике переклевала, и старая уже, на суп не годится.

Естественно, желающих приобрести квочку не находилось, и бедный пейзанин совсем пал духом. На помощь ему пришел хитрый цыган.

— Дурак ты, — сказал он, — слушай, как надо. Эй, люди, бегите сюда, чудо-курочка продается. Двадцать яиц каждые сутки, сил нет больше их есть, поэтому и продаю ее. Возьмите скорей, слишком тяжелая от жира, еле держу. Молодая, здоровая, она у вас еще долго проживет.

Налетел народ, начал совать цыгану деньги. Вдруг мужик выхватывает у ромала курицу.

— Ты чего? — удивился хитрец.

— Не хочу ее продавать, — заявил селянин, засовывая несушку в мешок, — мне такая чудо-птица самому пригодится!

Вот так же, наверное, отреагирует и Куприн. Не нужна ему Вилка, пока своя, а как чужой стать решит, тут-то майор завертится.

Правда, многократно выходившая замуж Эля

Малеева предостерегала от такого поступка, но все советы, которые психолог давала до сих пор, оказались глупыми. Наверное, нужно послушаться коллегу по несчастью. Муж Лены тогда осел дома, и мой сделает то же самое. Только я буду настороже, расслабляться не стану и ни на какую рыбалку Куприна не отпущу. Вот только где взять мужчину на роль любовника?

Простая на первый взгляд задача оказалась практически невыполнимой. У меня полно подруг, среди них много замужних. Но все они, вместе с супругами, бывали у нас дома, а у Олега великолепная память на лица. К тому же о такой услуге не попросишь дальнего знакомого, а всех близких Куприн прекрасно знает. И потом, он живет со мной не первый день, изучил меня вдоль и поперек, а я, между прочим, считаю, что муж подруги — это табу.

И что же делать? Поехать в контору, которая предоставляет платных партнеров?

Воодушевленная этой идеей, я сначала порылась в справочнике. Никогда не выезжаю из дома без атласа дорог и толстого тома «Желтые страницы». В пути может случиться всякое. Вот сейчас мне понадобился телефончик агентства, и, пожалуйста, их целая страница!

Оглядевшись по сторонам, я увидела кафе, вошла туда, заказала капуччино и пирожное, а потом, показав официантке свой мобильный телефон, сказала:

— Мне надо сделать пару срочных звонков, а трубка разрядилась, нельзя ли попросить у вас телефон.

— Конечно, — мило улыбнулась девушка и притащила радиотрубку.

В ожидании заказа я набрала первый указанный

в справочнике номер. Мой сотовый заряжен, но если я сейчас начну трезвонить по нему, то истрачу кучу денег. Дешевле зайти в кафе, да и капуччино хочется. В общем, я пребывала в великолепном настроении, которое очень скоро сменилось горьким разочарованием. Платный партнер был мне решительно не по карману. Его можно элементарно нанять, но за какую цену! Как только милые голоса администраторш сообщали тарифные ставки, меня начинала душить не просто жаба, а огромный динозавр. Конечно, очень хочется вернуть мужа назад, но платить за мероприятие, которое не стопроцентно обречено на успех, немереные деньги я отнюдь не готова. И что делать?

Выпив капуччино и оставив на тарелочке кусок торта, я вернулась в машину и стала перебирать в уме более дешевые варианты. Попросить Сеню изобразить внезапно вспыхнувшую к подруге жены страсть? Маразм. Обратиться к Лениниду? Ну и глупость лезет порой мне в голову.

И тут раздался звонок.

— Вилка, — попросила Томочка, — купи сахар, не песок, рафинад.

— Сколько?

— Ну, килограмм.

— Ладно.

— А когда ты приедешь?

— Сейчас, — рявкнула я, — уже лечу!

— Ну не сердись, — залебезила Томуся, — сама бы побежала, да Никитка чего-то раскапризничался и в неурочный час спать залег, как бы не заболел. А дома нет никого, оставлю его, он проснется, испугается.

Мне стало стыдно. Томочка ни в чем не виновата, обозлилась я сейчас не на нее, а на Олега, из-за которого приходится решать идиотские проблемы.

— Прости, уже несусь.

— Это ты извини.

Сунув мобильный в карман, я порулила в наш супермаркет. Большой торговый зал был пустым. Очевидно, из-за отсутствия покупателей тут работала всего лишь одна касса. Я взяла с полки две упаковки рафинада. Какой смысл покупать один килограмм, его моментально используют. Олег и Семен, совершенно не озабоченные состоянием фигуры, кладут в стакан по четыре куска, Ленинид тоже никогда себя не ограничивает.

— Дайте пакет, — попросила я, когда кассирша пробила чек.

— Извините, они закончились, — удрученно ответила девушка.

Зная за собой привычку ронять продукты, если они не положены в пластиковый мешок, я запихала коробки в свою сумочку. Она замшевая, имеет форму торбочки и, несмотря на то что она кажется небольшой, способна вместить в себя небольшого носорога. Многие российские женщины любят такие сумки. Выглядишь внешне вполне прилично, косишь под беззаботную девицу, не обремененную хлопотами по дому, а в ридикюльчике лежат всякие покупки, тетради, рабочие документы, пакет памперсов для ребенка, блок сигарет для мужа... Сумочка растягивается, как резиновая, в общем, совершенно замечательная вещь.

Застегнув «молнию», я обернулась и увидела, что около меня, поставив на столик проволочную корзинку, маячит парень лет двадцати.

— Просто безобразие, — с чувством произнес он, — пакеты у них кончились! Идиоты! Как мне теперь все до дома тащить!

Я бросила взгляд на его покупки. Десять лоточков с лапшой быстрого приготовления, бутылочка кетчупа и четыре банки пива.

— Похоже, вы не женаты, — вырвалось у меня.

— А как вы догадались? — удивился он.

Я ухмыльнулась:

— По продуктовому набору. Семейные люди редко питаются быстрорастворимой бурдой. Хотя лапша еще ничего, вот супы в пакетах жуткая дрянь, вода водой.

— Куда же бедному холостяку деваться, — протянул юноша, — да и денег особых нет.

Внезапно меня осенило, и я радостно воскликнула:

— Послушай, хочешь заработать пятьсот рублей?

— Не откажусь, — улыбнулся парень, — а чего делать-то?

— Тебя как зовут?

— Дима.

— Будем знакомы, Виола. Значит, так, я сейчас принесу тебе из машины пакет, только не уходи.

С этими словами я сгоняла к «Жигулям», притащила пластиковый пакет, помогла Диме запихнуть туда покупки и сказала:

— Мне нужен любовник!

Кассирша, разинув рот, уставилась на нас.

Пакет выпал из рук парня.

— Ну, блин, просто офигеть, — выдавил из себя Дима.

Глава 21

— Ты меня не так понял, — прошипела я, таща его по улице, — мне нужен любовник...

— Я могу, — хмыкнул Дима, — если в темноте, то и с тобой получится!

От такого хамства у меня просто пропал дар речи, а когда он вернулся, я задала идиотский вопрос:

— Почему в темноте?

— Так ты уже старовата, — прямодушно ответил нахал, — и потом, извини, но полтыщи мало будет. Ты за какое время управиться хочешь?

— Десяти минут хватит.

Дима скривился.

— Лучше кролика купи, говорят, они чемпионы по быстроте, я так не могу.

— Хватит из себя супермена корчить, — прошипела я, — речь не о постели идет!

— А о чем? — слегка напрягся Дима.

Как могла, я объяснила ситуацию.

Дима захихикал:

— Ладно, согласен, поехали к твоему мужу, только пятьсот рубликов вперед.

Я сунула ему хрустящую бумажку, потом повернулась к «любовнику» спиной, открыла дверь машины и приказала:

— Садись, сейчас разработаем план.

В ответ — тишина. Я обернулась и увидела, что негодяй быстрым шагом удаляется в сторону остановки.

— Эй, ты куда, стой!

Дима прибавил скорость, я ринулась за ним и поймала гада, когда тот хотел сесть в подъехавший автобус.

— Нет уж, погоди.

— Чего надо? — начал вырываться из моих рук студент.

Люди на остановке с огромным интересом следили за нами.

— Не хочешь быть моим любовником, не надо, — выпалила я, — тогда верни деньги.

— Какие? — подлец нагло изобразил полнейшее недоумение.

— Пятьсот рублей, которые только что получил.

— Ничего ты мне не давала.

— Как это? Ровно полтыщи тебе отвалила, когда ты согласился. Либо становишься любовником, либо отдавай купюру. Я честно тебя купила!

Мужик, державший в руке портфель, с огромным интересом окинул меня взглядом и начал насвистывать бодрый мотивчик. Женщина, одетая, несмотря на жару, в теплую вязаную кофту, с негодованием воскликнула:

— Нет, что это с бабами делается! Совсем стыд потеряли.

Стайка подростков тоненько захихикала, а старуха, сидевшая на скамейке, принялась мелко креститься и приговаривать:

— От беса гадость идет, разврат один кругом.

И тут подкатила маршрутка. Поняв, что Дима сейчас запрыгнет в нее и исчезнет, я вцепилась в парня.

— Отдавай деньги.

— Отвяжись. Ничего я тебе не обещал.

— Верни купюру.

— Вот пристала.

— Девушка, — сально улыбнулся мужик с портфелем, — не унижайтесь. Зачем вам этот недомерок, гляньте, сколько вокруг красавцев.

Внезапно мне стало обидно до слез. Книга не пишется, поиски Маши Поповой из элементарной задачи превратились в неразрешимую проблему, Олег носится с чужой бабой, да еще этот задумал поживиться за мой счет!

Почувствовав, что хватка ослабела, парень вырвался и шагнул к «Газели». Полная решимости не отпускать его, я подняла сумочку и со всего размаха треснула подлеца по затылку. Дима зашатался и беззвучно свалился на асфальт.

— Убила! Помогите! — заорала старуха.

Мужик, схватив портфель, мигом ретировался. Откуда ни возьмись, словно джин из бутылки, появилась патрульная машина. Обычно стражей порядка нужно дожидаться на месте происшествия часами. Сейчас же они возникли мгновенно. Я не успела опомниться, как оказалась зажатой на заднем сиденье дребезжащей развалюхи между двумя потными, отчаянно пахнущими сигаретным пеплом парнями. Вечер обещал закончиться замечательно. Хорошо хоть на меня не нацепили наручники, не сунули в обезьянник, а сразу доставили в кабинет к дознавателю, молодому юноше, облаченному в мятую рубашку и дешевые джинсы.

Мент неожиданно проявил истинное человеколюбие. Он сначала угостил меня сладким до тошноты «Спрайтом». Я вообще-то не употребляю подобных напитков, они не способны утолить жажду, минералка намного лучше, но из благодарности выпила стакан и удивительным образом успокоилась.

— А теперь, Виола Ленинидовна, расскажите все по порядку, — вежливо попросил инспектор.

Я, как могла, растолковала ему суть дела.

— Что же у вас такое в сумочке лежит, что гражданин без сознания упал, когда вы применили незаконные меры его остановки? — осведомился парень.

— Два кило сахара, — понуро ответила я, — совсем про них забыла, иначе бы никогда не стала ридикюлем размахивать.

Тут дверь приоткрылась, в кабинет заглянула дама с растрепанной, ярко мелированной головой.

— Слышь, Кость, можно у нее кой-чего спросить?

— Что тебе надо? — недовольно нахмурился Константин. — Очень не вовремя пришла, ступай себе, Оксана!

Но Оксана уже влезла в кабинет, к груди она прижимала мою книгу.

— Вы ведь Арина Виолова? — воскликнула девушка. — Сразу вас узнала, по фотке на обложке, подпишите мне детективчик.

— С огромным удовольствием, — совершенно искренне ответила я и вытащила ручку.

— Точно, — заорал Костя, — Арина Виолова! А я сижу и гадаю, где вас видеть мог! Уж хотел альбомчик с путанами перелистать. Прямо такое лицо знакомое! Конечно же, ваша фотография на книгах есть.

Я закашлялась. Ну как отнестись к его словам? То, что Костя принял меня за одну из ночных бабочек, можно считать комплиментом. Обычно девицы легкого поведения в тридцать лет уже выходят в тираж. Следовательно, я выгляжу намного моложе своего паспортного возраста, что, безусловно, приятно. С другой стороны, на оборотной стороне книг помещены снимки совершенно безумной тетки, с торчащими дыбом волосами цвета гнилого баклажана, на лице у дамы выражение, словно у описавшейся в гостиной болонки. И если меня узнают по ЭТОМУ фото, то осталось лишь удавиться.

— Я вас просто обожаю, — ликовал Костя, вытаскивая кошелек, — слышь, Оксана, беги к метро, там лоток стоит, купи немедленно всю Виолову, давай, живо.

Тяжело вздохнув, девушка взяла деньги и ушла.

— Неужели вы так любите мои книги? — радостно воскликнула я.

— Да нет, — отмахнулся Костя, — мне на работе криминала по горло хватает. Ни одной не прочитал.

— Тогда почему в любви мне признаетесь?

— Теща моя вас покупает, — пояснил Костя, — как выйдет новая книга, дорогая мама хвать ее и к себе в комнату. Сидит там тихо-тихо, ко мне не приматывается, замечаний не делает, не зудит, не стонет. Красота, полный покой. Жаль, что вы мало издаетесь. Вы уж ей книгу-то подпишите, она прям не поверит. И вообще, погодите тут, сейчас разберемся.

Спустя час инцидент был исчерпан. Менты сгоняли в магазин и допросили кассиршу, которая слышала фразу: «Мне нужен любовник».

В кармане у Димы нашлась пятисотрублевая ассигнация, а в моем кошельке лежали еще четыре бумажки. Мне не так давно заплатили в издательстве гонорар. Деньги были из банка, новые ассигнации шли по порядку. Костя сверил номера, и меня полностью оправдали. Впрочем, противного Диму после соответствующего внушения тоже отпустили. Парень стремглав вылетел на улицу, а я осталась в отделении подписывать книги. Слух о том, что в кабинете у одного из сотрудников сидит писательница Виолова, мигом разнесся по всем этажам, работа районного отделения была временно парализована. Сотрудники стали бегать к метро и скупать мои детективы. На лотке произведений не слишком популярной Арины Виоловой оказалось не так уж много, поэтому те, кому книг не досталось, приобрели открытки, и я принялась за работу, тихо спрашивая:

— Это кому?

— Косте.

— А это?

— Косте.

— Открыточку на чье имя подписать?

— Косте.

— В ваше отделение берут на работу только тех, кого зовут Константином? — не выдержала я.

Милиционеры дружно засмеялись.

— Ага, нас тут целых восемь.

— Вам имя «Костя» не нравится? — спросил самый молодой.

Я усмехнулась. Да нет, просто с ним связана одна смешная история. В прошлом году Олег сильно простудился и, невиданное дело, взял бюллетень. Две недели он боролся с насморком, больным горлом и высокой температурой, потом вышел на работу. Куприн посчитал себя здоровым, а зря, у него, как следует не выздоровевшего, начался кашель. Чего мы только не перепробовали, какие микстуры и таблетки не пили! Олег покупал пастилки, леденцы, сиропы... Но кашель становился все злее. В этот момент к нам на выходные дни приехала из Тамбова дальняя родственница. Услыхав звуки, которые издавал Куприн, она сказала:

— Моя мама изумительно лечит бронхит. Она знает травяной сбор, обязательно вам его вышлю

Я пропустила это обещание мимо ушей. Те, кто использует нашу квартиру в качестве бесплатной гостиницы, обычно много чего сулят, но мы так и не дождались изумительного меда с Алтая, чая из Грузии и моченой сибирской брусники. Поклявшись прислать вкусное, гости, вернувшись домой, благополучно забывали про свои слова.

Представьте теперь мое изумление, когда через неделю после отъезда Ляли я получила телеграмму более чем загадочного содержания: «Встречайте мешочек костей поездом Тамбов—Москва, вагон шесть». Сначала я перепугалась, никак кто-то из провинциальных родственников скончался, а мне предстоит заниматься похоронами. Но потом, обретя способность логически мыслить, сообразила, что в этом случае не станут посылать мешочек костей, а отправят гроб с целым телом.

Пребывая в глубоком недоумении, я показала депешу Кристине.

Девочка захихикала:

— Помнишь, нам тетя Ляля обещала лекарство от кашля? Это оно.

Я снова пришла в ужас:

— Мешочек костей! Но ведь речь шла о травах!

Кристина пожала плечами.

— Ты поезжай — и все увидишь.

Оценив резонность предложения, я явилась на вокзал, нашла нужный вагон и обратилась к проводнице:

— Простите, вам посылочку передавали?

Она втащила меня в служебное купе, забитое коробками, и деловито спросила:

— Чего ждете?

— Мешочек костей.

Девица вытаращилась в полном изумлении:

— Что?!

— Мешочек костей.

— Такое не взялась бы везти, — затрясла головой проводница.

Я стала тыкать ей под нос телеграммой, но хозяйка вагона лишь тупо повторяла:

— Никаких костей нет. — Затем она слегка успокоилась и проявила вполне объяснимое любопытство: — А чьи хоть кости? Коровьи?

Тут я снова перепугалась почти до паники. Тащить домой огромный тюк с кровавыми мослами мне не хотелось.

— На нет и суда нет, — радостно выпалила я и выскочила на платформу.

Наверное, я была единственным человеком в России, который страшно обрадовался тому, что адресованная ему передача пропала незнамо куда.

Около вагона стоял парень с сумкой и холщовым мешком.

— Вы Виола? — с надеждой осведомился он.

Я похолодела. Вот оно! Мешочек костей был отправлен не с проводницей, а с одним из пассажиров! Испытывая огромное желание ответить: «Нет, вы ошиблись», я мрачно пробурчала:

— Да, Виола Тараканова.

— Слава богу, — обрадовался юноша, — стою тут, стою, уж и испугался, что телеграмму не получили!

Я в ужасе смотрела на мешок. Сколько же там костей? И чьи они?

— Классно, что пришли, — продолжал ликовать парень, засовывая руку в карман, — вот, держите.

Я взяла тощий пакетик и спросила:

— Это что?

— Мешочек со сбором от кашля.

Огромная радость затопила меня, и я спросила:

— А кости где?

— Костя — это я, — добродушно сообщил парнишка, — Ляля пообещала, что, если посылочку доставлю, вы мне у себя переночевать разрешите.

В полном восторге от того, что не придется возиться с мослами, я кивнула:

— Конечно, поехали.

Дома, устроив очередного гостя, я сказала Олегу:

— Конечно, спасибо Ляле за заботу, надеюсь, ты теперь перестанешь кашлять, но за каким чертом она отправила такую идиотскую телеграмму?

— Какую? — зевнул муж.

— Вот смотри, мы с Кристиной и Томочкой даже перепугались.

— Дай посмотреть, — велел Куприн.

Изучив депешу, он засмеялся:

— Вы с Кристиной и Томой три дурочки! В телеграммах ради экономии места и денег не ставят предлоги, текст следует читать так: «Встречайте мешочек с Костей, поезд Тамбов—Москва, вагон шесть». Поняла теперь? Костя — это имя, телеграфистка опустила «с» и напечатала «костей» с маленькой буквы.

И как бы вы прореагировали на такое? Волшебный сбор не пошел Олегу на пользу, кашель только к весне исчез сам собой, Костя прожил у нас почти два месяца и надоел всем до зубовного скрежета!

...Поставив последний автограф, я выбралась из отделения и побрела домой. Больше всего на свете мне хотелось сейчас остаться в одиночестве и подумать над запутанной ситуацией. Похоже, что все, с кем я разговаривала, врали по первое число. Роза Михайловна отчего-то сделала вид, будто не знает о смерти зятя. А мне в это верится с трудом. Неужели в милиции не рассказали ей о трагедии, случившейся с Петром? Хотя делом об ограблении занималось одно отделение, а самоубийством Лизы другое, их сотрудники могли и не состыковаться. Нет, глупости. Естественно, те, кто стали копаться в причинах, из-за которых Лиза отправилась на тот свет, узнали о смерти ее мужа. Впрочем, может, эта информация дошла до них не сразу, а через пару дней, вот Розе Михайловне и забыли сообщить. Ой, не может быть. Она точно знала о кончине нелюбимого зятя, почему же тогда ломала передо мной комедию?

Додумавшись до такой простой мысли, я сообразила, что моя машина находится у супермаркета.

Я ведь оставила «жигуленка» на парковке, когда побежала за подлым парнем, пытавшимся унести мои деньги.

Чертыхнувшись, я пошла к магазину и услышала кряхтение мобильного.

— Вилка, — тихо спросила Томочка, — ты сахар купила?

— Ага, уже несу.

— Уж извини... далеко тебе до дома?

— Две минуты.

— А... а... а! Ладно, ждем.

— Что-то еще надо купить?

— В общем, да, ты не волнуйся, я сама сбегаю.

Я начала потихоньку закипать. Тома слишком интеллигентна.

— Говори скорей, я стою на пороге магазина.

— Ой, здорово, — обрадовалась подруга, — прихвати хлеба, нарезной и бородинский.

Глава 22

Я вошла в торговый зал. Покупка хлеба теперь проблема. В последнее время почти вся московская выпечка стала напоминать вату: белую, мягкую, пышную и совершенно безвкусную. Если такой батончик оставить лежать до утра, он превращается в камень, а когда он свежий, то от него трудно отрезать кусок, мякиш мгновенно проминается. Отломить кусочек тоже проблематично, потому что хлебушек тянется, как резиновый. Я — коренная москвичка, поэтому очень хорошо помню, какими вкусными были ситники за десять копеек, французские булки, калачи. Ей-богу, никаких пирожных не надо. Гребешок французской булки похрустывал на зубах, ручка калача издавала неповторимый аромат, а ситник на разрезе был белым-белым, нежным. А еще на прилавках лежали горчичный, рижский, ржаной, хала, посыпанная маком, батон с изюмом и потрясающая сдоба: свердловские и калорийные булочки. Тот, кто любил более грубый хлеб, серый, покупал батоны по тринадцать копеек и обдирный — кругляш, посыпанный мукой. Московский хлеб отличался особым, неповторимым вкусом и необыкновенным духом. У меня в магазине всегда рот наполнялся слюной. Боюсь показаться вам занудой позднепенсионного возраста, а все же спрошу: и где же он теперь, столичный хлеб?

Продолжая бубнить себе под нос, я подошла к полкам, где лежали батоны, и стала перебирать выпечку. Мой вам совет, если хотите приобрести вкусный нарезной, переверните его и посмотрите на нижнюю сторону, сверху-то все булки одинаковые, а внизу нет. Настоящий, московский батон имеет снизу ровную, совершенно гладкую коричневую поверхность, а тот, который похож на вату, украшен мелкими пупырышками.

— Девушка, — раздался тихий, вкрадчивый голос, — не хотите посмотреть?

Я обернулась и узрела столик, заставленный флакончиками. Многие люди раздражаются при виде промоутеров, я же всегда пробую предлагаемый товар и в результате узнала много новых вкусностей. Сейчас скорей всего мне всучат какой-то соус. Одно странно, обычно рекламщиками работают студенты, а сейчас мне улыбается дядька лет пятидесяти, совершенно лысый, в очках, абсолютно не подходящий для этой службы субъект.

— Девушка, — вкрадчиво завел он, — у вас с мужем проблемы!

Я невольно поднесла руку к лицу. Что, так заметно? Может, у женщин, чьи мужья сваливают на сторону, появляется какая-то отметина?

— Беде легко помочь, — заулыбался лысый.

Словно собака, услышавшая свою кличку, я пошла на зов, встала у столика и с надеждой спросила:

— Правда?

— Стопроцентно, — заверил дядька, — вот, держите.

В моих руках оказалась визитная карточка, вычурная, с золотыми буквами и вензелями: «Доктор наук, профессор Мамонов Владимир».

— Рад представиться, — гордо заявил дядька и приосанился.

— Очень приятно, — кивнула я.

— Я занимаюсь феромонами, — заявил Мамонов, — и то, что вы сейчас видите перед собой, является уникальной, эксклюзивной разработкой.

Понимая, что Владимира сейчас занесет бог знает куда, я перебила его:

— Вы лучше дайте мне попробовать ваш соус, если понравится, сразу куплю.

— Это не соус, — обиделся Мамонов, — а духи!

Я с сомнением покосилась на незатейливые пузыречки. Насколько я знаю, создание аромата трудное и очень дорогостоящее дело. Известные фирмы тратят миллионы и миллионы, содержат лаборатории и целый штат сотрудников, а тут всего лишь один дядечка самого затрапезного вида — надо срочно делать ноги.

— Спасибо, — натужно улыбнулась я, — но я не пользуюсь парфюмерией!

Владимир нахмурился.

— Вот! Вам муж потому и изменяет!

— С чего вам в голову пришла такая глупость?

— Не отпирайтесь! Он бегает по бабам. А почему?

Я растерянно пожала плечами:

— Наверное, я сама виновата, хозяйством не занимаюсь, готовлю плохо, хожу дома в халате...

— Ерунда, — прервал меня профессор, — это феромоны!

— Кто?

Владимир оперся руками о столик и начал читать лекцию. Через десять минут меня ввели в курс дела. Оказывается, любви не существует. Мужчины и женщины выделяют особые вещества, без всякого запаха, называются они феромоны. Вернее, это нам кажется, что никакого аромата нет, а на самом деле наш нос улавливает феромоны и посылает сигнал в мозг. Если этих феромонов у вас много, то мужики просто падают к вашим ногам и потом сами складываются в штабеля. Коли их не хватает, романа не получается. Вот и вся наука. Больше всего нужного запаха организм источает в юности, потом аромат становится все слабее, поэтому многие мужья бросают своих жен и начинают искать удовольствия на стороне. Их трудно винить, они инстинктивно подчиняются законам природы, все дело в химии. Мужчины вообще ближе к животному миру, чем женщины, сильным полом в основном управляют инстинкты. Поняв, из-за чего мужья изменяют женам, Мамонов загорелся желанием помочь человечеству, он потратил много лет и создал духи, в состав которых входят феромоны.

— Выливаете содержимое этого пузыречка себе на шею, — вещал он, — вот сюда, и готово! Мужчины ваши!

— Мне все не нужны, — робко возразила я, — только Олега вернуть хочу.

— Сами решайте, с кем что делать будете, — хмыкнул Владимир, — муж ваш мгновенно назад прибежит. Я клинические испытания проводил, имею сертификат, разрешающий выпуск духов, да и на себе проверил! Двадцать лет с женой живу, она мне хуже горькой редьки надоела, начал на своих аспиранток заглядываться! Но потом супругу обкапал, и ё-мое! Просто медовый месяц!

Не успел он договорить, как из-за полок вынырнула потная, толстая тетка, одетая в нелепый ярко-красный сарафан.

— Володя! Милый, — завопила она, — давайте мне все духи! Беру оптом.

— Помогло? — посветлел лицом Мамонов.

— Еще как! — пыхтела толстуха. — Просто не узнать мужа. Все забираю!

— Дайте мне, — быстро вмешалась я, — сколько?

— Тысячу рублей.

— Ой! Ну и дорого!

— Тогда иди отсюда, — стала наступать толстуха, — мне больше достанется.

Испугавшись, что чрезмерно активная дама сейчас сгребет с лотка все флакончики, я моментально расплатилась и хотела сразу открыть пузырек.

— Ой, не надо, — испугался Володя.

— Почему? — насторожилась я. — Так сильно пахнет?

— Даже не почувствуете аромата, — успокоил меня доктор наук, — вам вообще покажется, что там сырая вода налита. Просто в этом средстве очень, очень высокая концентрация феромонов, я могу не сдержаться, наброшусь на вас еще прямо тут!

Прижимая к себе пузырек, я приехала домой, вошла в подъезд и, не удержавшись, свинтила пластмассовую крышечку. Жидкость издавала нежный, едва уловимый фруктовый аромат. Что-то типа грейпфрута, совсем не противно... Недолго думая, я вылила духи себе на загривок. Однако их совсем мало, буквально чайная ложка. Будем надеяться, что средство действенно! Стоит-то оно о-го-го. Если пять миллилитров потянули на тысячу, то в какую цену станет литр? Я попыталась произвести в уме подсчеты, но тут дверь подъезда стукнула, и появился Леня Мишкин, наш сосед с верхнего этажа.

— Привет, Вилка, — кивнул он, — чего стоишь? Опять лифт накрылся?

— Да нет, просто задумалась.

— Нашла место, — фыркнул Ленька, — дома на кухне мозгами раскидывай. А еще лучше просто суп вари, пусть мужик кумекает, как жить. Твое бабье счастье простое: щи да каша.

Я молча вошла в приехавшую кабину и прислонилась к стене. Мишкин идиот и хам, странно, что он поздоровался со мной. Леня считает женщин людьми третьего сорта и обычно не удосуживается глянуть в мою сторону.

Раскачиваясь и поскрипывая, лифт медленно полз вверх. Наше домоуправление давно и безнадежно выпрашивает у городских властей деньги на смену механизма.

Внезапно Леня странно засопел, потом хриплым голосом поинтересовался:

— Слышь, Вилка, вроде тебе ж столько лет, сколько моей Верке?

— Да, — буркнула я.

— Интересно, — протянул Мишкин, — отчего же моя карга квашней смотрится, а ты просто персик, бутончик, так бы и съел.

Щеки у Леньки покраснели, на лбу выступили капли пота. Я испугалась, но тут двери лифта со скрежетом разъехались, я вылетела на лестничную клетку.

— Счастливо, Леня! — крикнула я и стремглав кинулась открывать дверь.

— Эй, Вилка, — не успокаивался Мишкин, поставивший между закрывающимися створками ногу, — твой-то целыми днями на службе, может, съездим на пикник? Ты подумай, я два раза не предлагаю.

Как назло, замок не желал отпираться, я дергала ключ в разные стороны, чувствуя, как Ленька взглядом буравит мне спину. Наконец вход открылся, и я влетела в родную прихожую, навалилась на быстро захлопнувшуюся дверь. Ну и ну! Мамонов-то, оказывается, не обманщик, не шарлатан, а настоящий ученый. Его духи действуют со страшной силой, даже Мишкина прошибло! Он меня чуть не изнасиловал прямо в лифте!

Еле дыша от пережитого, я вошла на кухню и снова перепугалась. Дома были все! Ладно Олег, я для него обливалась этими феромонами, но Сеня и Ленинид! Они же тоже мужчины.

Но папашка и муж Томочки никак не отреагировали на мое появление. Кстати, Олег тоже не слишком оживился.

— Ты купила сахар? — забеспокоилась Томуся.

— Ага, держи.

— А хлеб?

— Забыла!!!

— Ерунда, — отмахнулась она, — ей-богу, сущая безделица! Обойдемся сухариками.

— Очень классно, на сладкий хлебец колбасу класть, — довольно сердито заявил Олег.

Я растерялась. До сегодняшнего дня мой супруг не проявлял агрессии и мирно обходился тем, что находил на столе.

— И вообще, в доме всегда бардак, — зло продолжил Куприн, — ни одной рубашки в шкафу не нашел.

— Они чистые, Олежек, — попыталась купировать скандал Томочка, — я погладить не успела. После ужина сразу...

— А почему ты приводишь в порядок мои сорочки? — насупился майор.

— Ну, — растерялась Тома, — я всегда это делаю, Вилка не любит утюгом махать.

— А чем она занята дома? — уперся в меня тяжелым взглядом муж.

Тома мгновенно бросилась на мою защиту:

— Да целыми днями крутится, пишет книги, покупает продукты, убирает...

Олег нахмурился, словно небо перед смерчем.

— Ага, ясно. На столе у нее чистая стопка бумаги, хлеба нет, мы сейчас будем колбасу с сухариками жрать, по всему дому клоки пыли мотаются. Здорово Вилка убирается, просто вся костьми легла!

Я молча повернулась и пошла в спальню. Вообще-то Куприн прав, увлеченная расследованием жена слегка подзапустила хозяйство, но оно никогда в нашем доме не велось идеально, и Олег не замечал пыли. Все понятно, он просто окончательно разлюбил меня и теперь ищет повод для развода.

Сев на кровать, я призадумалась было о своей тяжкой женской доле, но тут в комнату вошел Олег, умостился рядом и тихо сказал:

— Ну прости, я нахамил тебе.

— Да ладно, — шмыгнула я носом, — понимаю.

— Ничего ты не понимаешь, — снова начал сердиться Олег, — у меня сотрудник умер, молодой совсем, тридцати не исполнилось.

— Что случилось? Застрелили, да?

— Нет, — мрачно ответил супруг, — пришел домой, поел, вышел на балкон покурить, и каюк. Сделают вскрытие, и причина выяснится, но я жутко расстроился и налетел на тебя. Прости.

— Ерунда, забудь!

Олег обнял меня и ткнулся носом в шею.

— Послушай, чем от тебя пахнет?

Я начала ликовать. Ага, феромоны действуют не только на Мишкина.

— Знаешь, Вилка, — забормотал Куприн, продолжая обнимать меня, — я, конечно, гадкий «мусор», не обращаю на тебя никакого внимания, а требую заботы...

Внезапно муж замолчал. Я, почувствовав себя на седьмом небе от счастья, прочирикала:

— Ну, продолжай!

Но Олег внезапно издал странный звук, нечто среднее между храпом и хрипом. Рука его упала с моего плеча, я дошла до крайней степени радости. Ага, вот какую страсть разбудила в муже. В полном восторге я повернулась к нему и заорала:

— На помощь!

Лица у Куприна не было. Щеки как-то странно раздулись, словно их изнутри накачали воздухом, глаза закрылись, губы начали стремительно увеличиваться в размерах.

— Что с тобой? Помогите! Сюда! Скорей!

В спальню влетели все домашние.

— Олег! — завопил Семен. — Немедленно прекрати.

— Надо срочно вызвать «Скорую»! — бросилась к телефону Тамарочка.

— Дайте ему водки, — посоветовал Ленинид, — с перцем, и таблетку аспирина туда для положительного эффекта.

— Замолчи немедленно! — налетела я на папашку.

— Злая ты, Вилка, не любишь папку, — укоризненно закачал он головой.

Но мне было не до Ленинида. Сев около Олега, я стала причитать:

— Миленький, потерпи, сейчас доктор приедет.

— Он уже тут, — заверещала Кристина, — я за Анной Сергеевной на второй этаж сгоняла!

Надо же, взрослые растерялись, а девочка сохранила трезвость мышления, вспомнила, что в подъезде живет врач, и мгновенно привела его.

Аня покачала головой:

— Похоже на отек Квинке. Что он ел? Пил?

— Чай, — ответила Тома.

— Новый сорт?

— Нет, мы всегда такой берем.

Аня вытащила из сумочки шприц и ампулу.

— Когда Кристина прилетела и начала рассказывать, я сразу поняла, что это аллергия. Сейчас сделаю укол, но его будет мало.

— «Скорая» уже едет, — успокоила ее Тамарочка.

— Вы пока думайте, на что Олег мог выдать такую реакцию, — велела Аня, — может, его оса укусила.

— Да нет, — развела я руками.

— Или надел новую одежду?

— Он в этой рубашке второй год ходит.

— Соображай, Вилка! — заорал Семен. — Чем вы тут занимались?

— Ничем, просто сидели рядом.

— Ты косметику не меняла? — поинтересовалась Аня, делая укол. — Пудра, губная помада, румяна... Бывают среди них аллергичные вещи.

— Я практически не пользуюсь летом красками,

да и все, что у меня есть, куплено давно, — пролепетала я.

— Олежку на Вилку раздуло, — выпалил папенька, — она кого хошь до обморока доведет. Вот со мной парень срок мотал, двух жен убил. Аллергия у него на них была, как начинали зудеть, он за топор хватался — и ку-ку! Никак сдержаться не мог! Прямо жаль его, несчастного, за что сажали? За болезнь!

— Может, духи? — сказала Аня. — У меня один больной чуть не умер. Пришла его жена навестить, наклонилась поцеловать, он вдохнул незнакомый аромат, и готово, отек гортани. Еле-еле вывели...

Тут в комнату, лязгая железным чемоданом, вошли врачи «Скорой», и началась обычная в таких случаях суматоха. Куда поставить ящик с лекарствами? Принесите еще стул. Где помыть руки? Найдите чистое полотенце. Что предложить докторам: чай или кофе? Сколько дать им денег? И давать ли вообще? Немедленно притащите удлинитель и сложите пустые ампулы на тарелочку...

Пока Кристина, Томочка, Ленинид и Семен решали проблемы, я быстренько шмыгнула в ванную и принялась яростно тереть намыленной мочалкой шею. Феромоны! Олег обнял меня и моментально начал распухать. Господи, у него и впрямь возникла аллергия на жену.

Тщательно вымывшись, я выбросила пузырек в помойное ведро и прибежала в спальню. Олег, укрытый одеялом, мирно спал. Врачи, тихонько переговариваясь, толкались в прихожей.

— Чайку попейте, ребята, — упрашивал их Сеня, — ничего такого особенного, бутерброды с колбасой, хлеба, правда, нет, одни сухари.

Доктора переглянулись и пошли на кухню. Томочка захлопотала возле плиты. Ленинид наклонился и поднял пузырек, очевидно, я, вышвыривая тару из-под духов, как всегда, промахнулась.

— Что в нем было? — поинтересовался папашка. — Эй, девки, гляньте, может, нужная вещь?

Я сделала вид, что не слышу, и отвернулась к окну.

— Мама! — закричала Кристина. — Ленинид!

Я обернулась. Лицо папеньки стремительно отекало. Глаза начали закрываться, губы поползли в разные стороны. Врачи бросились к нему. Я только хлопала глазами, ну и ну, профессор создал совершенно сногсшибательный парфюм, причем в прямом смысле этого слова. Просто с ног сбивает любого, кто вдыхает запах.

Минут через десять Ленинида уложили в кровать, а медики вернулись на кухню.

— С чего его вдруг растаскивать стало? — в глубоком изумлении спросил один из эскулапов.

— А вот пузырек, — затрещала Кристина, указывая на выпавшую из рук Ленинида емкость, — он ее нюхнул...

Я хотела взять флакончик, но меня опередил Семен.

— Ну-ка гляну! — воскликнул он.

— Положи! — взвизгнула я.

Но Семен, непослушный, как все мужчины, поднес пузырек к лицу и сказал:

— А не пахнет ничем!

В то же мгновение его губы начали увеличиваться в размерах. Медикам вновь пришлось в спешке открывать укладку с ампулами.

Вскоре и Сеня был помещен в кровать, доктора, весьма удивленные, вновь сели пить остывший чай.

— Что в том пузырьке было? — хором поинтересовались они.

— Не знаю, — быстро соврала я, — небось лекарство какое-нибудь!

— Дайте гляну, — попросил фельдшер и потянул руку к флакончику, стоявшему на мойке.

Но я быстрее звука метнулась вперед, схватила пузырек и побежала с ним в коридор. В ведро его выбрасывать нельзя, любопытные парни сейчас же вытащат отраву. Лучше пока запихну флакончик к себе в сумку, а завтра вышвырну в контейнер на улице! Сотрудникам «Скорой» нельзя даже прикасаться к таре из-под духов, потому что у них тоже начнется отек Квинке, а я умею делать уколы лишь теоретически. Ладно, можно, конечно, позвать Аню, но что прикажете потом делать с двумя спящими врачами? Нет уж, береженого бог бережет, хватит с нас Олега, Ленинида и Сени!

Глава 23

Утром Куприн как ни в чем не бывало отправился на работу, у него даже не болела голова, и вообще он чувствовал себя просто распрекрасно и имел цветущий вид. Я же еле-еле доплелась до ванной. Боясь, что феромоны прочно угнездились на моей шее, я легла спать подальше от Олега, в гостиной, на неудобном диване, и полночи пыталась справиться с разъезжавшимися во все стороны подушками, скомкала простыню и задремала лишь под утро. Но едва глаза закрылись, как в спальне у Томочки затрезвонил будильник, и меня смело с ложа.

Переполненная раскаянием, я схватила тряпку, пылесос и стала наводить в квартире порядок. Но, видно, не зря говорят, что дорога в ад вымощена благими намерениями. Через десять минут мой пыл угас, да и какой смысл раскладывать по местам вещи, ну, допустим, в прихожей? Через некоторое время прибегут подружки Кристины, и снова возникнет бардак. Кстати, одна из ее одноклассниц недавно украсила себя татушкой: красно-черным цветком. Тату... Интересно, Роман Казуаров по-прежнему работает на старом месте? Скорей всего Маша у него. Неужели Лена Маркова говорила правду и Роза Михайловна убила дочь с зятем ради денег? Каких? Чем владела Сирена Львовна?

Труба пылесоса выпала из моих рук. Уж не знаю каким образом, но Машу следует срочно найти. Девочке грозит опасность. Отдавать ее бабушке, не разобравшись полностью в этом деле, нельзя... Мысли потекли своим чередом, об уборке я прочно забыла, пошла в спальню и стала быстро одеваться. Еще необходимо поговорить с Ларисой Дмитриевной, есть у меня пара вопросов к очаровательной даме.

Уже подъезжая к тату-салону, я вспомнила, что пылесос остался стоять посередине гостиной, и чуть не повернула назад. Если Олег случайно приедет в неурочный час домой и наткнется на агрегат, мне влетит по первое число, а сейчас не надо ссориться с мужем. Впрочем, Куприн никогда днем не является в родные пенаты, а пылесос уберет на место Тамарочка.

Успокоившись, я поискала нужный дом и с огромной радостью констатировала: тату-салон «Марс» стоит на прежнем месте, и, похоже, заведение процветает. Едва я переступила порог, как над головой затренькал колокольчик. Из коридора моментально вынырнула девчонка самого замечательного вида. Волосы ее, разноцветные, короткие, стояли дыбом, и везде — в ушах, носу, бровях — торчали маленькие сережки. Даже подбородок и верхняя губа были проколоты. А на обнаженных руках виднелись татушки.

— Вы к нам? — улыбаясь, спросила девочка. — Уши прокалывать? Сейчас Настя освободится.

— Нет, нет, скажите, Рома Казуаров работает?

— Роман Яковлевич наш хозяин, — церемонно сообщила она, — вы к нему по какому вопросу?

— По поводу тату.

Приемщица окинула меня оценивающим взглядом.

— Роман Яковлевич берется только за эксклюзивную работу, его услуги стоят дорого, вы покажите рисунок.

— Какой?

— Ну тот, что наколоть хотите. Вполне вероятно, что с ним наши ребята сами справятся. Не сомневайтесь, Роман Яковлевич принимает на работу только классных специалистов...

— Вы меня не так поняли, — я решила подъехать к неприступной девице с другой стороны. — Я работаю в журнале для молодежи и хочу сделать статью о тату-салоне. Конечно, дам в ней ваш адрес и телефон.

— Роман Яковлевич, — завопила девица, хватая трубку, — к вам тетка пришла, из журналистов, пустить или прогнать?

Тут же распахнулась одна из дверей, из нее высунулся мужчина с длинными, темными волосами, схваченными в хвостик.

— Катя, — укоризненно сказал он, — ну ты даешь! Немедленно принеси нам кофе! Входите, прошу вас, пожалуйста, в кабинет.

Я очутилась в крохотной комнатушке, завешанной фотографиями знаменитостей.

— Уж извините, — улыбнулся Роман, — Катя девушка простая, что думает, то и говорит. К нам в салон иногда являются странные личности, и она обязана осуществлять фейс-контроль. Присаживайтесь.

Я устроилась на жестком стуле и кивнула на «стену почета».

— Похоже, что к вам приходят не только странные типы, здесь много звезд шоу-бизнеса.

Роман кивнул:

— Да, теперь модно иметь тату, а наш салон один из лучших в Москве. Вы из какого издания?

— У нас новый, яркий журнал, — я самозабвенно начала врать, — печатаемся в Германии...

Я довольно долго работала в издательском холдинге под руководством Семена, поэтому роль журналистки исполнила блестяще. Роман, не заподозривший никакого подвоха, рассказал сначала о том, как в России развивается искусство татуировки, потом плавно перешел на свой салон. Речь его была безукоризненно правильной, без сленга и ненормативной лексики. Наконец Казуаров замолк, и я сразу задала самый важный вопрос:

— А сколько лет было вашему самому юному клиенту?

Роман помолчал, потом усмехнулся.

— Вы мне не поверите!

— Почему?

— Я сам удивился, когда увидел, — покачал головой Роман, — представляете, мне принесли крошечного младенца, девочку, и попросили сделать тату. Очень опасное дело, ребенок мог заболеть!

— И вы согласились?

— Да.

— Несмотря на то что был риск осложнения?

— Да.

— Но почему? Вам так много заплатили?

Роман сердито дернул плечом:

— Меня невозможно заставить сделать нечто плохое, тем более за деньги.

— Тогда отчего же вы решились на подобный шаг?

Хозяин салона вздохнул:

— Ну сначала, конечно, я попытался им объяснить все последствия, целую лекцию прочел...

— Кому «им»? — перебила его я.

— Так ко мне пришли сразу мама и бабушка, — продолжал Роман. — Знаете, если бы я увидел только мать, молодую дурочку, то выставил бы ее без разговоров вон. Среди современных девушек встречаются совершенно бесшабашные. Я ей тут стану соловьем петь, она поморгает, покивает и в другой салон двинет, где за баксы сделают тату хоть на языке. Но тут еще присутствовала и бабушка, пожилая дама, вполне вменяемая с виду. Она мне и объяснила, что это их родовой знак. Раз так, все сомнения отпали, и я сделал тату. Велел им позвонить, если у ребенка ножка распухнет, но ни мать, ни бабушка больше не объявлялись. Из чего я заключил, что младенец спокойно перенес процедуру. Хотя у нас соблюдается полнейшая стерильность, инструменты одноразовые...

— Что такое родовой знак? — в полном замешательстве спросила я. — Зачем он нужен?

Роман улыбнулся:

— Очень интересная вещь. Наверное, вы знаете, что татуировками люди украшали себя с незапамятных времен. Можно сказать так: сколько лет человечеству, столько лет и тату.

Но не надо думать, что картинка на теле рисуется исключительно лишь из желания украсить себя. Очень часто это знак, рассказывающий о положении человека в обществе. Например, отметины, которые ставят себе жрецы, колдуны и маги. Использовать точь-в-точь такой рисунок на коже обычный человек не имеет права. Есть татуировки, которые делают только лицам королевской крови, детям вождей или предводителям племен. На Руси тоже издавна существовали родовые знаки. Их наносили на такие части тела, которые, как правило, оказывались скрытыми от чужих, любопытных глаз. Трудно сказать сейчас, откуда пошла эта традиция, кое-кто считает, что идет она со времен язычества, и православная церковь до сих пор не одобряет эту «живопись».

Другие дают иное объяснение родовым российским отметинам. Довольно часто отцы богатых семейств заводили любовные интриги на стороне, рождались бастарды. Если мужчина хотел признать ребенка, он клеймил его, и малыш после этой процедуры считался законным наследником. После смерти отца он демонстрировал родовой знак семье и имел полное право на свою часть наследства. Подобный обычай сохранился в нашей стране вплоть до начала двадцатого века, до большевистского переворота. Многие представители прославленных родов вынуждены были скрывать благородное происхождение. Фамилии Голицын, Оболенский, Вяземский, Волконский служили пропуском в лагерь смерти. Поэтому многие дворяне стали прикидываться детьми дворни, другие поспешили сообщить, что они просто однофамильцы графов и князей. Но на самом деле дворяне никогда не забывали о своем происхождении, а некоторые ставили на теле своих детей знаки, чтобы сыновья и дочери знали — они не такие, как все.

— Но ведь любой человек может наколоть у себя на ноге или руке соответствующий рисунок, а потом выдавать себя за потомка древнего рода! — воскликнула я.

Роман кивнул:

— Случались подобные казусы. И чтобы их избежать, были придуманы тайные знаки. Рисунок клейма точь-в-точь повторял изображение особой печати, их имелось у хозяина семьи две. Одной он запечатывал письма, скреплял важные документы, и ее скопировать было относительно легко. Но имелась еще одна, и ее берегли пуще зеницы ока. Чаще всего отец семейства носил вещицу на груди, постоянно, не снимая. Она, в общем, по рисунку совпадала с той, которой пользовались регулярно, но имелись и отличия. Поэтому, если объявлялся самозванец, демонстрировавший родовой знак, достаточно было взглянуть на тайную печать, и все сразу становилось на свои места.

Роман замолчал, залпом выпил чашечку поданного нам кофе и продолжил:

— Есть целая наука, изучающая родовые знаки. Я увлекаюсь ею и собираю все образцы, которые попадаются в руки. Сейчас, в век компьютеров, значение родовой печати слегка потускнело, во всяком случае в цивилизованном мире, ее ставят в основном из уважения к предкам. Вот, посмотрите.

Казуаров встал и снял с полки тяжелый альбом.

— Верите, удивительные рисунки, фантазия у наших пращуров работала отменно.

Он начал листать толстые страницы.

— Вот, взгляните, очень интересно. Это почти такой же знак, какой попросили наколоть на ножке младенца.

Я уставилась на картинку. Многоугольник, внутри которого заключена поднявшая голову змея. В зубах пресмыкающееся держит ключ, а по периметру татуировки сделана надпись.

— Можете перевести мне фразу? — попросила я. — Не понимаю по-латыни.

— В этом девизе вся соль, — усмехнулся Роман, — «Враг не отворит замка».

— Вы понимаете, о чем речь?

Казуаров хмыкнул:

— Ну, тут сразу две интересные вещи. Печать принадлежит роду Глебкиных, были на Руси такие дворяне. Легенда гласит, будто один из Глебкиных служил у Петра Первого, то ли конюшим[1], то ли егерем. Царь-реформатор отличался крутым нравом, рубил боярам бороды, отправлял в Амстердам кухаркиных детей учиться мореплавательному делу и запросто превращал простых смердов в хозяев жизни. Вроде один из Глебкиных угодил чем-то царю, за что и был награжден землей и возведен во дворянство.

Со временем Глебкины превратились в большой, сильный род и, что немаловажно, очень богатый. Не всегда люди благородного происхождения имели большие деньги, но Глебкины обладали приличной казной. Естественно, после Октябрьской революции их всех поубивали, дома национализировали, и род Глебкиных исчез с лица земли.

Но, видно, кое-кого не добили, — продолжал Роман, — потому что ко мне явилась одна из прямых потомков главы семьи, эта старуха, и показала тайную родовую печать. Знаете, чем она отличается от обычной!

— Нет, — прошептала я.

— В надписи сделана специально орфографическая ошибка, слово «замок» написано по-латыни неправильно. Это, очевидно, и было ловушкой для нечестного человека, который захотел бы прикинуться законным наследником. Понимаете?

---

[1] Конюший — в Русском государстве до XVIII века должностное лицо, ведающее дворцовой конюшней.

Я кивнула:

— В общем, да. Одно не соображу, ну зачем они клеймили девочку?

Роман развел руками:

— Дворянский гонор. У бабушки имелась точь-в-точь такая же тату. Думаю — это ключ.

— Ключ?!

Казуаров кивнул:

— Ну да. Есть очень интересная книга, называется «Маленькие тайны больших фамилий», написали два историка, Олег Минкин и Антон Кроков. Очень интересное издание, в нем много про Глебкиных. Так вот Минкин и Кроков утверждают, что тайная родовая печать еще и ключ к фамильным сокровищам.

— Как это?

— Ну посудите сами, банковских ячеек с электронными замками и сейфов на анкерных болтах в прежние годы не существовало. Где было хранить сокровища, допустим, во время войны? А?

Я пожала плечами:

— В доме, в тайнике.

Роман усмехнулся:

— Тайник как раз в далекие времена старались устроить вне здания а вдруг пожар случится? Или лихие люди налетят да ограбят? Нет, наши предки были изобретательны. Я вот читал Минкина с Кроковым и диву давался полету человеческой фантазии.

Я внезапно вспомнила свой поход за подорожником на кладбище, «червя» Нику, тайник, хитроумно спрятанный в памятнике, и кивнула:

— Да, похоже, люди тщательно берегли накопленные денежки.

— Так вот, — продолжил Роман, — Минкин с

Кроковым доказывают: тайная родовая печать часто путь к кладу. Например, допустим, у Глебкиных изображена змея с ключом. Следовательно, их деньги нужно искать в том месте, где есть змеи. Ну, допустим в деревне Змеево или на улице Змеиной... Поиски клада целая наука, очень интересная. Это я вам примитивно объясняю, просто пытаюсь растолковать, что татушка, которую из поколения в поколение накалывают себе члены одной семьи, на самом деле является, образно говоря, лучом света, который указывает путь к богатству.

Я растерянно смотрела на Романа. В принципе я очень хорошо поняла, о чем он вел речь, одно никак не соображу: с какой стати родовая печать дворян Глебкиных оказалась у Сирены Львовны, урожденной Кацман? В России в прежние времена существовала черта оседлости, евреи имели право селиться лишь в определенных местах. Что могло связывать Глебкиных и Кацманов? Дружба? И ведь спросить не у кого. Сирена Львовна умерла, Лиза, которой бабушка могла рассказывать о своих семейных тайнах, выбросилась из окна. Впрочем, есть Лариса Дмитриевна, добрая подруга Сирены Львовны. Может, она прольет свет на эту весьма темную историю? Кстати, мне очень надо побеседовать с пожилой дамой, задать ей несколько вопросов, похоже, интеллигентная, воспитанная до зубовного скрежета Лариса Дмитриевна отменная врунья. Обязательно отправлюсь к ней, но сначала попробую еще кое-что узнать у Романа, вот только как мне подобраться к интересующей теме?

И тут Казуаров сам пришел мне на помощь.

— А как вы на этот салон вышли? — спросил он. — Кто вас отправил ко мне?

Я не растерялась и мгновенно использовала шанс:

— Марина Райская посоветовала взять интервью именно у вас. Сказала, что вы лучший мастер тату в России.

Роман поморщился:

— Вот уж не предполагал, что Маринка обронит о господине Казуарове доброе слово. Вы ее подруга?

— Знакомая знакомых, — затараторила я, — очень хотелось про тату написать, и мой приятель Гена Чернов... слышали про такого?

— Нет, — покачал головой Роман.

— Не важно, — лихо врала я, — Гена сказал, что его хорошая подруга Марина Райская замужем за вами. Вот, собственно говоря, и все.

Казуаров сморщился так, словно увидел в своей чашке утонувшего таракана.

— Мы с Маринкой никогда не были женаты!

— Ой, простите, Гена так сказал.

— И вообще, я давно ее не видел, мы расстались несколько лет назад почти врагами, разругались в пух и прах!

— Извините.

— Ничего, — мрачно ответил Роман, — Марина настоящей жабой оказалась! Сначала изменила мне с этим Петькой, а потом свалила с ним неизвестно куда, прихватив зачем-то мои документы.

— С каким Петькой, — похолодев, спросила я, — с Поповым?

Глава 24

— Вы знали Петра? — изумился Роман.

Я сообразила, что от потрясения совершила ошибку, и попыталась исправить положение:

— Да понимаете, я близко дружила с Лизой Марченко, а та вышла замуж за Петра Попова. Потом она взяла к себе в няньки Марину Райскую. Что там у них случилось затем, в деталях не знаю. Лизавета покончила с собой, Петра убили грабители, а Марина исчезла.

Роман побарабанил пальцами по столу.

— Я-то с Маринкой был в близких отношениях, потом она сказала, что ее пригласила пожить к себе знакомая. Вроде у той большая квартира, места полно и денег с Райской не возьмут. Как сию благодетельницу зовут, она мне не сообщила. Маринка-то в общаге жила, а у меня в то время мама жива была. Даже подумать не мог позвать Маринку к себе, матушка такой бы скандал закатила...

Я внимательно слушала Романа.

Казуарову не слишком понравилось, что его любовница станет жить на птичьих правах неизвестно где. К тому же Райская не дала ему ни телефона, ни адреса нового пристанища. На его настойчивые просьбы Марина отвечала:

— Моя подруга не хочет, чтобы ей трезвонили.

— Но как с тобой теперь связываться! — возмущался Роман.

— Сама тебе звонить буду, — не дрогнула Маринка.

Роман обозлился окончательно и воскликнул:

— Имей в виду, я категорически против твоего переезда!

Райская ехидно сказала:

— Ты не знаешь, каково жить в общежитии! Шесть девчонок в одной маленькой комнате, туалет и душ в конце коридора. Никаких условий для отдыха и нормальной учебы. Ладно, если ты не одобряешь мой переезд к друзьям, я готова переселиться к тебе, прямо сейчас. Помнится, ты рассказывал, что у вас с мамой на двоих четыре комнаты?

Никогда до сих пор Роман не оказывался в столь

дурацком положении. Он и впрямь вдвоем с матерью жил в громадной квартире, но она терпеть не могла всех девушек сына.

— Понимаешь, — забубнил Казуаров, — мама — женщина старорежимных взглядов, она считает, что до свадьбы следует жить в разных местах. Глупость страшная, но перевоспитать ее я не сумею.

— Ладно, — кивнула Маринка, — мы можем пожениться.

Роман моментально почувствовал себя мышью, загнанной в угол.

— Э... э... — начал заикаться он, — ...ну... да... чуть позднее!

Маринка издевательски ухмыльнулась:

— Естественно, позднее, я сама не планировала бежать под венец сегодня, хочу сначала диплом получить! Впрочем, я не желаю с тобой ссориться и готова пойти на компромисс. Ладно, никуда не поеду. Ты сними квартиру, я буду там жить, заодно появится место, где мы сможем вдвоем проводить время.

И что оставалось делать Казуарову? Предлагать Маринке руку и сердце он не собирался, на съем жилплощади денег у парня не было, тату-салон еще не начал приносить ощутимую прибыль, а дома сидела злобно настроенная по отношению ко всей прекрасной половине человечества мама.

— Молчишь? — спросила Маринка. — Здорово получается! Значит, ты будешь проживать в царских условиях, а я обязана прозябать в общаге, чтобы ваше высочество не ревновало? Если ты так ставишь вопрос, то обеспечь меня квартирой, а не можешь, тогда сиди и не хрюкай.

Понятное дело, они поругались, Райская перебралась неизвестно куда, Роман обиделся... Правда, через какое-то время они помирились и отношения возобновились. Казуаров больше не возникал по поводу того, что не знает, где и с кем живет Марина. Но потом случилась неприятная история.

Как-то утром Марина позвонила любовнику и сказала:

— Извини, сегодня не получится встретиться.

Казуаров не очень расстроился, он и сам хотел отменить свидание. Роман собрался на выставку «Искусство тату», которая развернулась в парке Сокольники. Мастер погулял между стендами, купил кое-какие профессиональные прибамбасы, притомился и решил перекусить в огромном, шумном кафе. Первая, кого он там увидел, была Маринка, сидевшая чуть ли не в обнимку с незнакомым парнем. Райская тоже заметила любовника и моментально начала трясти хвостом:

— Ой! Ромочка! Привет! Ты откуда тут? Знакомься — это Петя Попов, мой знакомый, мы...

Казуаров повернулся и вышел на улицу. Райская догнала его и залепетала:

— Ну Ромчик, это совсем не то, о чем ты подумал! Петька Попов муж моей знакомой, у которой я сейчас живу, мы просто приехали сюда за детским питанием.

— У тебя уже с этим Петей Поповым ребенок родился? — зло осведомился Казуаров. — Мальчик или девочка? С кем поздравить?

— Не неси чушь, — оборвала его Райская, — это у Пети дочка, Маша. Он, как все мужики, в детском питании не разбирается, вот меня с собой в качестве консультанта и прихватил.

— А ты у нас спец по банкам, — продолжал злиться Роман.

— Идиот! — топнула ногой Марина.

— Дрянь, — не остался в долгу Роман.

В общем, они опять поругались, потом помирились, но отношения уже не стали прежними. Роман не упускал возможности сказать любовнице:

— Что так домой торопишься? Пора банку консервов открывать, Петеньку кормить?

Марина сначала молчала, потом стала огрызаться. Затем Роман взял на работу нового мастера, Леночку. Девчонка принялась строить ему глазки. Казуаров начал подумывать о том, как дать отставку Райской, и тут Маринка позвонила сама и заявила:

— В твоей машине кое-какие мои вещи лежат, верни.

— Забирай, — фыркнул Роман, — а ты что, больше в «Жигули» не сядешь?

— Нет, я уезжаю.

— Куда?

— Потом расскажу, — отрезала Марина и отсоединилась.

На следующий день она приехала к любовнику на работу и спокойно заявила:

— Нам надо расстаться. Отношения зашли в тупик.

Роман был того же мнения, но одно дело, когда ты сам предлагаешь любовнице разрыв, и совсем другое, когда бросают тебя.

— К Петеньке уходишь! — взревел он.

— А хоть бы и так, — гаркнула в ответ теперь уже бывшая любовь, — что за претензии! Ты мне муж? Нет? Так и заткнись. Давай ключи, заберу духи и прочую ерунду!

Роман швырнул Марине в лицо связку.

— Вытряхивай свою дрянь и убирайся.

Ключи ударили Райскую по носу и упали на пол. Когда она, подняв их, выпрямилась, Казуаров устыдился: по лицу любовницы текла тонкая струйка крови. Не сказав Роману ни слова, Марина ушла. Казуаров думал, что минут через пять-десять она вернет ключи назад, но прошло полчаса, а Райская не появлялась. Роман чертыхнулся и отправился во двор, к своему автомобилю. «Жигули» мирно стояли там, где их утром оставил хозяин, передняя дверь оказалась открытой, ключи валялись на сиденье. Маринка забрала свои вещички, но одновременно с ними прихватила и паспорт Казуарова, который тот очень неосмотрительно хранил в бардачке. Хорошо хоть решившая насолить бывшему любовнику бабенка не утащила права и документы на тачку. Кража паспорта явно была актом мести за разбитый нос. Больше Маринка и Роман не встречались. Казуаров не стал искать девушку и требовать свое удостоверение личности, просто пришел в милицию и, заявив о потере, получил новый паспорт.

Мы поговорили еще минут пятнадцать, и я ушла из салона с гудящей головой. Значит, Сирена Львовна и Лиза зачем-то решили поставить на ножке Маши клеймо. Скорее всего идея пришла в голову бабушке. Роман обронил в разговоре, что у старухи имелась точь-в-точь такая отметина. Но я-то знаю, что у Сирены на внутренней стороне бедра были написаны имя и фамилия, ее мать по этой сделанной в тюрьме отметине сумела найти дочь. Навряд ли пожилая дама стала раздеваться перед мастером и демонстрировать ему свое бедро. Скорей всего просто упомянула о тату. И это пока единственное, что поддается объяснению. Далее начинаются сплошные вопросы. Почему Сирена Львовна соврала, сказав, что имеет родовую отметину? Что связывало Глебкиных с Кацманами? С какой стати новорожденную девочку подвергли такому риску? У нее могло начаться заражение крови. Каким богатством владела Сирена? Где Маша? Кто убил Петю, Лизу и женщину в поезде? Кто она? Что, черт возьми, произошло несколько лет назад?

Внезапно мне просто стало плохо. Перед глазами замелькали черные точки, уши как будто заложило, и я перестала воспринимать звуки. Футболочка прилипла к вспотевшей спине. Понимая, что сейчас упаду в обморок, я схватила первую попавшуюся женщину, оказавшуюся рядом, и прошептала:

— Бога ради, дайте воды, мне очень плохо.

Дальнейшее помнится смутно. Тетка втянула меня в какое-то помещение, стало очень холодно, и все провалилось в черноту.

На улице шел дождь. Я стояла, задрав голову к небу, и совершенно не обращала внимания на ледяные струи, текущие по лицу. Было прохладно, и пахло чем-то сладким, наверное, рядом буйно цвел куст жасмина.

Глаза открылись, и вместо сада с благоухающими растениями я увидела перед собой белую раковину, заставленную бутылочками с шампунем. По моим щекам и впрямь текли струи, только это был не дождь, а вода, которую плескала на меня кудрявая хорошенькая девочка в розовой футболочке.

— Ну и напугала же ты меня, — затараторила она, — фу!

— Где я?

— В салоне «Бетти».

— А как я сюда попала?

— Не помнишь?

— Нет.

— Ты стала на улице в обморок заваливаться, а я тебя сюда привела, хотела воды дать, вдруг вижу, ты глаза закатила... Перепугалась, жуть! Решила уже за доктором бежать, — тараторила добрая самаритянка, — а тут ты и очнулась.

Я попыталась встать, но ноги не хотели слушаться. Наверное, надо обратиться к врачу, уже второй раз за этот месяц я лишаюсь, словно истеричка, чувств.

— Меня Лика зовут, — улыбнулась девушка, — да ты сиди, все равно клиентов нет!

Я оглянулась вокруг. В маленькой комнате стояло два пустых кресла и столик для маникюра.

— Мы только открылись, — пояснила Лика, — вот и кукуем пока, ну да ничего.

— Ты парикмахер? — Я решила поддержать беседу.

— Не, маникюрша, гель и акрил.

— Что? — не поняла я.

— Ну искусственные ногти наращиваю.

— Зачем?

— Как это? — удивилась Лика. — Знаешь, как удобно. Лак держится словно вкопанный, хоть что делай: стирай, посуду мой.

— Да?

— Точно. Раз в месяц надо корректировать, и все дела. Красивые руки — вот на что мужики в первую очередь обращают внимание. Бабы-то полагают, что мужья на их лицо да прическу любуются, ан нет, ногти — вот главное. Да ты глянь на свои руки, страх божий!

Я уставилась на пальцы. Верно. С ногтями у меня настоящая беда, они отчего-то начали ломаться, слоиться, лак с них слезает моментально.

— Ты их чего, грызешь? — не успокаивалась Лика.

— Нет, — возмутилась я, — они вот такие жуткие сами по себе стали.

— Хочешь, я тебе их наращу, прямо сейчас?

— Наверное, дорого, — заколебалась я.

Лика улыбнулась:

— Как первому клиенту за треть цены сделаю.

Продолжая смотреть на свои ужасные руки, я попыталась встать на ноги, в очередной раз испытала неудачу и решилась:

— Давай!

Процедура оказалась длительной и порядком утомила меня. То ли Лика была излишне старательной, то ли технология наращивания очень сложная, но пришлось просидеть в салоне кучу времени. Сначала мне покрывали ногти какой-то сильно пахнущей жидкостью, потом сушили их при помощи специальной лампы, затем снова мазали тягучей субстанцией, пилили, полировали, пилили, сушили, пилили, подрезали. Наконец меня оставили в покое.

Я залюбовалась руками.

— Ну как? — с тревогой спросила Лика.

— Супер.

— Хорошо, что ты согласилась на длинные, — похвалила мастерица.

— У меня всегда были короткие ногти, боюсь, с этими не очень удобно.

— Зато красиво, — отбрила Лика, — а к длине привыкнешь.

— Надеюсь.

— Даже не сомневайся, — убеждала, провожая меня к двери, Лика, — все сначала пугаются, а потом жить без ногтей не могут. Жду через месяц на коррекцию.

Я благополучно добралась до «Жигулей». Приступ дурноты прошел без следа, руки выглядели просто замечательно. Может, маникюрша права? Вдруг

Олегу не нравились мои пальцы без красивого лака. Правда, мой муж никогда не высказывал никаких претензий по этому поводу, но, с другой стороны, я ведь его и не спрашивала! Нет, какая красота! Просто дух захватывает. Я давно заметила, любая неприятность, приключающаяся со мной, в конечном итоге идет мне во благо. Вот не начни я сегодня падать в обморок, не иметь бы мне вовек такого маникюра, правда, к очень длинным ногтям еще предстоит привыкнуть. Одно плохо, к Ларисе Дмитриевне, наверное, поздно ехать. Пожилые люди, как правило, рано укладываются спать. Хотя сейчас еще не так много времени, всего семь, но пока я доберусь до Краснокумской улицы... Впрочем, можно попробовать.

Через полтора часа, простояв в безумной пробке, я развернулась и покатила домой. К Ларисе отправлюсь завтра с утра, а сейчас примчусь в родную квартиру и попробую помириться с Олегом.

Открыв дверь, я удивилась: в коридоре стояла звенящая тишина.

— Люди, вы где? Ау!

Но на вопрос никто не отозвался. В полном недоумении я пошла на кухню и увидела записку, прикрепленную магнитом к холодильнику. «Мы тебя ждали и уехали к Комоловой. Приезжай в ресторан «Газель».

Я тяжело вздохнула. Ну вот, опять нехорошо вышло! Неля Комолова, заместительница Олега, его правая рука и верная помощница, празднует сегодня день рождения. Мы все получили приглашение, а я благополучно позабыла о нем!

Не успела я сообразить, что делать, как затрезвонил мобильный.

— Вилка, ты где? — нервно спросила Томочка.

— Дома, извини, совсем забыла про Комолову, сейчас...

— Очень хорошо! — неожиданно перебила меня Тома.

Я удивилась. Ожидала услышать что-то типа: «В кои-то веки собрались вместе провести вечер, а ты...»

— Я прямо извелась, — нервно продолжала Томочка, — прикинь, забыла выключить духовку, а в ней мясо тушится.

— Не волнуйся, сейчас выключу.

— Эй, погоди, свинину не вынимай ни в коем случае, — начала раздавать указания кулинарка, — сперва убери жар, а потом прямо там, в духовке, осторожно раскрой фольгу и оставь окорок стоять в тепле. Поняла?

— Не надо меня держать за полную дуру.

— Вилка, ну не сердись. Свинину нельзя вынимать, она вкус потеряет, раскрой...

— Да поняла я, не волнуйся.

— Ладно, — успокоилась Тома, — справишься с мясом, лети сюда, тебя все ждут.

— Хорошо, лишь Олегу позвоню.

— А он уже тут, только что приехал. Подожди.

Послышалось шуршание, потом спокойный голос Куприна:

— Слушаю.

— Я сейчас примчусь.

— Хорошо.

— Только переоденусь!

— Ладно.

— Просто лечу.

— Давай.

— Нигде не задержусь.

— Понял.

— Ты на меня сердишься?

— Нет.

— Совершенно?

— Да.

— Ну извини, я забыла про ресторан.

— Бывает.

— Перестань мне так отвечать!

— Как?

— Нелюбезно!

— Приедешь, поговорим.

— Значит, ты все же злишься!

— Нет.

— Ну миленький, прости.

— Хорошо.

— Олег!!!

— Да?

— Скажи мне что-нибудь приятное!

— Что?

— Ну... «я тебя люблю».

— Согласен.

— С чем?!!

— С тобой!

— Скажи сам.

— Потом.

— Когда?

— Дома.

— Сейчас хочу!!!

В ухо полетели гудки. Я чуть не швырнула трубку о пол. Нет, каков гусь! Тяжело ему жене пару ласковых слов сказать! Олег точно решил от меня уйти!

Глава 25

Вспомнив про духовку, я ринулась на кухню, повернула ручку, открыла дверцу и попыталась развернуть фольгу. Задача оказалась не из простых. Боясь обжечься, я старалась подцепить край блестящей упаковки. Провозившись несколько минут без всякого результата, я сообразила, что сваляла дурака. Следовало надеть толстые кухонные варежки и взять нож. Вот тогда горячий воздух не коснулся бы моих ладоней, а острым лезвием можно в одну секунду вспороть фольгу.

Ругая себя за глупость, я вытащила обе руки из духовки, хотела взять рукавицы, мирно висевшие на крючке, и вскрикнула.

С пальцами стряслось что-то странное. С ногтей свисали длинные, похожие на макаронины, светло-розовые трубочки. В полном недоумении я пошевелила пальцами. «Спагетти» закачались, переплелись между собой, да так и остались. Я в глубоком недоумении принялась рассматривать странную конструкцию. Это что же такое, а?

Очевидно, жара повлияла на мой мозг, потому что суть происшедшего дошла до меня, как до жирафа, лишь спустя пару минут. Искусственные ногти, оказавшись внутри слишком горячей духовки, размякли, стекли, потом соединились между собой, и теперь я лишилась возможности двигать пальцами, потому что ногти на каждой руке прочно сцепились между собой.

Лишь по истечении некоторого количества времени до меня дошел масштаб несчастья. Что теперь делать, а? Не могу же я явиться в таком виде на день рождения Комоловой? И потом, я не сумею переодеться в платье, каким образом причесаться и накраситься! И за руль не сесть! Я не могу пользоваться руками!!!

Из груди вырвался вопль:

— Помогите!!!

Орать можно сколько угодно, дома никого нет.

Слегка придя в себя, я сунула руки обратно в духовку. Сейчас ногти от жара снова станут мягкими, и я попробую расцепить пальцы. Но попытка не удалась. Пока я, потрясенная произошедшим, пыталась сгрести мозги в кучу, духовка успела остыть и бело-розовые комки остались в прежнем состоянии.

Положение казалось безвыходным, и тут снова раздраженно затрезвонил мобильный.

Я хотела схватить его, но не тут-то было. В конце концов он затих и через пару секунд вновь разразился сердитой трелью, кто-то хотел во что бы то ни стало добраться до Виолы. Погоняв мобильный по дивану, я наконец кое-как нажала на зеленую кнопочку и, встав на колени, прижала ухо к трубке.

— Уже едешь? — спросил Олег. — Купи мне сигарет.

— Я пока дома, — тихо ответила я.

— Почему? — удивился муж. — Сколько можно копаться?

— Тут такая штука приключилась!

— Какая?

— Ну... странная.

— Говори.

— Боюсь, ты не поверишь!

— Выкладывай.

— Понимаешь, Томуська велела мне развернуть в духовке мясо, не вынимая его наружу.

— И что?

— Ногти стекли и склеились. Теперь я совершенно не способна двигать пальцами. Милый, ты не мог бы...

Я не успела договорить до конца, Куприн воскликнул:

— Это уже слишком! Ври да знай меру! Думаешь,

я поверю в подобное! Ногти, расплавившиеся в духовке! Да у тебя их просто нет, одно недоразумение.

Значит, Олег все же обращает внимание на мою внешность. Не зная, радоваться или печалиться сделанному только что открытию, я попыталась объяснить ситуацию:

— Правильно, их не было, но...

— Вилка, заканчивай придуриваться!

— Послушай...

— Хватит дурить, — зашипел Куприн, — противно слышать, какие глупости лезут в твою пустую голову! Тут все тебя ждут, если не явишься, Неля смертельно обидится, между прочим, мне с ней работать. Неужели трудно ради мужа, один раз...

— Милый, ты...

— Немедленно дуй сюда!

— Но...

— Если не приедешь, — рубанул Куприн, — я сделаю определенные выводы. Впрочем, и так понятно, как ты ко мне относишься!

Раздались короткие гудки. Я пришла в полное отчаяние и попыталась фалангами пальцев набрать номер Томуси. Подруга мигом придет на помощь. Но оказалось, что осуществить эту простую операцию практически невозможно.

Промучившись некоторое время, я признала свое поражение и стала думать: что делать?

Придется ехать к Неле со склеенными ногтями. Иначе Олег подумает, что я вру.

Сказано — сделано, осталось выполнить задуманное. Совершенно спокойно пользуясь каждый день десятью пальцами, я не понимала, что без рук человек совершенно беспомощен.

Идею переодеться, причесаться и накраситься пришлось сразу задвинуть в угол. Кое-как я сумела повесить на руку сумочку и попыталась выйти из квартиры. Чтобы народ на улице не глазел на кисти рук, я додумалась засунуть их в кухонные варежки. Немного эпатажно, но сейчас по Москве ходит много чудиков.

Следующей тяжелой задачей стало отпирание двери. Вы когда-нибудь пытались повернуть ключ в замочной скважине зубами? И не пробуйте, ничего приятного в данном мероприятии нет!

С трудом я справилась с проблемой, вышла на лестницу и пригорюнилась. Теперь предстоит запереть квартиру! О господи, за что мне это! Но ведь нельзя оставить жилье нараспашку.

Тяжело вздохнув, я снова встала на колени, скрючилась, изловчилась и сумела засунуть зажатый в зубах ключ в нужное отверстие. Теперь предстояло повернуть его и можно уходить.

— Господи, Виола, — раздалось за спиной, — ты заболела?

С верхнего этажа спускалась Женя Лотман, соседка.

— Тебе плохо? — заботливо воскликнула она.

— Нет, все замечательно, — сквозь зубы пробормотала я, надеясь, что она уйдет.

Меньше всего мне хотелось рассказывать одной из главных сплетниц подъезда о приключившейся неудаче. Но Женя любопытна и полна энтузиазма, поэтому ее не смутил мой резкий ответ.

— Да ты стоишь на коленях! Что случилось?

— Поспорила с Кристиной на сто долларов, — брякнула я, — та сказала, что без помощи рук нельзя и часа провести, а я взялась так день прожить. Вот сейчас замок закрываю.

Женя ойкнула и стала смотреть на мои мучения. Я обозлилась окончательно.

— Лучше помоги.

— А как же спор? — спросила Лотман.

— Мы не исключали возможность помощи.

— Ага, — кивнула Женя, — ясненько.

Она вытащила пачку бумажных салфеток, вытерла обслюнявленный ключ, ловко повернула его и спросила:

— Куда положить?

— В сумочку, огромное спасибо.

— Ерунда, — хмыкнула Женя, — а вы часто с Кристиной спорите?

— Случается, — ответила я и побежала по лестнице вниз.

Женя перегнулась через перила.

— Вилка!

— Что?

— Если соберетесь на спор голышом до метро бегать, ты меня предупреди, посмотреть охота!

Я понеслась как можно быстрей вниз.

Слава богу, дверь подъезда распахивалась наружу, и я, легко, одним пинком отворив ее, оказалась на улице.

Вновь возникла проблема, на чем ехать в ресторан? До метро можно спокойно дойти пешком, но мне подземка не нужна. Ресторан «Газель» расположен вдали от станции метрополитена, ехать туда удобнее на автобусе. Но не могу же я привлекать внимание.

Тяжело вздохнув, я решила поймать такси.

Стоило лишь помахать рукой, как мигом притормозили раздолбанные «Жигули», за рулем сидело лицо кавказской национальности, хмурое, небритое и крайне неприветливое. Услыхав адрес и предлагаемую цену, шофер кивнул:

— Садысь!

— Дверь откройте.

— Дергай ручку.

— Не могу.

— Паачему?

— Руки болят, видишь?

Водитель уставился на кухонные варежки, потом, коротко бросив:

— Сифилис не вожу, — укатил прочь.

От злости я затопала ногами. Видали идиота? Кто бы спорил, сифилис очень неприятное заболевание, передающееся в основном половым путем. В девятнадцатом веке оно считалось практически неизлечимым, и я могу назвать несколько фамилий великих людей, которых беспорядочная смена партнеров отправила на тот свет. Но сейчас-то эта венерическая болезнь лечится простыми уколами! И потом, насколько я знаю, при запущенной стадии сифилиса проваливается нос, руки тут совершенно ни при чем! Ну почему люди такие странные, отчего им при виде женщины, которая вышла прогуляться в кухонных варежках, моментально лезут в голову мысли о том, что она страдает каким-то не слишком приличным недугом? Почему никто не подумал: у несчастной сцепились между собой искусственные ногти? Ну на худой конец, можно предположить, что бедная тетка просто обожглась!

В полном отчаянии я пошла на остановку и, о радость, увидела стоящий на ней автобус.

Оказавшись внутри тряского железного ящика на колесах, я озадачилась: как заплатить за проезд? Открыть зубами сумку, потом высунуть язык, «наклеить» на него десятирублевую бумажку, подойти к водителю, наклониться, протянуть ему язык с червонцем и промямлить:

— Один талончик.

Какова будет ваша реакция, если вы работаете шофером? Скорей всего на следующей остановке оригинальную пассажирку будут ждать сразу две персональные машины: милицейская и та, что перевозит психиатрических больных.

Ну уж нет, поеду зайцем. Но не успела я сесть на свободное место и слегка расслабиться, как послышался противно-скрипучий голос:

— Граждане, билетики готовим.

Естественно, в салоне оказался контролер. Я затаилась, вжавшись в спинку. Господи, сделай так, чтобы противный парень меня не заметил! Но не тут-то было!

— Девушка, — раздалось над головой, — ваш проездной документ.

— Нету, — удрученно ответила я.

— Отстегивайте штраф.

— Да, да, конечно.

— Долго мне ждать? — начал злиться контролер.

— Видите ли...

— Только не начинайте песню про отсутствие денег, слышал сто раз!

— Нет, я заплачу.

— Хорошо.

Мы с контролером уставились друг на друга.

— Выкладывай тугрики! — велел он.

— Не могу.

— Почему?

— Видите ли, я инвалид.

— Покажите удостоверение.

— У меня его нет. Я потеряла трудоспособность совсем недавно, часа два тому назад.

Парень стал медленно наливаться багрянцем.

— Ща дошутишься! Пешком попрешь!

Я уцепилась зубами за одну варежку и стащила ее.

— Вот, смотри. Я совсем не собиралась ехать зайцем, но как вынуть кошелек? Сделай одолжение, сам залезь в мою сумочку, вытащи портмоне и возьми столько, сколько тебе надо!

Контролер с ужасом уставился на мои пальцы.

— А чегой-то у вас с ними? — наконец выдавил он из себя.

— Ногти расплавились и склеились, — буркнула я, пытаясь нацепить варежку.

— Почему? — обалдело поинтересовался охотник за зайцами.

Мое терпение лопнуло:

— СПИД и сифилис виноваты. Я одновременно этими двумя болезнями страдаю! Какая тебе разница! Возьми сам штраф и отвали!

Сидевшая впереди меня пара обернулась. Мужчина взглянул на руку, которую я безуспешно пыталась всунуть назад в рукавицу. В ту же секунду его глаза округлились, дядька что-то шепнул своей спутнице. Та разинула рот. Они так и смотрели на меня, один — выпучив зенки, а другая с отвисшей челюстью.

Внезапно контролер ринулся по проходу вперед. Достигнув кабины водителя, он забарабанил по стеклу.

— Немедленно выпусти меня!

Шофер послушно выполнил просьбу. Двери открылись, юноша выкатился на улицу. Не успела я перевести дух, как пара, сидевшая передо мной, ожила.

— Люди! — завопила бабенка. — Гляньте на эту! У ей проказа с сифилисом! СПИД! Ой, бежим скорей!

Вскочив на ноги, парочка дураков рванула к открытой двери.

— Что? Где? — забеспокоился подросток, сидевший через проход.

Но мне к этому моменту удалось справиться с варежкой. Я отвернулась к окну и попыталась сделать вид, что все происходящее не имеет ко мне ровным счетом никакого отношения.

Но в салоне уже началась паника.

— Бомба! — заголосила старушка на втором сиденье. — Вон она!

— Помогите! — взвизгнула толстуха с ребенком. — Шахиды!

— Где? — завертелся подросток. — А... а... вижу! Сидит! Руки прячет! Ребя, беги вон, у ней детонатор!

Издавая звуки разной тональности, народ мгновенно повыскакивал на улицу. Я, ожидавшая чего угодно, кроме того, что меня примут за мусульманку-смертницу, слегка растерялась, за что и была наказана. Последним из рейсовой машины вылетел шофер, предусмотрительно не забыв закрыть все двери. Я осталась в гордом одиночестве внутри крепко-накрепко запертого автобуса.

Вокруг машины мгновенно стала собираться толпа, водитель что-то яростно кричал в мобильный телефон. Переполнившись здоровым негодованием, я попыталась выйти, но не тут-то было.

От злости у меня потемнело в глазах. Ну и положение! Вот влипла! Сколько же тут сидеть? Олег никогда не простит мне то, что я пропустила день рождения его коллеги. Ситуация хуже некуда. И что собираются со мной делать? Куда столь упорно трезвонит шофер? Он, наверное, вызывает эвакуатор, который потащит автобус с несчастной Виолой на помойку!!! Это уже слишком!

Не успела я сообразить, что предпринять, как

откуда ни возьмись с оглушительным ревом прикатили три машины с бешено вращающимися мигалками из них горохом посыпались люди в форме, затем притормозил микроавтобус, из которого вылезли мрачные парни, одетые в костюмы. Один из них заорал в мегафон:

— Чего встали? Разошлись быстро! Ща тут как рванет! В автобусе шахидка, она себя не пожалеет и вас, промежду прочим, тоже. А ну все по домам!

Но толпа, отчего-то не боявшаяся подступающей смерти, делалась лишь больше. Я села у окна. Так, ясно.

Похоже, все сотрудники милиции и служащие ФСБ столицы явились сюда, чтобы ловить бедную Вилку, в недобрый час решившую украсить себя пластмассовыми ногтями.

Глава 26

Когда группа захвата влетела в автобус, я подняла вверх руки, с которых сдернула варежки, и истошно завопила:

— Стойте! Тут недоразумение! Никакой взрывчатки нет! Я православная москвичка...

Но крепкие парни с лицами, прикрытыми черными вязаными шлемами, не стали слушать мои речи. Меня грубо выпихнули наружу, отвесили пару крепких ударов и всунули в микроавтобус, где сидели четыре мужика в костюмах.

— Имя? — заорал один.

— Кто послал? — подхватил второй.

— Говори, падла, пока жива, — вел свою партию третий, — немедленно, а то пристрелим!

— Спокойно, ребята, — начал исполнять роль

доброго дяди четвертый, — не пугайте ее, она умница, сейчас сама все расскажет!

— Ага, — заверещала я, — в сумке мои документы, звать Виолой Ленинидовной Таракановой, не привлекалась, не судима, прописка постоянная, работаю писательницей в издательстве «Марко», псевдоним Арина Виолова, написала несколько книг. «Гнездо бегемота», «Кошелек из жабы»... может, читали?

Мужчины переглянулись. Потом первый уже другим тоном сказал:

— Документы?

— В сумочке. Позвоните моему мужу, Олегу Куприну, он майор, служит в милиции. Кстати, супруг сейчас находится в двух шагах отсюда, справляет день рождения одной из своих сотрудниц в ресторане «Газель», буквально на соседней улице. Номер его мобильного...

— Что у вас с руками? — нахмурился один из мужиков.

— Вы не поверите, ногти стекли, — начала я объяснять.

Молча выслушав меня, парни снова переглянулись.

— Ты, Антон, сиди тут, — велел один, очевидно старший, — и вы, Тараканова, подождите здесь.

Мы остались с самым молодым вдвоем. Я сердито отвернулась к окну, толпа стала редеть. Очевидно, глупые зеваки, не дождавшиеся взрыва, который разметал бы в разные стороны все вокруг, испытали огромное разочарование и потопали по домам в надежде увидеть какую-нибудь кровавую катастрофу в программе вечерних новостей.

— Я вас сразу узнал, — тихо сказал Антон, — моя жена «Кошелек из жабы» читала, ей очень понравилось. Дадите автограф?

— С удовольствием, — церемонно кивнула я, — только не умею писать, держа ручку в зубах.

— Так вы же пальцы когда-нибудь расцепите?

— Надеюсь, — ответила я, снова уставилась в окно и похолодела.

По тротуару с самым сердитым видом вышагивал Олег. Очевидно, мужики, допрашивавшие меня, позвонили Куприну.

Думаю, не стоит дословно сообщать вам то, что сказал мне муж. Ни на какой день рождения я не попала. Куприн приволок меня домой и велел:

— Сидеть!

— Сделай что-нибудь с моими пальцами, — попросила я.

— Я возвращаюсь в ресторан, — холодно ответил супруг. — Неля полгода к своему торжеству готовилась, не хочу ей праздник портить.

— А как же я?!

— Ничего с тобой не случится.

— Но я даже воды выпить не могу!

— И не надо, — прошипел Куприн, направляясь к двери.

Не успела я оглянуться, как он выскочил на лестницу, закрыл дверь и запер меня снаружи.

Слезы ручьем хлынули по лицу. Вот он как! Небось, если бы у его любовницы такая беда приключилась, сразу бы помог. А законной супруге даже стакана воды не подал!

Внезапно в замочной скважине заскрежетал ключ. Я опрометью бросилась в ванную комнату и быстро повозила лицом по висевшему на крючке полотенцу. Похоже, Олег устыдился и вернулся назад. Ни за что не покажу ему, как у меня черно на душе! Значит, он все-таки хоть чуть-чуть еще любит меня!

Ожидая увидеть виновато улыбающегося Куприна, я вышла в прихожую. Там, сопя, стаскивал с ног кроссовки Ленинид. Вновь накатила горькая обида. Значит, Олег не вернулся, убежал к Неле. Почему же он не захотел помочь мне? О... о... о! Поняла! Его любовница работает с ним, значит, она там, в харчевне. Хлебосольная Неля небось позвала всех кого ни попадя. И сейчас мой законный муж потчует салатом «Оливье» омерзительную бабу, гадкую, противную, с шестьдесят восьмым размером зада, полным отсутствием бюста и прыщами на морде! А еще у нее герпес на губе, лысина и... и... и...

Задохнувшись от злости, я посмотрела на улыбающегося Ленинида и рявкнула:

— Чего явился?

— Эх, доча, — укоризненно вздохнул тот, — не любишь ты папку и, что обиднее всего, даже скрывать это не пытаешься. Сколько лет я по зонам страдал, мучился, изводился, как там моя доча поживает? А приехал и получил за свою заботу по полной! Только огрызаешься!

От его наглости у меня перехватило дыхание. Нет, вы это слышали? Тот, кто встречается со мной не первый раз, очень хорошо знает, каким выдалось детство Виолы Таракановой и по какой причине она росла без отца, без матери[1]. Хорошо хоть мачеха Раиса, несмотря на пламенную любовь к бутылке, оказалась порядочной женщиной и вырастила, как сумела, доставшуюся ей совершенно чужую девчонку.

— Руки-то протяни, — вздохнул Ленинид, — ща расцеплять буду.

— А ты сумеешь? — мрачно поинтересовалась я,

---

[1] История Виолы Таракановой рассказана в книге Дарьи Донцовой «Черт из табакерки».

глядя, как папашка выуживает из принесенного с собой пакета бутылки с какой-то жидкостью.

— Эка задача, — скривился папенька. — Вот, помню, Витька Чурбан в арматуре застрял, мы его на зоне...

Я перестала слушать его нудное бормотание. У папашки вечно в запасе есть очередная история из богатой биографии зэка. Очень интересные диалоги ведут у нас на кухне Олег и Ленинид, приняв на грудь по чуть-чуть водочки и предаваясь воспоминаниям. Куприн обожает рассказывать милицейские байки, ну типа того, как брали квартиру, где засел уголовник с гранатой, а Ленинид выдает всякие истории, связанные с зоной и следственным изолятором. Самое удивительное, что при этом и мой муж, и мой отец остаются крайне довольны друг другом. То, что один — майор, призванный искоренять преступность, а второй — зэк с многолетним стажем, их совершенно не смущает. Более того, они подчас бывают едины в оценке конвойных и начальства зоны.

Несмотря на редкостную болтливость, Ленинид ловко работает руками, и скоро мои пальцы обрели свободу. Я пошла в ванную, поплакала там от души, пожалела себя, несчастную, брошенную подлым супругом ради любовницы, потом глянула в зеркало, увидела глазки-щелочки, распухший нос и разозлилась до крайности. Злоба придала мне сил.

Чеканным шагом я вернулась в спальню, схватила книгу Эли Малеевой и отправила ее в мусоропровод. Хватит с меня идиотских советов! Никаких эротических ужинов и сексуальных плясок устраивать больше не стану. Ни за что не пойду к колдуньям и бабкам-шептухам. Война так война. Не понимает

Олег хорошего отношения, пусть получает то, что заслужил.

Трясясь от злости, я схватила постельное белье мужа и швырнула на диван в гостиной. Отныне место Куприна там. Мне неприятно видеть в своей постели мужчину, который шляется неизвестно где и с кем. Еще принесет заразу. Теперь Олег будет жить в другой комнате. А если ему не понравится, может уезжать к этой, как ее... Лесе Комаровой!

Устав от переживаний, я заснула, словно провалилась в темную яму, и впервые за много лет очнулась в районе полудня. В незанавешенное окно било яркое солнце. На второй половине кровати лежали скомканные постельные принадлежности Олега. То ли он перебрался потихоньку в привычную норку, то ли, учитывая факт, что в гостиной некуда складировать на день постель, просто швырнул сюда одеяло и подушку.

В квартире не оказалось никого. «Ну, Олег, погоди», — мрачно думала я, пытаясь привести лицо в порядок при помощи косметики. Все женщины хорошо знают: если вечером от души наревелась, утром лучше не смотреться в зеркало. Оно отразит мордочку поросенка, страдающего болезнью Дауна. «Ничего, ничего, — утешала я саму себя, — сейчас съезжу к Ларисе Дмитриевне и вытрясу из нее все! Обязательно докопаюсь до правды, найду Машу, напишу потрясающую книгу... И тогда...»

Воображение нарисовало восхитительную картину. Вот известная, страшно богатая, безумно счастливая писательница Арина Виолова вылезает из принадлежащей ей «Ламборджини Дьяболо»[1].

---

[1] «Ламборджини Дьяболо» — одна из самых дорогих машин в мире.

— Вау, Арина, Арина, Арина! — начинает скандировать многотысячная толпа.

Я, одетая в роскошный костюм от Диора, сверкая бриллиантами, иду, попирая эту землю роскошными туфлями. Впереди бегут четыре охранника, приговаривающие:

— Посторонитесь, это Виолова.

Народ бросает мне под ноги букеты. Собственно говоря, я явилась получать Нобелевскую премию по литературе, поэтому и расфуфырилась как могла. Внезапно из толпы протискивается худой, даже изможденный человек в рваной грязной одежде. Увидев меня, он падает на колени и вытягивает вперед дрожащие руки, в одной зажат жалкий полузавядший цветочек, явно сорванный на городской клумбе.

Охрана, естественно, хочет отогнать нищего, но Арина Виолова благородна и жалостлива.

Легким движением руки я останавливаю бодигардов:

— Погодите, любезные, пусть этот несчастный человек выскажется.

— Вилка, прости, — шепчет оборванец.

Тут только я понимаю, что передо мной Олег.

— Извини меня, — ломает руки бывший супруг, — я недостоин тебя! Давай снова жить вместе.

Я усмехаюсь:

— Поздно спохватился. Я теперь другому отдана и буду век ему верна. Милый, иди сюда.

Ко мне подбегает роскошный двухметровый блондин, одетый в безукоризненный костюм.

— Любимая! — кричит он.

Видение померкло. Я швырнула в стакан зубную щетку. За каким чертом мне блондин с обложки модного журнала? Верните толстого, лысеющего, не очень молодого Куприна.

К глазам подступили слезы. Я схватилась за тушь. Лучший способ прекратить рыдания — накрасить ресницы. И вообще, хватит растекаться сопливой лужей. Мужем больше, мужем меньше, какие мои годы, найду себе другого, а вот коли не сдам вовремя рукопись, тогда у гражданки Таракановой-Виоловой начнутся настоящие неприятности!

К Ларисе Дмитриевне я прикатила совершенно успокоившись и даже напевала, пока лифт возносил меня на нужный этаж.

Я несколько раз нажала на кнопку звонка, но, похоже, никто не торопился открывать мне дверь.

— Вам кого? — послышалось сбоку.

Я повернулась. Из соседней двери выглядывала тетка, маленькая, аккуратная, толстенькая, просто колобок, а не женщина.

— Да вот, приехала к Ларисе Дмитриевне...

— Зачем вам она? — продолжала расспрашивать соседка.

— Квартирами мы меняться надумали, — брякнула я и тут же пожалела о сказанном.

Похоже, эта особа из тех, кто знает про соседей все. Сейчас она мигом уличит меня во вранье. Но тетка неожиданно спросила:

— Паспорт при вас?

— Да.

— Давайте.

Удивившись, я протянула бордовую книжечку корявыми пальцами, толстуха полистала страницы и удовлетворенно заметила:

— Хорошо, прописка московская. Ладно, входи, меня зовут Влада Ниловна.

— Очень приятно, Виола, — ответила я и вошла в темную прихожую, сильно пахнущую валокордином.

Глава 27

Влада Ниловна довела меня до кухни и, указывая на табуретку, заявила:

— Господь тебя от этой квартиры упас. Лариса, как ее Виталик пропал, об обмене часто говорила. Объявления давала, народ приходил, только все, кто площадь осматривал, не соглашались на переезд. Беду чуяли.

— Какую беду?

Влада Ниловна то ли не услышала мой вопрос, то ли не пожелала на него ответить.

— Сама Лариса тоже знала — смерть рядом, вот и хотела убежать!

— Ничего не понимаю!

— Что ж тут непонятного? Умирает Лариска, родственников нет, хоромы небось государству отойдут. Хотя, может, она на кого завещание оставила.

— Как умирает?

— Просто, — пожала плечами Влада Ниловна, — инфаркт схватил. Я ее наутро нашла. То-то испугалась, увидела, что дверь открыта, глянула, а она на полу лежит. В реанимацию свезли, да, говорят, не жилица она.

— Не жилица? — продолжала удивляться я.

— Ничего особенного, — спокойно ответила Влада, — такое частенько случается, пожилым нельзя нервничать, сердце схватить может.

— Когда же это произошло?

Влада Ниловна пожевала бесцветными губами.

— Ну... дня два назад... не помню, недавно стряслось.

Я попыталась переварить информацию. Сердце? Инфаркт? Но Лариса Дмитриевна изумительно выглядела, и потом, говорят, что голос — показатель здоровья человека. А у Ларисы он молодой, звонкий.

— Да ты не расстраивайся, — решила меня утешить Влада Ниловна, — найдешь еще квартирку, в Ларискиной после пропажи Виталика несчастье поселилось.

— Кто такой Виталик? — машинально спросила я.

— Сын Ларискин, — пояснила соседка, — ты садись, такое расскажу!

Я плюхнулась на табуретку и стала слушать.

Лариса Дмитриевна и Влада Ниловна живут в этом доме много лет, въехали молодыми девушками и здесь состарились. Сами понимаете, что от соседей, тем более от таких, с которыми живешь дверь в дверь, скрыть что-либо очень трудно. Влада и Лариса волей-неволей стали свидетельницами семейной жизни друг друга.

Муж Влады пил, а Ларисе повезло, ее супруг и капли в рот не брал, зато он умер, оставив немолодую уже жену беременной. Лариса испугалась, что не вырастит одна ребенка, и понеслась делать аборт. Но ей живо объяснили в женской консультации, что все мыслимые сроки давно прошли и теперь у нее есть лишь один выход — рожать.

Многие вдовы, потеряв любимого супруга, всю свою нежность переносят на ребенка, ищут в детском личике малейшее сходство с отцом и, найдя его, начинают обожать малыша еще больше. Но Лариса оказалась из другой породы. Оставшиеся до родов месяцы она посвятила одной цели — избавлению от плода.

— Чего она только не делала! — осуждающе говорила Влада Ниловна. — В бане парилась, с кухонного стола прыгала, какую-то пакость в аптеке покупала и пила, по десять кило овощей таскала, да все без толку!

Влада Ниловна очень не одобряла поведение соседки, но ничего той не говорила, отношения их были не настолько близкие. Впрочем, один раз Влада все же не выдержала. Услыхав однажды за стеной какие-то странные звуки, она не утерпела и позвонила в дверь к Ларисе. Когда соседка, красная, потная, распахнула дверь, Влада увидела стоящий поперек коридора шкаф и сразу поняла, в чем дело: обезумевшая Лариса решила двигать мебель.

— С ума сошла! — не стерпела Влада.

Лариса нахмурилась.

— Мне надо место для кроватки приготовить.

— Разве можно в таком положении гардеробы толкать!

— Я одна живу, — всхлипнула Лара, — без мужа, помочь некому!

— Давай своего позову, — предложила Влада.

— Да уж я сама все сделала, — быстро отбилась Лариса.

Но, несмотря на предпринятые меры, ребеночек родился в положенный срок и, что было уж совсем удивительно, абсолютно здоровым.

— Вот оно как бывает, — качала сейчас головой Влада Ниловна, — другая мечтает о ребенке, бережет себя, витамины ест, а получает больного младенца. Лариска же вон чего творила и народила парня лучше некуда.

Став матерью, Лариса особо не стала себя утруждать. Сначала сдала младенца в ясли, затем в детсад, потом запихнула сына в школу, спортивную, где детей держали почти до десяти вечера.

— Кто нас кормить будет? — отвечала она на все

укоризненные взгляды Влады. — Лапками бить надо, на хлебушек зарабатывать.

Влада Ниловна молчала. Лариса получала на службе хорошие деньги, она отлично одевалась, сделала дома ремонт. Виталик же донашивал чужие обноски и мечтал о велосипеде.

— Уж больно быстро растет, — вздыхала Лариса, — ни брюк, ни ботинок не напастись. Без отца живем, нам велик не по карману.

Потом, несмотря на отсутствие кормильца и жалобы на нищету, Лариса купила себе шубу, и Влада упрекнула соседку:

— Странно у тебя получается. Сама вон в какой дохе разгуливаешь, а у мальчонки рукава у куртки до локтя да брюки чуть пониже коленок.

— И что? — вскинула аккуратно выщипанные брови Лариса. — Какой смысл неаккуратному подростку новое покупать? Все равно порвет.

Влада махнула рукой. Ясно как божий день, что Лара просто не любит сына.

Виталик рос тихим-тихим, настоящим «ботаником». Из спортивной школы его скоро выгнали, там основной упор делали на получение разряда и медалей. Виталик же плохо бегал, низко прыгал, тонул в бассейне, да так и не научился бороться с противником на ковре. Зато очутившись в простой «общеобразовалке», паренек мигом стал лучшим учеником, его полюбили и преподаватели, и дети. Первые за тихий нрав, аккуратность и старательность, а вторые за щедрость и умение решить на контрольных варианты для всех.

Никаких тягот матери Виталик не доставлял, рос сам по себе. Он не курил, не пил, с гитарой по ночам во дворе не сидел, не приводил домой размалеванных девиц, окончил школу с медалью и поступил абсолютно без всякого блата в институт.

Став студентом, Виталик совсем не изменился, по-прежнему носил старые вещи и просиживал целые дни над учебниками. А вот Лариса неожиданно начала вести себя более чем странно.

Однажды Влада вышла из квартиры рано утром, на часах еще и восьми не натикало. Обычно она в это время только просыпалась, но в тот день ей предстояло до работы зайти в поликлинику, чтобы сдать кровь на анализ. Не успела Влада оказаться на лестничной клетке, как дверь квартиры Ларисы открылась, и оттуда выскочил юноша примерно одного возраста с Виталиком. Не став дожидаться лифта, он понесся по лестнице вниз. Влада удивилась. Лариса, наверное, уехала отдыхать, а Виталик воспользовался отсутствием строгой матери, оставил ночевать засидевшегося в гостях приятеля.

Но вечером, возвращаясь домой, Влада наткнулась на Ларису в магазине.

— Как дела? — вежливо спросила она.

— Хорошо, — кивнула соседка и велела продавщице: — Вон ту коробку конфет дайте.

— Гостей ждешь?

— Себе беру.

— Никак Виталика побаловать решила? — удивилась Влада.

— Он на практике, — ответила Лариса, — через месяц вернется!

Влада была потрясена. Если парня нет в Москве, то к кому в гости приходил юноша?

И тут Лариса сказала продавщице:

— Бутылочку шампанского, самого сладкого.

Влада обалдела. Потом, чтобы проверить свое предположение, Влада Ниловна стала при малейшем шорохе, доносившемся с лестницы, бросаться к «глазку». Лифт в их доме старый, останавливаясь на этаже, он издает отвратительный скрежет, поэтому очень скоро Влада увидела в «глазок» того, «утреннего» парня с букетом цветов. Лариса распахнула дверь. Соседка чуть не грохнулась в обморок. На матери Виталика красовался прозрачный, черный, кружевной халат. Полуобнаженной рукой она втянула юношу в свою квартиру.

Влада стояла за дверью с разинутым ртом. Вон оно как! Соседка, имеющая сына-студента, завела себе молоденького любовника. Еле придя в себя, Влада решила выпить чаю. Успокоившись, она сообразила, что к Ларисе давно ходят молодые люди, просто Влада, зная, что соседка работает преподавателем русского языка, считала их ее учениками. Только сейчас Ниловна докумекала: в прошлом году сюда ходил симпатичный, кудрявый блондинчик, в позапрошлом жгучий брюнет, появлялись они в то время, когда Виталик был в институте, а еще Лариса один раз обронила фразу:

— Мне не нравится, когда двоечники домой приходят, лучше я к ним поеду. Многие преподы, правда, предпочитают заниматься у себя, но я-то отнюдь не ленивая и терпеть не могу чужих в квартире.

Следовательно, соседка, потеряв всякий стыд, заводила шашни с ровесниками сына! Сделав это открытие, Влада не знала, как быть. Намекнуть Ларисе? И что? Она мигом ответит: «Не твое собачье дело!»

Отругать потерявшую всякий стыд бабу? Но какое право Влада имела на это? И вообще, в стране воцарилась демократия, коммунистический режим вместе с парткомами, куда раньше сигнализировали о случаях разнузданного разврата, канул в Лету, Лариса Дмитриевна в своей собственной квартире была вольна делать что угодно. Никаких претензий ей не предъявишь, шумных гулянок она не устраивала, бутылок из окна не швыряла, малолетних не соблазняла — юношам с виду было около двадцати лет.

Поэтому Владе пришлось прикусить язык. Пару раз она попыталась рассказать бабам во дворе про фортели Ларисы, но местные кумушки подняли ее на смех, попросту не поверили.

— Ты ври, да не завирайся, — говорили они, — тут вон девки молодые кавалеров себе никак не найдут, Лариска-то скоро бабкой станет, чем ей парней приманивать?

Влада и сама не понимала, что находили молодые любовники в ее ровеснице, но факт оставался фактом: Лариса спала с мальчиками, годившимися ей в сыновья.

Понаблюдав пару месяцев за соседкой, Влада бросила сие занятие. Ничего нового она так и не узнала. А потом случилось несчастье: Виталик пропал.

— Как? — удивилась я.

— Да просто, — ответила Влада Ниловна, — уехал на неделю куда-то, вроде с экскурсией в Питер...

— И давно это случилось?

— Несколько лет назад, — вздохнула Влада Ниловна, — ни числа, ни месяца не помню. У нас в те дни в подъезде парня убили грабители. Вот Ларисе тогда не повезло.

— В чем? — осторожно спросила я, понимая, что узнала сейчас нечто важное.

— А к ней родственники из другого города приехали, — продолжала Влада, — муж, жена и младенец. Я очень удивилась, когда за стенкой плач услыхала.

Надрывный детский крик донесся из квартиры Ларисы вечером. Влада не утерпела и позвонила к соседке.

— Тебе чего? — весьма недовольно спросила та, приоткрывая дверь. — Извини, впустить не могу, полный тарарам в доме. Родственники на голову свалились из провинции, да еще с крошкой, вон какие рулады выводит! Я вообще с ними незнакома! Ну народ! Им переночевать негде, и приперлись. Здрасте, мы вашей троюродной бабушки седьмого внука ближайшая тетя!

— Что же ты их впустила? — удивилась Влада. — Теперь покоя не жди! Надолго зарулили?

— Слава богу, нет, скоро съедут, — зашептала Лариса, — ну как отказать людям? Все-таки одна кровь. А мы, Глебкины, отказать родне не можем.

Меня словно треснули по лбу колотушкой для сырого мяса. Глебкины?!

— А потом парня в подъезде убили, — тараторила Влада, — милиции понаехало, во дела! Затем Виталик пропал. Вроде из Питера вернулся, сумку домой внес, его Карина из пятнадцатой видела, еще утром того дня, когда парня убили. В общем, вещи на месте, самого нет, ничего не взял, так ушел и пропал, словно в воду канул.. Наши-то все считают: Виталик себе невесту хорошую подыскал, может, в Питере с ней познакомился и съехал подальше от матери-злыдни. Лариска-то с каждым годом с ним все хуже и хуже обращалась, твердила без устали: «И думать не смей в мою квартиру бабу привести. Я тебя без отца тянула, одевала, обувала, поила, кормила, теперь твой сыновний долг обо мне заботиться, раньше сорока не женишься, понял?»

Вот Виталик и рассудил, что лучше бежать прочь, чем с мамочкой век коротать.

— Только я точно знаю, отчего он улепетнул, — прищурилась Влада, — небось узнал, чем мать втихаря занимается, и со стыда куда подальше подался.

— Лариса Дмитриевна не искала сына? — осторожно уточнила я.

Влада вздохнула:

— Ну в первые дни никто и не знал, что парень исчез. Он ни с кем во дворе не дружил, мышкой к себе шмыгал. Лариса же изображала, что ничего не произошло.

Но хитрая Влада Ниловна сразу поняла: у соседки стряслось нечто неординарное. Лариса ходила просто с перевернутым лицом. Молодой любовник более не появлялся, и еще Влада перестала натыкаться на Виталика. Парень курил, мать запрещала ему дымить в квартире, поэтому он выходил на лестничную клетку. Будучи человеком вежливым, он спросил у Влады Ниловны:

— Ничего, если я у окошка баночку для окурков поставлю? Вас запах раздражать не будет?

— Лестница-то для всех, — улыбнулась симпатизировавшая Виталику Влада, — травись на здоровье да жильцов из другой квартиры не спрашивай, они не наши, снимают жилплощадь.

Но вежливый Виталик сходил и к тем, кто не имел никакого права делать ему на законных основаниях замечания. Влада Ниловна частенько видела паренька сидящим на подоконнике, в одной руке сигарета, в другой книжка. А теперь баночка, служившая пепельницей, стояла пустой, и соседка пребывала в недоумении: куда подевался юноша?

Через неделю, поняв, что за семь дней Виталик ни разу не вышел покурить, Влада не удержалась, напросилась к Ларисе в гости и поинтересовалась:

— Где сынок? Не вижу его.

Лариса закашлялась, потом быстро ответила:

— Отдыхать уехал.

— В учебное время? — изумилась Влада. — Вот уж совсем на него не похоже, занятия пропускать!

— То есть он на практику укатил, — быстро поправилась Лариса.

Влада фыркнула:

— Ага, и похоже, все вещи оставил! Когда я к тебе входила, в прихожей шкаф открытый приметила, вроде Виталькина одежда на месте висит, да у него ее немного совсем, в пакетик уместится!

— Экая ты любопытная, — вскипела Лариса, — извини, больше недосуг чаи гонять, я в театр иду.

Влада, понявшая, что ее попросту хотят выставить вон, обиделась и ляпнула:

— Представление — это хорошо, надо и развлекаться иногда. Небось с кавалером пойдешь!

— Да откуда же мне его взять? — всплеснула руками Лариса. — Знаешь ведь великолепно, без мужика живу!

Влада ухмыльнулась:

— Ну-ну! Последние годы к Виталику приятели зачастили, все молодые, красивые, фигуристые.

Лариса покраснела, а Влада, поняв, что стрела попала в цель, вполне удовлетворенная, пошла к себе. Где-то через час ей позвонила Лариса и попросила:

— Зайди.

Соседка поспешила на зов. Лариса вновь усадила ее на кухне и сказала:

— Уж не знаю, что ты про меня подумала, только мальчики к Виталию шлялись.

— Конечно, — кивнула Влада, — что им с тобой делать? Ведь не под одеялом же кувыркаться. Мне такое и в голову прийти не могло, ты ж им в матери годишься.

Лариса опять покраснела.

— Ладно, скажу правду. Не слишком мне Виталькины приятели нравились, учатся плохо, на уме одни выкрутасы. Сначала разрешила сыну с ними общаться, а когда поняла, что ничему хорошему его не научат, вон выгнала. Виталька разозлился и с ними ушел.

— Куда? — удивилась Влада.

— Черт его знает, — равнодушно пожала плечами Лариса, — уехал. Все вещи побросал, разорался и был таков.

— Достала ты парня, — покачала головой Влада, — вот он и удрапал. Пока маленький был, терпел твои попреки, а вырос и не захотел.

Лариса вдруг кивнула:

— Да, понимаю, я была к нему несправедлива, только что же сейчас поделать? Бросил он меня, отплатил за заботу.

— Ну не слишком ты его баловала, — Влада не упустила случая уколоть соседку, — вечно в рванине ходил и никаких игрушек не имел.

— Я его одна тянула, — возмутилась Лариса, — на гроши, без чужой помощи.

— Ну-ну, — протянула Влада, — оно, конечно, так...

— Ведь не сдала же в детдом, — оправдывалась соседка, — связала себе руки мальчишкой, оттого и мужа другого не нашла. Даже собаке неохота с чужим щенком возиться, а уж мужику и подавно.

— Нашла чем гордиться! — возмутилась Влада. — В детдом дите не спихнула! Ну ты даешь, подруга!

— Чего теперь старое поминать, — скуксилась

Лариса, — я осталась одна, вот она, сыновня благодарность!

Неожиданно Владе стало ее жаль.

— Ты в милицию сбегай.

— Зачем?

— Скажешь, сын пропал, они его искать станут!

Лариса скривилась:

— Только позориться! Никуда не пойду, захочет — сам вернется, а нет, так и не надо.

— Куда же он отправился?

— Говорила ведь, с приятелями укатил. Хотел из моего дома ночлежку сделать, приволок сюда всяких, а я не позволила. Ты только во дворе не трепи про Виталика.

Влада спокойно ответила:

— С какой стати мне твои личные дела на скамейке обсуждать?

— Вот и хорошо, — повеселела соседка.

Но как ни старалась Лариса сделать вид, что у нее все в шоколаде, соседские кумушки узнали про побег Виталика и начали сладострастно обсуждать ситуацию.

Примерно через полгода после исчезновения парня Лариса позвонила Владе и сказала:

— Ну все.

— В каком смысле? — не поняла та.

— Виталик объявился.

— Да ну? И где он?

— Город не назвал. Сообщил, что живет на Севере, женился, больше в Москву не вернется! Так и сказал: «Не жди меня».

Влада покачала головой. Ой, как некрасиво. Может, Лариса и не самая лучшая мать на свете, но ведь другой-то не купить. Виталику следовало быть помягче с родительницей. Хотя что он видел от нее хорошего? Небось молодой любовник оказался последней каплей, переполнившей чашу терпения сына. Лариса сама виновата.

Через некоторое время Лариса завела разговоры об обмене квартиры. Она пару раз дала объявления в газетах. К ней являлись заинтересованные лица, но, узнав, что в апартаментах прописан парень, которого еще надо найти, сразу уходили прочь.

— Ты брось затею с разменом, — посоветовала Влада, — ничего не выйдет, надо Виталика выписывать.

— Ерунда, — отмахнулась Лариса, — сглупила я. Дам паспортистке денег, она сына без его заявления вычеркнет из домовой книги, он в своей Сибири живет, сюда возвращаться не собирается.

Выплеснув все накопленные сведения, Влада Ниловна по-птичьи повернула голову набок и заявила:

— Видишь, как хорошо, что ты сюда не сменялась! Несчастливая квартирка, плохо в ней жили. Да и с документами нечисто. Ну-ка представь на минутку: ты сюда въехала, и является Виталик. Суд затевается, разборка, ясное дело, он выиграет, его же незаконно выписали. И где ты окажешься? Не переживай, хоромы, конечно, хороши, только ищи другие, ясно?

Я кивнула:

— Спасибо.

— Не за что, — улыбнулась Влада, — одна живу, поговорить не с кем.

Я пошла к двери и тут вдруг вспомнила самое важное, о чем забыла спросить.

— Простите, вы между делом обронили, что фамилия Ларисы Глебкина?

— Да, — кивнула Влада Ниловна, — прямо смешно...

— Действительно, — протянула я, — забавно! Глебкина...

— Фамилия как фамилия, — сказала Влада Ниловна, — не это смешно, а то, как Лариса себя подавала. Дескать, Глебкины старинный род, а она сама невесть кто, то ли княгиня, то ли графиня, то ли баронесса... Ее часто на эту дорогу сворачивало. Уж я от нее наслушалась про великих предков! Прямо смех разбирал! Ну, чего только люди не наврут! Графиня! Цирк, да и только!

Однажды, не выдержав очередного выступления Ларисы на тему о родовитых предках, Влада Ниловна не утерпела и поинтересовалась:

— Где же твои документы? Семейные фото или портреты дедушки с бабушкой, а?

Лариса осеклась, а потом сердито ответила:

— Все двоюродной сестре досталось! А та даже и намекнуть на то, что она Глебкина, боится, ее родителей капитально большевики испугали. Генетически дочери ужас передали. Я же ничего поделать не могу, мне осталось лишь на объедки надеяться. Она знает, где захоронка лежит... да...

Потом поняв, что наболтала лишнего, Лариса Дмитриевна ловко перевела разговор на другую тему. И вот что интересно, больше она никогда при Владе Ниловне не заводила речи о богатых и знатных предках.

Глава 28

От говорливой, скучающей в одиночестве Влады Ниловны я ушла, практически перестав что-либо соображать. Какое отношение Лариса Дмитриевна имела к тем Глебкиным, чья родовая печать хранилась у Сирены Львовны? Каким образом и когда дороги Глебкиных и Кацманов пересеклись? Отчего хранитель печати отдал ее Сирене? Почему такую важную вещь не получила Лариса Дмитриевна, если она вообще имеет ко всему происходящему хоть какое-то отношение? Где Маша? С кем она? На самом ли деле в поезде убили Марину Райскую? Зачем? Вернее, почему? Господи, я окончательно запуталась!

В полной растерянности я стояла около своей машины и внезапно обрела четкость мысли. Отчаиваться не стоит. Если опустить руки и захныкать, ничего хорошего не получится, нужно, сохранив хладнокровие, попытаться трезво взглянуть на ситуацию.

Итак, совершенно понятно, что разгадка прячется в прошлом семьи Глебкиных. Значит, следует найти того, кто что-нибудь знает об этих людях. Надо ехать в архив древних актов, тормошить сотрудников, может, кто писал диссертации о Глебкиных... Минуточку! Роман Казуаров упоминал книгу Олега Минкина и Антона Крокова «Маленькие тайны больших фамилий». Мастер тату походя заметил, что на ее страницах много сведений о Глебкиных.

Подпрыгивая от радостного возбуждения, я стала искать ключи от машины. Немедленно отправляюсь в ближайший Интернет-салон, нахожу в паутине выходные данные издания и рулю в издательство. Будучи писательницей, я очень хорошо знаю, что все координаты об авторах тщательно хранит главный редактор.

Нахваливая себя за острый ум и сообразительность, я рылась в сумке. Всегда так, ищешь ключи — под руку попадается что угодно, ну, например, мобильный. А теперь нужно представить на минуту, что я хочу позвонить, и тогда, стопроцентно, наткнусь на связку с брелком сигнализации!

Я хотела отложить мобильный, но он мгновенно затрезвонил. Схватив трубку, я рявкнула:

— Чего теперь нету в хозяйстве, соли?

— Виола Ленинидовна? — спросил тихий, бесполый голос.

Я сбавила тон:

— Да.

— Ваш муж, Олег Куприн, сидит сейчас в кафе «Золотая лисичка» вместе со своей любовницей Лесей Комаровой. Они только что заказали еду. Если поторопитесь, успеете застать голубков, — прошептал кто-то и отсоединился.

У меня от злости заболела голова. Руки и ноги начали действовать самостоятельно, помимо моей воли. Я схватила невесть как оказавшиеся на переднем сиденье ключи, воткнула ручку скорости в нужное гнездо, нажала на педаль и стремглав понеслась в «Золотую лисичку». Я очень хорошо знаю, где расположена сия харчевня. В свое время, будучи женихом и невестой, мы с Олегом частенько заглядывали туда. Тогда, несколько лет назад, Куприн еще любил меня и водил по ресторанам. «Золотая лисичка» расположена не так далеко от его работы, на соседней улице, и иногда мой муж ухитрялся попить кофе с любимой в служебное время.

Слезы навернулись на глаза. Да, был такой период в жизни и прошел, нонче Куприн повел в наше место другую. Конечно, Эля Малеева в своей идиотской книжонке настойчиво рекомендовала корчить из себя абсолютно ничего не знающую жену. Интересно, она сама способна на это? Давать советы очень легко, намного труднее лично претворять их в жизнь. Посмотрела бы я на психологиню в моей ситуации! Нет уж! Коли Олег хочет водить другую по кафе, пусть делает это открыто, а не тайно. Нечего унижаться! Небось Куприн просто боится сказать прямо: «Вилка, все! Прошла любовь, скончались зайчики».

Что ж, помогу ему. Явлюсь сейчас в «Золотую лисичку» и объявлю: «Дорогой, ты свободен».

Проскочив на красный свет, я затормозила у входа в кафе. Сердце сжала ледяная рука. Через огромное окно был великолепно виден просторный зал. Олег сидел спиной ко мне за ближайшим столиком, и я хорошо видела знакомую спину, обтянутую серой рубашкой с короткими рукавами, не слишком аккуратно подстриженные остатки волос на затылке и бейсболку, сдвинутую на макушку.

Почему-то такая невинная деталь туалета, как спортивная кепка, взбесила меня окончательно. Донжуан фигов, прикрыл парусиной лысину и кокетничает с бабенкой!

Закрыв дверь машины, я, чеканя шаг, как часовой у Мавзолея, вошла внутрь ресторанчика и приблизилась к нужному столику. Дама за ним сидела в одиночестве. Хотя дамой двадцатилетнее белокурое существо в кудряшках назвать трудно.

— Где Олег, — рявкнула я, — куда спрятался?

— В туалет пошел, — на секунду растерялась было девица, но потом мигом пришла в себя: — А вы, собственно говоря, кто такая?

— Его жена!

Нахалка прищурилась.

— Ну и что?

— С какой стати ты расселась тут с моим мужем? — медленно начала закипать я. — Вали отсюда, шмакодявка!

— Поосторожней, бабуся, — не дрогнула разлучница, — ты теперь никто! Олег мне все рассказал, и вижу, что не соврал!

— О чем? — удивилась я, пытаясь справиться со всепоглощающим гневом.

Нахалка скорчила рожу.

— Я знала, что ты старше и женила его на себе обманом, а теперь держишь своим вечным нытьем и жалобами на здоровье. И вот могу удостоверить: передо мной и впрямь потасканная калоша!

— Я старше Олега?!

— Ну не я же.

— Старая калоша?

— Именно, уродливая в придачу, да его от тебя тошнит, — частила Леся, — прямо колбасит! На сторону тащит! Думаешь, он мне ничего не рассказал? Зря надеешься! Мне известно все! Жрать не готовишь, квартиру не убираешь, в постели бревном лежишь, детей не родила! Отвянь от мужика, он теперь мой! Найди себе подходящего по возрасту, дедусю-пенсионера!

Дорогие мои, любимые, все те, кто сейчас держит в руках мою книгу, девочки, как бы вы поступили на моем месте? Прошептав: «Дай вам бог счастья», молча ушли бы прочь, а?

Я осмотрела стол, на котором теснились пиалушки с едой. И пока мозг пытался найти выход из создавшегося, воистину ужасного, положения, руки стали действовать, они схватили одну из мисочек, наполненных «Оливье», и надели ее на голову юной нахалки. Девица слабо взвизгнула и попыталась вскочить. Но я воспитывалась во дворе, среди низших слоев общества, все мои друзья детства — это дети опустившихся маргиналов или спившихся вконец родителей. Дрались мы по любому поводу, разницы в кулачном бою между мальчиками и девочками не было, никакой скидки я по малолетству не получала. А едва справив четырнадцатилетие, начала отбиваться от парней, хотевших во что бы то ни стало показать Вилке все прелести половой жизни.

Поэтому сейчас во мне ожила та самая девочка, драчунья и матерщинница. Одной рукой я легко удержала на месте верещащую Лесю, потом вымазала ее деликатесами, собранными со стола, и ткнула мордой в картофельное пюре, раз, другой, третий...

Люди за соседними столиками повели себя по-разному. Одни откровенно наслаждались ситуацией, другие хихикали, третьи кричали:

— Зовите скорее милицию!

Леся выглядела восхитительно. От красивой белокурой прически не осталось и следа. Ее голову теперь украшали три вида салатов: «Оливье», «Мимоза» и «Греческий». Лицо покрывал слой картофельного пюре. Девица голосила:

— Спасите, она сумасшедшая, на помощь! Кто-нибудь!

Я схватила бутылку красного вина и вылила ей на макушку со словами:

— Похоже, тебе следует слегка умыться.

И тут меня взяли в клещи официанты. Надо сказать, что победа им далась нелегко. Я царапалась, кусалась, плевалась и материлась. Но противников оказалось слишком. В конце концов они спеленали меня скатертью и уволокли в кабинет к директору.

Не успели халдеи впихнуть меня в узкую, заставленную кожаной мебелью комнату, как туда ворвался совершенно разъяренный молодой, но уже весьма полный парень в серой рубашке и бейсболке.

— Где Надька? — заорал он. — Убью стерву!

На лице нового участника действа была написана такая неприкрытая злоба, что официанты, опрокинув меня на диван, стали подбираться к парню.

— Где эта сволочь? — ярился тот. — Покажите! Эй, Надька, дрянь...

На секунду мне стало не по себе. Юноша выглядел полувменяемым и очень сильным. Сейчас подавальщики не удержат его...

И точно. Не успела ценная мысль прийти в голову, как незнакомец, разбросав официантов, словно фигурки из картона, подлетел ко мне и заорал:

— Сука! Всю жизнь мне сломала!

— При чем тут я, — вырвалось у меня, — первый раз вас вижу!

В глазах безумца мелькнуло удивление, он отошел на шаг и воскликнул:

— Где Надька?

— Кто? — осторожно спросил, отдуваясь, метрдотель.

— Жена моя бывшая, дрянь подзаборная, — снова начал набирать обороты сумасшедший.

— Вот она, — хором ответили служащие «Золотой лисички» и ткнули в меня пальцами.

— Эй, эй, — закричала я, — что у вас тут происходит? Хорошо, согласна, я вела себя просто отвратительно, но у меня была причина, поймала родного мужа с любовницей, ну и не сдержалась. Извините, нехорошо, конечно, вышло, даже очень плохо, мне уже стыдно.

И тут в кабинет влетела та самая Леся. Очевидно, мерзкая девица вымыла голову в туалете, потому что никаких следов салата во влажных волосах не было. С лица исчезло пюре, правда, одновременно с ним испарился и яркий макияж. Я с нескрываемым злорадством отметила, что без тонального крема, пудры и румян любовница Олега выглядит совершенно простушкой. И что он в ней нашел, а? Ни рожи, ни кожи. Внезапно в уме всплыл рассказ Томочки, она видела, как Куприн с ласковой улыбочкой подходил к наглой бабенке примерно сорока лет, стоящей около дорогой машины. Мы с Томой тогда решили, что это она, Леся Комарова... Так что же получается? У Олега две любовницы?! Господи, что они нашли в моем тихом майоре? Какие демоны живут в душе супруга?

— Это она, — плаксивым голосом сообщила девица, — Надька придурочная! Налетела, побила меня! Я все показания дам. Уж извини, Олег, я понимаю, что она твоя бывшая, но за такое нужно в милицию сажать!

— Где Надька, сука? — Парень завертел по сторонам головой.

— Вот!

— Это не она!

— Как? — отшатнулась девица. — А кто?

— Понятия не имею.

— Но она меня мордой в пюре тыкала и говорила, что законная жена Олега! — взвизгнула Леся.

Я лишилась дара речи. Работники кафе непонимающе уставились на нас. Парень и девица тоже обозревали меня, наконец я смогла выдавить из себя:

— Э... вы Олег?

— Да, — кивнул молодой человек, — Олег Хомичев, а вы кто такая? Что тут вообще происходит?

— Простите, — залепетала я, — какой ужас... мне звонили... я видела через окно... очень похожи... тоже Олег зовут... вот почему бейсболка была... Это не мой Олег... где же он... Господи... я все вам постираю, куплю новое... о боже! Я перепутала!

Минут десять понадобилось всем, чтобы осознать произошедшее. Парня, мирно обедавшего со своей пассией, зовут Олег. У него есть чрезвычайно противная, по документам законная, а по сути бывшая супруга Надька. Она пообещала при встрече оторвать голову своей заместительнице, которую звать Алисой. Олег со спины очень похож на Куприна, так сказать, один размерчик. На беду, когда я, полыхая от ревности, влетела в «Золотую лисичку», Олег пошел в туалет. Я приняла Алису за любовницу Куприна, она меня за жену своего Олега, и случилось то, что случилось.

Поняв, что произошло идиотское недоразумение, действующие лица этой истории начали было улыбаться, но тут в кабинет директора ворвались менты и, несмотря на протесты присутствующих, доставили всех в отделение.

Там мною занялся толстый мент, совершенно не способный понять суть произошедшего. Я в пятый раз твердила ему: «Вышла ошибка», — когда дверь кабинета распахнулась и появился наш с Олегом хороший приятель Леша Золотов.

Лешке долгое время не везло с карьерой, он работал в простом отделении и имел мелкие звездочки на погонах. Но потом вдруг в его судьбе стали происходить резкие изменения, и на данном этапе он — начальник отделения. Только увидав его, я сообразила, что меня привели на подведомственную ему территорию.

— Вилка, — вытаращился Лешка, — что ты тут делаешь? Отчего ко мне не пришла?

Я судорожно закашлялась. Да уж, сегодня день редкого невезения.

— Кузовкин, — рявкнул Лешка, — немедленно доложи, что эта гражданочка у тебя в кабинете делает?

Потный Кузовкин вытащил мятый носовой платок, вытер лоб и загудел:

— Гражданка Тараканова, Виола Ленинидовна. Привод за драку в ресторане.

— Что? — обалдело спросил Леша. — Кузовкин, ты никак перегрелся!

— Вовсе нет, — обиженно отозвался подчиненный, — они с гражданкой Чусиной Алисой Геннадиевной мужика не поделили, Хомичева Олега Семеновича. Тот обедал с Чусиной в «Золотой лисичке», тихо сидели, культурно досуг проводили, водки не жрали. А тут явилась Тараканова и Чусину мордой в салат положила. Вещи ей испортила, выражалась некультурно... Эх бабы! Охота вам из-за мужиков царапаться!

Я горько вздохнула и попыталась исправить положение:

— Леша, послушай!

Но Золотов с каменным лицом спросил у мента:

— Где протокол?

— Вот.

Лешка схватил листок, разорвал его, сунул обрывки к себе в карман и строго сказал:

— Слышь, Кузовкин, не было тут никого, ясно?

— Так я чего? Ничего, — запыхтел подчиненный. — Мне плевать, как скажете. Только эти Хомичев с Чусиной...

— Сиди и молчи, — прошипел Леша, — занимайся, Кузовкин, Репниным, чего он у тебя в обезьяннике парится? Оформляй, и дело с концом, усек?

— Ага, — кивнул тот.

— Ну и ладненько, — голосом, не предвещающим ничего хорошего, подвел итог Лешка, — Тараканова со мной пойдет.

Абсолютно молча он вывел меня во двор и ледяным тоном осведомился:

— Где твоя машина стоит?

— У «Золотой лисички».

— Вот что, Виола, — торжественно произнес Лешка, — я, конечно, ситуацию разрулю, помня о нашей многолетней дружбе, но знай, потерял я к тебе всякое уважение. Изменять Олегу! Драться из-за другого мужика в забегаловке! Послушай, как тебе только не стыдно, а? Совсем совести нет?

— Леша, погоди...

— Ступай, Тараканова!

— Я все сейчас объясню.

— Только не начинай врать.

— Ей-богу, скажу правду!

— Спасибо, не надо.

— Леша!!!

Но Золотов повернулся и пошел к входу в отделение, я побежала за ним.

— Ну, Лешик, послушай!

С выражением крайней брезгливости на лице он повернулся.

— Вот что, Тараканова, я не стукач. Олегу ничего не расскажу. Но ты поразмысли над своим поведением и определись: надоел муж, не устраивает — скажи ему честно. Незачем двуличничать. А сейчас пошла прочь, ты мне противна! Колошматиться в кабаке из-за любовника, извини, это ниже талии!

Я топнула ногой.

— Золотов, ты кретин!

Леша молча хлопнул дверью. Я постояла на крыльце, решая задачу: пойти за ним и попытаться объясниться до конца или просто уехать? Ладно, Лешка слегка успокоится, тогда и поговорим.

Сделав выбор, я побрела к «Жигулям». Не стоит расстраиваться. Конечно, часть сегодняшнего дня прошла совершенно ужасно, но ведь пока не вечер. Скорей всего мне сегодня еще повезет.

Глава 29

Не зря люди сложили пословицу про любовь и везение в карты. Я не играю в азартные игры, но, учитывая тот факт, что на любовном фронте у меня просто полный аут, нужно ожидать удачи в делах. И на самом деле, все начало складываться просто замечательно.

Интернет-салон нашелся прямо за углом, информация о книге «Маленькие секреты больших фамилий» обнаружилась сразу. И, что самое отрадное, выяснилось, что выпустило ее мое родное издательство «Марко». Не в силах справиться с волнением, я позвонила домой своему редактору Олесе Константиновне, чего никогда не делала раньше.

Выслушав мою сбивчивую речь, Олеся Константиновна спокойно ответила:

— Насколько я знаю, Минкин уехал в США, на постоянное местожительство, Антон Кроков в Москве, вчера он был в «Марко». Если очень надо, попытаюсь раздобыть вам завтра...

— Сегодня! — заорала я. — Миленькая Олеся Константиновна, душечка, голубушка, кошечка, заинька...

Редакторша издала тихий смешок.

— Хорошо, перезвоню вам через пару минут. Но если главный отключил мобильный, ничем помочь сейчас не сумею.

— Тогда дайте мне адрес главного, — быстро нашлась я, — съезжу к нему домой и выпрошу телефон Крокова.

Олеся Константиновна закашлялась и, бормотнув:

— Ну, надеюсь, Игорь Севастьянович все же в зоне досягаемости, — отсоединилась.

Я осталась сидеть в машине, сжимая в кулаке

молчащий мобильный. Минуты показались часами, наконец раздалась знакомая трель.

— Телефона у него нет, — сообщила Олеся Константиновна.

— Это ужасно! — заголосила я. — Он мне страшно нужен!

— Виола Ленинидовна, — с укоризной перебила редакторша, — вы меня не дослушали. Антон Демьянович живет в отдаленном районе, у него вообще нет телефона, записывайте адрес...

— Огромное спасибо! — воскликнула я. — Страшно вам благодарна!

— Виола Ленинидовна, — остановила меня Олеся Константиновна, — я понимаю, что у вас идет напряженная личная жизнь, но не следует забывать о рукописи. Впрочем, если вам надоело писать детективы...

— Конечно, нет! — опять перебила ее я. — Адрес Крокова нужен для новой книги! В ней разгадка! Мне так кажется!

— Честно говоря, я не очень понимаю, о чем идет речь, — призналась Олеся Константиновна, — но одно знаю точно: не сдадите книгу вовремя, нагорит нам по первое число.

— Через неделю принесу!

— Верится с трудом, — сказала редакторша, — но случается в жизни и невероятное. До свидания, Виола Ленинидовна.

Испытывая угрызения совести, я понеслась на всех парах к Антону Крокову. Отчего-то, несмотря на все неприятности, в душе поселилась надежда. Внутренний голос нашептывал мне:

«Торопись, милая, Кроков знает много интересного».

Оказавшись около ободранной двери и позвонив, я ожидала увидеть перед собой пожилого профессора в бархатной домашней курточке и черной шапочке на макушке. Но на пороге возник молодой парень в потрепанных джинсах и майке с надписью «Марко». Я подавила смешок. Эти футболки мое издательство выпустило к очередной Московской книжной ярмарке. Я тоже имею такую, но носить ее, увы, не могу. Она пятьдесят шестого размера и болтается на Арине Виоловой, словно мешок на палке. Впрочем, еще «Марко» дарил всем на выставке шариковые ручки, очень красивые, с логотипом издательства, одна беда, они не пишут, а бейсболки, украшенные надписью «Марко», после первой же стирки сжимаются до крошечного размера. Достав из стиральной машины мою кепочку, Кристина, хихикая, нацепила ее на голову своего хомяка Зямы. Впрочем, никто не ждет от издательства качественного трикотажа и великолепных канцелярских принадлежностей. Главное дело «Марко»—книги, а они здесь просто замечательные.

— Ой! — воскликнул парень, увидев меня.

— Вы Антон Кроков?

— Да.

— Я — Виола Тараканова, мы с вами в одном...

— Ну простите, — зачастил Антон, — ей-богу, не хотел. Естественно, я заплачу. Только через пару недель. Сейчас у меня напряг с деньгами. Книгу вовремя не сдал. Но уже дописываю. Как только получу гонорар, так сразу!

Наверное, на моем лице отразилось недоумение, потому что Антон затараторил еще быстрее:

— Прямо сейчас пойду к вам, где мои очки? Вы их не видите?

— Они у вас на голове.

— А! Точно! Двигаем.

— Куда?

— К вам домой!

— Зачем?

— Как это? Оценим ущерб.

— Что?

Антон снова поднял оправу вверх.

— Ну вы мне скажете, на какую сумму ремонт. Спорить не стану. Раз опять залил...

Я рассмеялась:

— Вы не поняли. Мы с вами выпускаемся в одном издательстве, в «Марко», я пишу детективы.

Кроков с явным облегчением воскликнул:

— Да? Входите, пожалуйста. Я-то решил: опять соседей залил. Между прочим, в пятый раз случается.

— Неужели вы до сих пор не знаете их в лицо? — удивилась я, идя за Антоном в глубь довольно грязной квартиры. Кроков покачал головой.

— А всякий раз другие приходят, — с самым несчастным видом сообщил он, — я начну посуду мыть, задумаюсь, уйду в кабинет, забуду про воду, бац, в дверь звонят, ругаются... Да вы садитесь.

— Куда? — поинтересовалась я, оглядывая захламленное помещение.

Все стены, стулья, диван, подоконники были завешаны, заставлены, завалены книгами.

— Куда? — растерянно переспросил Антон, оглядываясь. — Э... э... сюда, на мое рабочее кресло, а я на полу умощусь. Вы из издательства? За рукописью? Но, простите, я еще подшлифовать ее хочу.

Я тяжело вздохнула, похоже, у Крокова полная беда с памятью. Неоднократно заливает соседей и не способен различить женщин, которые приходят к нему, я же только-только представилась ученому как автор детективных романов, и он моментально забыл мои слова. Ладно, похоже, с ним надо просто идти напролом!

— Вы писали книгу «Маленькие секреты больших фамилий»?

— Да. А что такое? — Антон опустил оправу на нос.

— Все в порядке. Теперь скажите, откуда вы брали информацию о семье Глебкиных? Я работаю в пресс-отделе «Марко», мне поручили раскручивать вашу книгу в газетах. Надо сначала взять у вас интервью.

Глаза Антона зажглись огнем:

— Очень интересный вопрос! Прямо в глаз! Значит, так...

Нет никакого смысла пересказывать тут полностью весь монолог Крокова. Говорил он долго, часто уплывая в сторону от интересующей меня темы. Поэтому я попытаюсь просто передать суть.

Антон в детстве увлекался историческими приключенческими романами. Впрочем, большинство детей приходит в восторг от «Трех мушкетеров» или «Королевы Марго». Но, повзрослев, мальчики и девочки начинают читать других авторов. Антон же настолько был потрясен творчеством Дюма, что решил поступать в МГУ, на исторический факультет. Юноше показалось, что наука — это увлекательный роман. Но уже на первом курсе Антон, слегка протрезвев, понял, что великий французский романист более чем вольно обращался с фактами, частенько он просто выдумывал события. Кроков приуныл, но потом прослушал лекцию профессора о кое-каких исторических загадках и понял, что нашел свое дело.

Антон решил изучать историю дворянских родов России.

Понятно, что никак невозможно объять необъятное, следовало начать с конкретной фамилии. Но с какой? Дело решил случай. На пятом курсе Антона отправили на практику в одну из подмосковных школ. Два месяца ему предстояло преподавать историю сельским детям. Поселили Крокова в избе у тихого сельского врача старичка Митрича. Дедушка оказался замечательным, не пил, не курил, поэтому, наверное, и дожил до ста лет, сохранив работоспособность. А еще в простой, покосившейся на один бок избенке Митрича хранились настоящие богатства: старинные книги и альбомы с желто-серыми фото, сделанными на многослойном картоне.

Как все пожилые одинокие люди, Митрич обожал поговорить. Через неделю совместной жизни с Антоном он заявил:

— Эх, парень, ну и повезло же тебе!

— В чем? — не понял Кроков.

— Историю ведь изучаешь?

— Да, — кивнул пятикурсник.

— Надеюсь, нашу, не басурманскую? — спросил Митрич.

— Хочу поступать в аспирантуру и писать кандидатскую работу о какой-нибудь дворянской фамилии, — признался Антон.

Митрич ринулся к ободранному громадному буфету и начал вытаскивать из него кожаные папки.

— Вот смотри, сынок! — с пылом говорил он. — Мне тебя господь послал. Есть бог на свете, точно! Ведь я год молился, благодетель небесный, познакомь с хорошим человеком, чтобы поехал да сказал все! А то, не ровен час, помру, деревенское быдло пожгет документы. Тут люди страшные живут, все мысли лишь о самогонке, благородных душ и не сыскать. А я все сберег, спрятал, возьми, сынок, используй, коли ты ученый!

Антон совершенно не понял, о чем толкует говорливый старик, но, не желая обижать его, он перелистал содержимое одной из папок и понял, что ему в руки попал совершенно бесценный исторический материал. Невесть каким образом в убогой избе оказались раритетные документы: дневники, письма, юридические бумаги — одним словом, весь архив дворянской семьи Глебкиных.

— Откуда это у вас? — изумился Антон.

Он сразу сообразил: сейчас на столе лежат не только его кандидатская и докторская работы, но и пара монографий. Историки дни и ночи просиживают в хранилищах, нарывают материал по каплям, а тут такое богатство!

— Эхма, парень, — протянул Митрич, — жизнь длинной была...

Он начал рассказывать. Антон слушал, боясь перебить деда, еще испугается и не станет говорить со студентом.

Митричу и впрямь без преувеличения было больше ста лет. Его родители, и отец, и мать, служили у дворян Глебкиных, у старшего в роду, Ивана Сергеевича. Вообще-то, братьев было двое: Иван и Павел. Но последний, младшенький, оказался неудачником, стал картежником, враз проиграл доставшуюся от родителей часть наследства и пустил по миру своих жену и дочь. Иван пытался вразумить братца, давал ему денег, но Павел, взяв ассигнации, тут же садился за карты, и в конце концов терпение родственника лопнуло. Старший перестал общаться с младшим.

Митрич Павла не помнил, один лишь раз, совсем ребенком, видел, как в гости к хозяину явился в наемном экипаже оборванец, как рассвирепел Иван Сергеевич и дворня вежливо, с поклонами выпроводила странного гостя на дорогу.

— Это кто? — поинтересовался Митенька у своего отца-управляющего.

Папенька погладил мальчика по голове.

— Брат Иван Сергеевича, человек лихой, от таких подальше держаться надо! Был богат, а теперь на подаяния живет, неладно получилось.

Митенька удивился, да и забыл о странном госте. Его в то время больше волновала воспитанница Ивана Сергеевича, Аня, настоящая красавица, далекая бедная родственница Глебкиных, сирота. Хозяева не препятствовали дружбе своего сына Андрея и воспитанницы Ани с Митей. Только тот хорошо понимал — никогда Анечка не будет его женой, и не потому, что Иван Сергеевич начнет чваниться. Старший Глебкин придерживался либеральных взглядов, захочет благородная сирота, воспитываемая им как дочь, выйти замуж за простого человека, он, конечно, расстроится и попытается отговорить девушку от неразумного поступка, но в конце концов препятствовать не станет. Иван Сергеевич обожал Аню до потери пульса. Но ей не нравился Митя. Нет, она считала его своим верным другом, но нежно вздыхала, глядя на Андрея. В девятьсот шестнадцатом сыграли свадьбу.

Иван Сергеевич в день венчания подошел к Мите и сказал:

— Ну, не горюй, дружок. Вот, посмотри на Леночку Владышину, красавица растет, приданое отличное, фамилия благородная. Хочешь, я составлю протекцию, сватом выступлю.

Митенька поблагодарил хозяина за участие, но ему была нужна только Анечка, а та любила своего молодого мужа Андрея. Вот такой классический треугольник.

Новобрачные счастливо зажили в отведенных для них покоях. Митенька же, решив не кукситься, отправился учиться в Москву. Раз уж не вышло личного счастья, надо попробовать стать врачом. Зла на Андрея Митя не держал, да и как он мог обижаться на ближайшего друга детства, почти брата. Просто ему хотелось некоторое время пожить вдали от упоенных страстью молодоженов.

Учение захватило Митю целиком, к тому же у него обнаружился талант диагноста. В общем, будущее рисовалось Мите исключительно в радужных тонах: он получит диплом, вернется к себе домой, станет сельским врачом. Навряд ли встретится на пути женщина, способная затмить Анечку. Но Мите будет довольно просто видеть любимую и изредка пить с ней чай в гостиной Глебкиных, отделанной дубовыми панелями. Иногда, устав к вечеру, Митя валился на кровать и, закрыв глаза, мечтал. Весело горит камин, на дворе бушует снежная метель, а он и Анечка сидят в креслах. Она вяжет, Андрюша вслух читает газету, вокруг копошатся их маленькие дети и собаки, которых очень любят все... Тихая идиллия, мирная жизнь. Может, оно и было бы так, но вы, наверное, помните, что стряслось в девятьсот семнадцатом?

Телефона в поместье не было, об Интернете, электронной почте и программе Ай си кью никто и мечтать не мог, а простой телеграф сразу после переворота перестал обслуживать граждан. Да еще университет по непонятной причине не прекратил занятий. Несмотря на революцию, начавшуюся Гражданскую войну и полнейшую неразбериху, профессора читали перед поредевшей аудиторией лекции, принимали экзамены и зачеты.

Только в Татьянин день, когда по традиции начались каникулы, Митя смог приехать в родной дом.

Уже подходя к поместью, он понял, что произошло неладное, поднялся на пригорок, с которого открывался великолепный вид на усадьбу Глебкиных, и ахнул.

Огромного барского дома с белыми колоннами не было. Впрочем, дома управляющего тоже, исчезли конюшня, псарня и любовно выпестованный хромым Николаем сад. Перед Митей простиралось пепелище. Снегу в тот год практически не было, и Митя в растерянности смотрел на черные головешки. Потом сбежал вниз, в оставшуюся целой деревню. Первая, кого он встретил, была Марфа, жена садовника Николая. Схватив Митю за полушубок, она втянула его в сарай и зашептала:

— Уезжай, Митенька. Видишь, чего творится. Всех поубивали: Ивана Сергеевича, Сирену Михайловну, твоих папеньку с маменькой. Чистые звери! Нелюди!

— Что с Аней? — еле вымолвил Митя.

— Ой, не знаю, — запричитала Марфа, — как бар резать начали, простые люди попрятались. Эти ироды все пожгли и уехали. Четыре трупа потом Коля зарывал: господские и твоих родителей. Где молодые, не ведаю, может, сгорели? Полыхало тут до неба, страх божий. Знаешь, что самое страшное?

— Говори, не тяни! — прошептал Митя.

— За главного у этих бандитов Павел Сергеевич, брат младший Ивана Сергеевича, — сообщила Марфа, — на коне прискакал, лично наших допрашивал! Уж он их бил смертным боем. Сначала барыню,

Сирену Михайловну, на тот свет отправил, а уж потом Ивана Сергеевича, светлая им память, земля пухом. Нагайкой колотил, да так орал, что крышу сносило: «Говорите, где ключ спрятан!»

— Какой ключ? — удивился Митя.

— Кто ж знает, — ответила Марфа, — только Иван Сергеевич не выдержал, плюнул брату в лицо и сказал: «Не видать тебе никогда папенькиного богатства, вурдалак, хоть убей, не скажу». Ну Павел его и пристрелил. Вот, Митя, какие времена настали, брат брата убивает! Беги отсюда, еще выдаст кто!

Митя вернулся в университет. Его большевики не тронули, в тот период тотальной компьютеризации не было, в анкете люди могли написать что угодно. Но Митя сообщил о себе правду. Фамилия у него была самая незатейливая — Иванов. Когда красные начали проверку студентов, он сказал: «Я сирота. Родители проживали в деревне». В общем, Митю не тронули. Среди однокурсников стукачей не нашлось, и новые власти не докопались до того, кем на самом деле являлся отец студента Иванова.

Жизнь Мити потекла дальше, только никакого места для веселья в ней не осталось. Да и откуда ему взяться, когда все дорогие и любимые лежат на погосте?

Примерно через год после описываемых событий, поздно вечером, в комнату, которую снимал студент, постучалась хозяйка.

— Митя, выгляни, к тебе пришли.

— Кто? — весьма недовольно спросил жилец.

— Евреи какие-то, — ответила хозяйка, — фамилия их Кацман.

Недоумевая, Митя вышел и в полутемном коридоре увидел типичную рабоче-крестьянскую парочку. Парня в черной тужурке, лохматой шапке, валенках с калошами и девицу в длинной, суконной юбке, потрепанном полушубке из грязной овчины и платке, закрывающем лоб и часть щек.

— Что вам угодно? — весьма нелюбезно процедил Митя. — Если прослышали, что я врач, так пока права на практику не имею.

— Сделайте милость, — нежным, очень хорошо знакомым голосом произнесла девушка, — впустите нас. Гостинец вам от папеньки из деревни привезли.

Парень молча указал на мешок, лежавший у его ног. У Мити внутри что-то щелкнуло.

— Входите, — дрогнувшим голосом проговорил он и посторонился.

Пара прошла в комнату. Девушка размотала платок, парень стащил клочкастый треух. Митя, чтобы не закричать, зажал себе руками рот. Перед ним, бледные, исхудавшие, но живые, стояли Анечка и Андрюша.

Глава 30

Когда Митя опомнился, на него обрушился целый шквал новостей.

Аню и Андрюшу спасло провидение, оно же, очевидно, помогло им добраться до Москвы и добыть новые документы.

— Мы теперь Кацман, — сообщила другу детства Аня, — Лев и Сара.

Митя никогда не был антисемитом, но с его уст сорвался вопрос:

— Что же русскую фамилию не взяли?

— Слава богу, хоть такие документы достали, — вздохнул Андрей, — ладно, слушай, зачем мы пришли. Пока бандиты родителей убивали да дом жгли, мы у Федора, конюха, прятались. Когда же негодяи убрались восвояси, здание еще полыхало. Оно с парадного хода занялось, а отец, Иван Сергеевич, если ты помнишь, во флигельке жил.

Пока огонь пожирал парадные комнаты, Аня и Андрюша успели спасти все семейные документы. Их, людей благородного происхождения, волновали не материальные ценности, не коллекция картин, не столовая посуда и драгоценности, которые утащили бандиты, а история семьи, рода. Ее следовало во что бы то ни стало сохранить даже в огне революции.

— Ужас закончится, — тихо сказал Андрей, — все вернется на круги своя, и тогда мы расскажем детям о Глебкиных. Нам есть чем гордиться!

— Ждать недолго, — с жаром воскликнула Аня, — год, два, и от большевиков ничего не останется!

— Точно, — подхватил Андрей, — вот увидите, лет этак через десять мы снова в нашем имении встретимся.

— Непременно, — кивнул Митя, — а я у вас буду домашним врачом...

Повинуясь единому порыву, друзья детства обнялись, и Андрей попросил:

— Помоги нам.

— Говори, сделаю все, — поклялся Митя.

— Ты должен сохранить наши бумаги, нам их с собой возить опасно.

— Вот этот мешок?

— Нет, конечно, — усмехнулся Андрей, — там тебе муки немного и сахара, скажешь хозяйке, от родичей посылочку привезли. Ну-ка, дай листок, сейчас план нарисую, где мы все спрятали, недалеко от дома. Да ты это место хорошо знаешь. Змеиная Горка.

Митя кивнул:

— Конечно, деревня в пяти километрах от усадьбы, там еще на кладбище родовой склеп Глебкиных.

— Прямо в точку, — сказала Аня, — именно в нем они и хранятся.

— А не сгниют? — всполошился Митя.

— Нет, — хором ответили Аня и Андрюша, — в железном ящике все, в тайнике.

— Ты нашу родовую печать знаешь? — спросил Андрей.

— Конечно, — удивился Митя, — сто раз видел.

— Есть еще одна, тайная. Аня, покажи.

Аннушка расстегнула кофту, сняла с шеи простую серебряную цепочку, на которой висел медальон.

— Вот, оборотная сторона и есть печать.

— Разница-то в чем? — не понял Митя, вертя в руках безделушку, которая хранила тепло тела Ани.

— Вот сюда смотри, — объяснил Андрей, — видишь.

— А... а... а, — протянул Митя, — хитро придумано.

— Значит, так, ты получаешь диплом, — сказал Андрей, — и едешь в Змеиную Горку, устраиваешься на работу. Бумаги вынешь и укроешь в своем доме, хоть они и в специальном ящике лежат, да все равно истлеть могут. Береги их и жди нас. Мы обязательно приедем в Змеиную Горку.

— И вообще, этот ужас скоро кончится, — воскликнула Аня, — мы восстановим свою фамилию!

— Впрочем, — внезапно оборвал ее Андрей, — всякое случиться может. Коли судьба нам сгинуть, ты все равно документы стереги, до них никто не должен добраться, тайник хитро устроен. Со стороны надгробия бабушки печать наша сделана, надо вот так повернуть, тогда механизм в действие придет. Отец за ним следил, теперь твой черед. Никому об этом не говори, скажешь лишь тому, кто тебе тайную печать предъявит. Причем имей в виду, саму печать потерять можно или отнимут ее... так вот, у наших настоящих наследников татуировка будет на внутренней стороне бедра. И ты безо всякого стыда тому, кто свои права заявит, должен сказать: «Покажи знак».

— И женщине тоже? — покраснел Митя.

— Да, — кивнула Аня, — смотри, Митенька, мы на тебя надеемся.

Митя — человек слова, поэтому, получив диплом врача, он поехал в Змеиную Горку и выполнил просьбу тех, кого теперь считал единственной родней. Папки он положил на книжные полки и стал ждать падения большевиков.

Но шли годы, а коммунистический режим не собирался рушиться, Митя с тоской понял: варвары пришли навсегда.

Аня и Андрей пропали, от них многие годы не было ни слуху ни духу, потом началась Отечественная война. Митя ухитрился сберечь бумаги во время всех пертурбаций, он не обзавелся семьей, жил с тремя собаками, считался лучшим врачом в округе и был по-своему счастлив. Доверенные ему документы он хранил по велению сердца, потому что умом хорошо понимал: Ани и Андрея Глебкиных, или, как их теперь звали, Сары и Льва Кацман, на свете уже нет. Митя исправно ходил два раза в месяц к склепу, чистил памятник, ставил свечи и молился за упокой всех горячо любимых им Глебкиных.

Но потом случилось невероятное. Душным июньским вечером к нему постучали в окно. Несмотря на то, что неподалеку от Змеиной Горки разросся городок, где имелась больница, местное население с каждой болячкой ломилось к Мите, вернее, Дмитрию Дмитриевичу. «Митрыч, — колотил народ в избу, — помоги, жена рожает». Митя брал чемоданчик и шел на зов, поэтому стук в окно его не удивил, не поразила и незнакомая женщина, стоявшая на пороге. К опытному врачу приходили со всей округи.

— Что стряслось? — деловито осведомился Митя. — Рожаем или другая напасть? Говорите четко, я должен взять все нужное.

— Меня зовут Сирена Львовна Кацман, — тихо произнесла женщина, — я дочь Сары Кацман, впрочем, вы знаете ее под именем Ани Глебкиной.

У Мити закололо в висках.

— Входите, — велел он.

Сирена Львовна вошла в избу и сказала:

— Мама велела вам печать показать.

Не успел Митя опомниться, как нежданная гостья сняла юбку.

— Мама жива, — вдруг сказала она, — шлет вам привет.

— Аня? — воскликнул Митя.

— Да, — кивнула Сирена, — отец скончался. Я вам все расскажу.

Митя испытал приступ всепоглощающей радости. Дождался! Анечка жива! Господи, вот счастье.

Неожиданно старик замолчал.

— Дальше-то что было, — торопил его заинтригованный Антон, — почему бумаги у вас остались? Почему Сирена Львовна их не забрала?

Только что бодро описывающий события Митрич начал нечленораздельно бубнить:

— Так времена были коммунистические, страшные, в дворянском происхождении не признавались, вот и остались у меня документы, да-с, храню их для Анечки и дочери ее, Сиреночки, имя-то ей в честь матери Андрюши дали.

— И вы больше никогда не видели Аню? — воскликнул Антон, которого история потрясла до глубины души.

Митрич закашлялся.

— Приезжала она ко мне, — наконец вымолвил он, — раза два-три в год являлась, на могилках плакала, меня благодарила.

— Она же вдовой была?

— Да, умер Андрюша, друг мой сердечный.

— Почему же вы не поженились?

Митрич вскинул на Антона неожиданно яркие, совсем не поблекшие от времени глаза.

— Аня Андрея и после его кончины любила, меня же братом считала, я и не предлагал ей супружество. Жизнь наша так сложилась, переехало ее колесом, измяло. Ты, парень, вот что... Сделай мне доброе дело. Старый я совсем стал, ума не растерял, а телом слаб. Есть у меня адрес Сирены, только мне не доехать. Окажи божескую милость, поезжай к ней, денег на дорогу я тебе дам... Скажи... пусть заберет все да перепрячет. Не ровен час, я умру, а вороны уже тут, кружат, в стаю сбиваются...

Антон с жалостью покосился на Митрича, похоже, все-таки у него беда с головой. Какие вороны, при чем тут стая?

Но Митрич мгновенно понял мысли Крокова.

— Я еще не выжил из ума, — сердито сказал он, — помнишь, говорил тебе про Павла, брата Ивана Сергеевича, ирода, который своих же убил? К большевикам он подался, до больших вершин дослужился, посты высокие занимал. Уж не знаю, как ему удавалось дворянское происхождение скрыть... Слава богу, ко мне он не наезжал. Небось не догадался, что семейная история в двух шагах от пепелища спрятана. Впрочем, меня он лишь ребенком видел. А вот теперь хочет все отнять, приезжали...

— Господь с вами, — замахал руками Антон, — он же не Вечный Жид! Сколько лет Павлу? Двести? Умер давно ваш враг.

— Ясное дело, преставился, — сердито заявил Митрич, — а вот семя его гадючье сюда заявилась.

— Да ну?

— Вот тебе и ну, — рассердился старый доктор, — прихожу в склеп, смотрю, чужая бабенка тряпкой по надгробию елозит...

Естественно, Митрич устроил ей допрос с пристрастием, но она не испугалась, а спокойно заявила:

— Тут мои кровные родственники похоронены, близкие люди, прабабка, прадед и другие. Отца моего Дмитрием звали, деда Павлом Сергеевичем, я же Лариса Дмитриевна Глебкина, прямой потомок древнего рода. Теперь свое происхождение, слава богу, можно не скрывать.

В первый момент Митя испытал огромное желание выгнать вон ту, в чьих жилах течет кровь убийцы Ивана Сергеевича и его жены, но потом, сделав над собой огромное усилие, он спросил:

— Откуда же вы узнали про склеп? Неужто ваш дедушка жив?

— Павел Сергеевич давно умер, — ответила Лариса, — я с ним и знакома никогда не была, а о семейной могиле мне рассказала Сирена Львовна, мы с ней, похоже, одни из Глебкиных остались. Хотя, по сути, только я фамилию сохранила. Родители Сирены-то испугались и взяли фамилию Кацман.

Митрич только хлопал глазами. Ну, Сирена, зачем же она выболтала все врагам? Или Аня не рассказала ей, что к чему? Лариса Дмитриевна очень не понравилась Мите. В особенности его испугало то, что она явно хотела остаться в склепе одна, под разными предлогами пытаясь выпроводить оттуда старика, но тот упорно не уходил, пока она не уехала.

— Ты поезжай к Сирене, — просил Митрич, — расскажи ей все про Павла, небось Анечка, светлая душа, не поставила в свое время дочь в известность. Предупреди, что эта Лариса тут рыщет, пусть Сиреночка у меня все заберет и в надежное место спрячет. Всю жизнь стерег, а теперь устал.

Антон выполнил просьбу старика. В ближайший же выходной он поехал в Москву, держа в руках бумажку с адресом. Квартиру открыла хмурая девочка и мрачно сообщила:

— Сирена Львовна умерла две недели тому назад.

— А вы ей кто? — робко спросил Антон.

Девчонка окинула его взглядом и ответила вопросом на вопрос.

— А вам чего надо?

— Вот, — сбивчиво начал объяснять Кроков, — я приехал из Змеиной Горки, ваш адрес мне дал Дмитрий Дмитриевич Иванов, он Сирене Львовне родственником приходится, дальним, сказал, что я...

— У нас не гостиница, — злобно гаркнула девица, — ступайте прочь! Если денег нет, могли на вокзале переночевать, чего сюда приперлись? Сирена Львовна на кладбище, туда и проситесь пожить.

Дверь с треском захлопнулась. Антон не рискнул позвонить еще раз и отправился восвояси. По дороге он и так и этак прикидывал, каким образом сообщить старику о смерти Сирены, но ничего путного не придумал. Чтобы оттянуть начало тяжелого разговора, Антон, добравшись до райцентра, сходил в кино, потом, пошлявшись по местному рынку, купил себе рубашку и только вечером заявился в Змеиную Горку.

В окнах избушки света не было. Антон, проживший около Митрича пару недель, знал, что старик полуночник, любит читать почти до утра, и удивился. Войдя в дом, он обнаружил старого доктора за столом, Митрич сидел спиной к двери, уронив голову на альбом с дорогими его сердцу фотографиями. Смерть была милостива к нему, забрала его сразу, не мучая.

Кроков похоронил старика в родовом склепе Глебкиных. Местные власти, призванные следить за порядком на старом сельском кладбище, сначала было заартачились, но, получив взятку, мигом закрыли глаза на нарушение. Антон же рассудил так: Митенька считал себя родней Глебкиных, пусть лежит вместе с ними. Ларису Дмитриевну он разыскивать не стал, памятуя о том, что Митрич считал ее вражеским отребьем. Фотографии и документы семьи Глебкиных забрал себе. После смерти Митрича архив был обречен на уничтожение. Наследников у бездетного старика не имелось, ценностей в избе не было, фотографии бы мигом сволокли на помойку.

Антон привез документы к себе домой и, непонятно почему чувствуя себя обязанным Митричу, написал книгу о Глебкиных. Рукопись он отнес в «Марко», но там посчитали, что материала для отдельного издания маловато, и решили соединить произведение Крокова с трудом некоего Олега Минкина, написавшего об истории двух семей — Ранзиных и Вольпиных. Вот так и получилась книга «Маленькие секреты больших фамилий». Встреча с Митричем сильно повлияла на Антона, и теперь он взялся за большой, фундаментальный труд, темой которого стало предательство. Может ли сын идти против отца? Преступно ли, преследуя благие цели, выдавать врагу брата?..

Понимая, что Антона сейчас унесет невесть куда, я перебила его:

— Это все? Про Глебкиных.

— Нет, конечно, — воскликнул Антон, — история их рода изобилует казусами! Вот, например, в 1719 году один из...

— Спасибо, — прервала его я, — это уже неинтересно. Значит, Митрич умер, бумаги у вас и никто на них не претендовал?

— Нет.

— В Змеиную Горку вы больше не ездите?

Антон заморгал.

— Раз в году катаюсь. Получилось, что некому, кроме меня, за склепом следить.

— Можете мне объяснить, где кладбище и как найти захоронение?

— Конечно, только зачем вам?

— Если помните, я из пресс-отдела «Марко», мне поручено рекламировать вашу книгу. Пиар-компания пойдет под лозунгом: «В произведении Крокова все правда».

— Это верно, — кивнул Антон, — ни слова лжи...

— Хотим раздать журналистам, которые работают с нами, фотографии склепа, чтобы убедить всех — Кроков не слукавил.

— Да, — снова подтвердил Антон, — повествование основано на документах и словах свидетеля, Митрича, в нем нет ни малейшей фальши.

Я молча записала координаты погоста. Будучи женой милиционера, я очень хорошо знаю поговорку: врет, как свидетель. Ладно. Митрич не солгал, он просто не рассказал наивному Крокову всей правды. Ну подумайте сами, зачем Митричу преданно ухаживать за склепом? Бумаги-то он давно перетащил к себе в дом. Из-за любви к Ивану Сергеевичу и его жене? Может, и так. Только я знаю об этой истории чуть больше Антона, а еще очень хорошо помню «червя» Нику, показавшую мне тайник в могиле. Помнится, девушка, посвятившая себя разграблению захоронений, прочитала мне целую лекцию, рассказав, что наши предки считали семейный склеп лучшим из сейфов. Иван Сергеевич не был исключением, скорей всего Андрей и Аня знали о секрете, ведь они имели при себе тайную печать. В могиле их родственников лежали деньги или драгоценности, а новобрачные дополнили клад документами. Митрич, естественно, знал о сокровищах, он берег их и отдавал богатство по частям Ане, потом Сирене. Вот откуда у последней средства на хорошую жизнь, вот почему у нее на ноге татуировка. Да, Аня, носившая имя Сары Кацман, родила дочь в тюрьме. Только татушку на ноге младенца она сама попросила сделать кого-то из уголовниц. И, кроме имени с фамилией, там имелось еще и изображение тайной печати. Перед тем как отправить заключенного в камеру, у арестованного отнимают все, что можно использовать для самоубийства: ремни, шнурки, цепочки... Скорей всего отобрали и медальон-печать, но Анечка хорошо помнила изображение. Интересно, что она дала уголовницам за работу? Как рискнула подвергнуть жизнь малютки опасности? Татуировка, сделанная в антисанитарных условиях, могла повлечь за собой заражение крови и смерть младенца. Боюсь, ответа на эти вопросы мне никогда не узнать. Думаю, правда, что бедной Ане-Саре в голову пришла одна простая мысль: ребенка отберут, отправят в детдом под другой фамилией. Девочка потеряется навсегда. А с татуировкой есть шанс ее найти. Наверное, были у Ани и иные мысли. В лагере может погибнуть она сама. Девочка, нареченная странным именем Сирена, вырастет, изучит свою татуировку, заинтересуется ею и попытается узнать, что она означает. Наверное, Аня надеялась, что дочь станет рыться в архивах... Впрочем, не знаю, так ли это и что бы случилось, сгинь Аня-Сара в казематах. Но судьба оказалась милостива к бедной матери, она перенесла все тяготы, нашла дочь, потом обрела мужа и прожила свои последние годы счастливо. С Анечкой случилось то, что, к сожалению, редко происходит с людьми: она получила награду за страдания и праведную жизнь.

Но я теперь очень хорошо знаю, о каком ключе говорила Лиза. Ключ — это ее дочь Маша, правнучка Сирены, получившая семейную татуировку. Бабушка рассказала Лизе про клад, малышке сделали тату, при взгляде на которое Митрич беспрекословно выдал бы сокровища. Да уж! Интересный поворот событий! Сирена Львовна полагала, что старый доктор будет жить вечно? Ладно, на эту тему я подумаю потом. Сейчас же мне понятно, что... что мне ничего не понятно.

Глава 31

Выйдя от Антона, я глянула на часы, ужаснулась и понеслась домой. Ничего себе, стрелки подобрались к полуночи. Небось Олег опять задержался на службе, иначе он обозлится на меня, и будет, между нами говоря, прав!

Но мне всегда не везет. Муж был дома, стоял в спальне возле раскрытого шкафа.

Я посмотрела на сумку, куда он укладывал свои вещи, и удивилась:

— Ты едешь в командировку?

— Нет, — сухо обронил Куприн.

Я изумилась еще больше:

— Тогда куда?

— В никуда.

Волна ревности захлестнула меня и ударила в голову:

— Ты меня бросаешь?!

— Просто ухожу!

— К толстой, лысой, мерзкой, хромой, косой Лесе Комаровой?

— К кому? — с неподдельным изумлением воскликнул Олег.

— Не ври, — заорала я, — к своей любовнице!

— С ума сошла, — вдруг завопил всегда невозмутимый Куприн, — с больной головы на здоровую валишь! Сама любовника завела! Уйди с глаз, скройся!

— Я? Любовника?

— Ну не я же!

— Именно ты любишь чужую бабу.

— А ты в ресторане дерешься!

— Ну, Леша! Обещал же молчать, а сам продал, — возмутилась я.

— Ты дрянь! — вдруг заорал Олег.

— А ты потаскун! — не осталась в долгу я.

Внезапно муж подлетел ко мне и отвесил пощечину, я, не ожидавшая нападения, свалилась на пол, но, падая, ухитрилась дернуть Олега за ноги и обрушить его на себя. Пару минут мы молча дрались, потом Куприн, больно заломив мою руку за спину, ткнул пару раз меня лицом о пол и заявил:

— Ну хватит. Развод. Мне поблядушка не нужна.

— А мне блядун, — не утерпела я, — кстати, я и не думала тебе изменять.

— Не бреши-ка! Мне позвонили и сообщили,

что ты крутишь роман с Леней Комаровым. Это кто такой, а? Я всех Комаровых в Москве прочесал! Который твой?

— Вранье! — заорала я, пытаясь высвободиться из железных объятий супруга. — Сам с Лесей Комаровой спишь. Мне звонили и все рассказали. Вот, а я...

Из глаз полились слезы, изо рта слова:

— Эля Малеева... стриптиз... зелье... кладбище... ресторан... ревность... Пошел вон, уноси шмотки, знать тебя не желаю!

Внезапно Олег поставил меня на ноги, потом усадил на кровать. Я почувствовала, как начинает болеть ушибленное лицо. Куприн, не говоря ни слова, подошел к своему портфелю и вытащил книгу.

— На, смотри.

Я уставилась на обложку. «Эля Малеева. Что делать, если у вас растут рога. Сто практических советов».

— Зачем тебе эта дрянь? — подскочила я.

— Лучше расскажи, где ты носилась все эти дни? — потребовал Олег.

Меньше всего мне хотелось говорить ему правду. Узнав о том, что жена, дабы написать криминальный роман, впуталась в очередную детективную историю, Куприн просто взбесится. И злить его сейчас мне совершенно не с руки.

Я осторожно начала:

— Ну... вообще говоря... нигде... Просто ходила по магазинам...

Внезапно на лице Олега появилось странное выражение. Он резко встал, подошел к шкафу, одним махом сдернул с вешалок оставшуюся одежду, швырнул ее в сумку и принялся кулаком утрамбовывать.

Я подлетела к мужу.

— Эй, ты чего! Сядь, поговорим.

— Не о чем. Ты врешь постоянно.

— Я?

— Ты!

— А может, ты?

— Я?!

В воздухе снова запахло дракой. Я испугалась, из двух зол следует выбрать наименьшее.

— Послушай, Олег, ну остановись. Сейчас я расскажу тебе правду.

Куприн словно ждал этих слов. Он мгновенно опустился в кресло и мрачно сказал:

— Начинай.

Я поморгала, почувствовала, что мои уши запылали огнем, и начала:

— «Я очень люблю всех своих детей, но кое-кто из них ведет себя безобразно». Эту фразу произнесла...

Сами понимаете, что мой рассказ занял много времени. Когда я замолчала, за окном вставало огромное, желто-красное солнце. Куприн, на протяжении нескольких часов не сказавший ни слова, сбросил сумку с кровати на пол и буркнул:

— Ложись.

— Ты не уйдешь? — жалобно протянула я.

— Уйду, на работу, — спокойным голосом ответил Олег, — тебя же я убедительно прошу никуда не ходить. Сиди дома, я тебе позвоню.

— Зачем?

— Затем, что наши отношения превратились в безобразие, — грустно сказал он, — я перестал тебе верить...

— Сам хорош! — вскипела я. — Кто такая Леся Комарова, а?

Куприн хмыкнул.

— Ладно, разговор не закончен, никуда не ходи! Жди звонка, если, конечно, хочешь, чтобы мы сохранили семью.

Я закивала.

— Да, никуда! Но моя книга... детектив... Глебкины.

Из глаз потоком хлынули слезы. Олег пошел было к двери, но потом вернулся и обнял меня.

— Ладно, хватит! Оба хороши.

— Олеся Константиновна выгонит меня вон.

— Успокойся!

— Я не напишу книгу!

— Ну, ну, все уладится.

— Но я так и не распутала клубок до конца!

— Однако достаточно много узнала.

Я вскочила и завопила:

— Олег! Ну как ты не понимаешь! Не могу же я приволочь рукопись в издательство недописанной. Это немыслимо! Что, по-твоему, будет на последней странице? «Дорогие читатели, изложила вам часть информации, а теперь сами догадайтесь, чем дело закончилось».

— Вилка, ты... — начал было Олег, но у меня уже потемнело в глазах, а язык начал работать сам собой.

— Олеся Константиновна выгонит меня из «Марко»! Придется вновь бегать по городу наемной учительницей. Это ужасно! И потом, я только-только стала приобретать популярность!

— Вот уж не знал, что ты настолько честолюбива, — ехидно прервал меня Куприн.

Наверное, следовало замолчать, но почему-то на меня налетела огромная, всепоглощающая обида.

— Да, — заорала я, вскакивая, — да! Я очень

хочу славы, денег, Нобелевской премии по литературе, почета, радио и телепередач! Хочу видеть свои фото в газетах, мечтаю получать огромные гонорары, издаваться во всем мире. Что в этом плохого? Да, я честолюбива, как сто Наполеонов, но только хорошо понимаю, слава и деньги не достаются просто так! За них надо заплатить собственным каторжным трудом, отсутствием личной жизни и свободного времени... Я готова, я хочу, но ничего не выйдет! Олеся Константиновна выгонит меня из «Марко», и придется опять впихивать в детские головы неправильные глаголы. Господи, я ненавижу немецкий, я обожаю писать детективы, это единственное мое счастье, но и его у меня скоро отнимут!

— Вилка! — с выражением невероятного изумления на лице начал Куприн, но мне уже все стало по фигу.

Я подлетела к мужу и, рыдая, начала пинать его.

— Ты, ты... Леся... рукопись...

Дальнейшее помнится смутно. Откуда ни возьмись в нашей комнате появились Томочка, Кристя, Семен, Ленинид и Никитос. Кто-то подтолкнул меня к кровати, я осела на матрас, голова повалилась на подушку.

— Спи, — громко сказал Олег.

Я проснулась от запаха свежеиспеченного пирога и уставилась на будильник. Восемь. Утра или вечера? Голова болела и слегка кружилась. Нашарив тапки, я выползла на кухню и увидела Томочку, резавшую «шарлотку». У стола сидел розовый, явно только выкупанный Никита. Значит, все же вечер.

— Вилусенька, — защебетала Тамара, — хочешь кусочек пирожка? Твой любимый, яблочный, с корицей.

— Где Олег? — тихо спросила я.

— Все в порядке, — захлопотала подруга, — он ушел.

— Навсегда!

— Ну и глупости тебе в голову лезут! — всплеснула руками Тамара. — На работу поехал, утром, как обычно, кстати, вот.

— Это что?

— Олежка велел тебе записку передать.

Я развернула листок. «Вилка, жди моего звонка. Оденься, причешись и жди. Хочу сделать тебе подарок. Понимаю, что ты спросишь: с какой стати. Посмотри на календарь и пойми: несмотря ни на что, я люблю тебя. Престарелый кабанчик». Я чуть было не зарыдала. Престарелый кабанчик — прозвище Куприна, домашняя кличка, значит, он перестал сердиться. Но при чем тут календарь?

Я подошла к висевшему на двери листку и удивилась еще больше. Число как число, ничей день рождения, ни Новый год, ни Пасха, ни Рождество...

И тут зазвонил телефон.

— Это тебя, — сунула мне в руки трубку Тома.

— Надеюсь, ты уже оделась? — раздался голос Куприна. — Приезжай в ресторан...

— Только не в «Золотую лисичку»! — вырвалось у меня.

Куприн хмыкнул:

— Думаю, ты теперь там персона нон грата. Двигай в «Колесо счастья». Тебя там ждет подарок.

Я ринулась к шкафу, вытрясла на пол все содержимое, не нашла достойной одежды и завопила:

— Томуська! Дай твой зеленый свитер! Меня Олег пригласил на романтический ужин.

Ровно через секунду в спальне уже стояли Тамара и Кристина с ворохом шмоток и горой косметики. Никита с огромным интересом наблюдал за моими сборами. Наконец процесс был завершен.

— Вилка! Ты красавица! — восхитилась Томочка.

Я посмотрелась в зеркало. Да, вполне прилично выгляжу.

— Мобильный не забудь, — напомнила Кристя.

— Губную помаду прихвати, — подсказала Томочка.

— И пудру.

— Ключи положи.

— Носовой платок.

— Лучше бумажные салфетки.

Ресторан я нашла сразу, Олега увидела мгновенно и столь же быстро испытала горькое разочарование. Куприн сидел за столом с незнакомым мужчиной, довольно молодым, лет тридцати пяти, не больше. Значит, романтического свидания не будет. Старательно скрывая обиду, я подошла к столику и бодро воскликнула:

— Всем привет!

— Знакомься, — сказал муж, — Георгий Константинович Зотов, ответственный сотрудник, опытный сыщик, слава и гордость правоохранительных органов.

— Да ладно тебе, — отмахнулся тот, — можно просто Гоша, я, Виола, ваши книги читал. Допускаете, конечно, ошибочки, подчас даже идиотские! И нестыковки случаются! Но в целом ничего, прямо здорово!

— Спасибо, — кивнула я, не понимая, зачем Куприн привел сюда этого вполне приятного внешне Гошу.

— Вот мой подарок, — улыбнулся Куприн.

Я пошарила глазами по столу, ожидая увидеть

пакетик или коробочку в яркой упаковке, но ничего не нашла и спросила:

— Где подарочек-то?

— Рядом сидит. Зотов Гоша.

— Ты даришь мне парня? — оторопела я. — Ну ничего себе? Что с ним делать прикажешь? С ума сойти! Это как понимать? Он теперь со мной жить будет?

Куприн захихикал, Гоша, слегка покраснев, сказал:

— Нет, конечно. Просто я занимаюсь делом об убийстве Елизаветы Семеновны Марченко. Олег сказал, что вы пишете книгу...

Я схватила Куприна за руку:

— Это...

— Да, — кивнул муж, — мой подарок, сейчас Гоша, нарушив служебную инструкцию, расскажет совершенно постороннему человеку, то бишь тебе, о следственных мероприятиях. Сегодня же ночью ты сможешь сесть писать свой детектив, приблизишься на шаг к славе и Нобелевской премии.

Глава 32

Первая часть рассказа Гоши была посвящена истории рода Глебкиных. Но я хорошо ее знала, правда, как выяснилось, не все.

Когда Аня-Сара скончалась, Сирена осталась без родственников. Ей, проведшей детство в сиротском приюте, было очень тяжело осознавать, что рядом нет ни одной родной души. Аня-Сара, рассказав дочери о Глебкиных, не утаила ничего. Сирена знала о существовании тайника в склепе и о том, что Митрич тщательно бережет не только бумаги, но и богатство.

— Что же там было? — не выдержала я.

Гоша вытащил сигареты.

— Не против будете, если я закурю? Что было? Да золотые червонцы. Иван Сергеевич Глебкин особо не мудрствовал, превращал часть накопленных денег в желтый металл. Он, наверное, рассуждал просто: золото, оно в любой ситуации золото, а в России может случиться всякое. Монеты, небольшие по размеру, но достаточно тяжелые по весу, он упаковывал в круглые, пеналообразные тубы из специально обработанной кожи. В случае необходимости их можно было быстро побросать в сумку и уйти. Вес накопленного был немалый, но и не огромный. В крайнем случае «пеналы» могла унести и женщина. О том, что Иван Сергеевич прячет золотишко, где расположен тайник и каким образом он открывается, знали всего два человека: сам хозяин и его сын Андрей. Младший брат Ивана Сергеевича, безалаберный игрок Павел предполагал, что у старшего брата имеется захоронка, но, где она и что в ней, картежник понятия не имел.

После революции Павел примкнул к одной из банд, сжег поместье, убил Глебкиных, но так и не добрался до сокровищ. Их потом тщательно берег Митенька, человек в высшей степени благородный, отдавший свою жизнь служению любимой женщине и ее мужу.

После кончины матери Сирена приезжала в деревню всякий раз, когда нуждалась в средствах. Она открывала тайник, доставала очередную золотую монету и продавала ее. Деньги она расходовала, как и ее мать, аккуратно, хотя накопленного Иваном Сергеевичем с лихвой хватило бы и на пять жизней.

Оставшись одна, Сирена, как уже говорилось выше, затосковала, и в один день ей пришла в голову мысль: может, у нее есть родные? Не надо удивляться решению Сирены найти родных. Тысяча девятьсот семнадцатый год казался ей очень далеким. Павел, скорее всего, умер. Анна-Сара рассказывала дочери о предательстве брата своего свекра, но ведь это было невероятно давно, в иной жизни.

Короче говоря, Сирена совсем было решилась начать поиски, но тут ей на жизненном пути встретился любимый человек. Свадьба, рождение сына и развод последовали друг за другом быстро, и на долгие годы она забыла о поисках родственников. Потом сына Юру убили грабители, а спустя некоторое время Роза, выйдя снова замуж, предложила бывшей свекрови жить у себя.

Только не надо думать, что Сирена была глупой бабой, чьи жизненные интересы не выходили за рамки кухни. Нет. Она очень хорошо понимала, что ее невестка Роза хитрое существо, у которого в голове четко работает арифмометр, подсчитывающий денежки. Как бы скромна ни была Сирена, как бы ни старалась не выделяться из толпы, но близкому человеку, то есть Розе, сразу стало понятно: у свекрови водятся деньги, причем немалые, и хранит их она не дома. Роза очень хорошо просекла: если она сейчас станет жить с Семеном и забудет про Сирену, то прощай материальное благополучие. Вот почему хитрюга прикидывалась обожающей невесткой, вот по какой причине она стала звать Сирену мамой и ни разу не проговорилась Семену об истинном положении вещей.

Сирену же на жизнь с Розочкой сподвигли три простых довода. Во-первых, она обожала внучку Лизочку, во-вторых, боялась остаться одна, без близкой души, а в-третьих, и это, пожалуй, главное, хотела рассказать Лизочке правду о Глебкиных, показать место, где спрятаны сокровища. Сирена очень боялась умереть и унести с собой тайну в могилу. В советские времена признаваться в дворянском происхождении было опасно, еще страшнее было рассказывать о том, что твои родители жили под чужой фамилией и обманывали власти, поэтому Сирена так и осталась Кацман.

После смерти Юры у Сирены Львовны вновь возникла мысль отыскать родственников. Может, вам такое поведение покажется глупым, но она начала поиски. Пошла она по самому простому пути, явилась в Мосгорсправку, заплатила небольшую сумму и получила список москвичей с фамилией Глебкины. Почему-то ей думалось, что родственники живут в столице. Надо же было с чего-то начинать.

Вроде простая фамилия — Глебкины, но в огромном мегаполисе оказалось всего три таких семьи. Первая, к кому приехала Сирена Львовна, оказалась Лариса Дмитриевна. В процессе беседы стало понятно: они родственницы. Лариса Дмитриевна, никогда не менявшая фамилию, являлась единственной родной внучкой Павла Сергеевича, и на ней фамилия прерывалась, ее сын Виталик был уже Федоров. Лариса Дмитриевна, так же как Сирена Львовна, очень гордилась своей принадлежностью к древнему роду. Но, видно, не зря существует на свете наука генетика.

Сирена наследовала благородство Ивана Сергеевича, а Лариса — разбойный нрав Павла Сергеевича. Чем больше Сирена общалась с Ларисой, тем сильнее понимала: ее кровная родственница завистлива, жадна и очень эгоистична. Добрая и интеллигентная Сирена вначале хотела рассказать сестре Ларисе о Митриче и о том, что лежит в семейном склепе Глебкиных. Но в первые дни знакомства все же поостереглась открыть тайну. А потом Лариса сама заговорила о деньгах:

— Тебе мать ничего не рассказывала про сокровище?

— Какое? — насторожилась Сирена.

— А то, из-за которого наши дедушки враждовали друг с другом, — объяснила Лариса. — Неужели нет? Так слушай.

В изложении Ларисы сага звучала так. Иван и Павел получили от родителей наследство. Старший не отдал младшему его законную часть, спрятал невесть где и умер. Поэтому Павел остался нищим и тоже умер.

— Представляешь, — вздыхала Лариса, — нам бы найти это богатство! Вот бы зажили!

Внезапно Сирена поняла: Ларисе нельзя ничего рассказывать. Та мигом смотается к Митричу и, хотя не имеет на бедре тайной печати, небось сумеет подобраться к деньгам. А накопленное должно достаться Лизе. Если уж разбираться до самого конца, то Павел не имел никакого отношения к деньгам Ивана. Свою часть наследства он благополучно проиграл в карты, деньги, хранящиеся в склепе, не его. Но, будучи женщиной доброй, жалостливой, Сирена стала помогать Ларисе, понимая, что той одной без мужа тяжело поднимать Виталика.

— Спасибо, — всхлипывала Лариса, принимая из рук Сирены очередные купюры, — кабы не ты, сдохли бы мы с сыном от голода.

Вот так и текла жизнь. Сирена мудро распоряжалась своими средствами, не транжирила их, но и не жадничала. Пару раз выручала мужа Розы, Семена, когда у того случилась недостача, дала денег и самой Розе, помогла дочери-невестке открыть собственное дело, отстегивала дань Ларисе.

Шло время, подрастали дети, и наконец настал момент, когда Лиза, вопреки воле матери, вышла замуж за Петра Попова. Узнав, что обожаемая внучка беременна, бабушка заперлась с девушкой в спальне и открыла ей семейную тайну.

Лиза едва не лишилась чувств, узнав обо всем. Значит, она не Марченко, а Глебкина, Нина с Серегой родные ей только наполовину, а бабушка не мать мамы. Было от чего остолбенеть, но основные открытия ждали ее впереди. Сирена Львовна рассказала внучке все, не таясь. Лиза лишь хлопала глазами.

— Найди надежного человека, — велела бабушка, — мы должны поставить твоему ребенку родовой знак.

— Зачем? — испугалась Лиза.

— Чтобы знал, как тайник открывать, — пояснила бабуля.

— Лучше на бумажке написать, — сопротивлялась внучка.

— Она может потеряться, — возразила Сирена, — у моей матери печать в тюрьме отобрали. Хорошо, она рисунок помнила. А кабы нет? Татуировка — это надежно, и потом, такова воля предков! Наследник обязан иметь клеймо.

— Я тоже наследница, — тихо сказала Лиза, — однако отметины у меня нет. Почему мне ее не поставили?

Сирена Львовна кивнула.

— Понимаешь, тату стояло у твоего отца, после его трагической гибели я долго думала, но так и не отважилась пометить тебя.

— Ты не нашла тату-мастера? — предположила Лиза.

— Нет, — ответила Сирена, — это не проблема, я не знала, как объяснить Розе мое странное желание пометить внучку.

— Мама ничего не знает о монетах?!

— Нет.

— Но как же... ведь у папы, по твоим словам, был наколот рисунок.

— Да, Юра рассказал жене мою историю, ту, которую можно озвучить посторонним, собственно говоря, это правда про то, как мама родила меня в тюрьме. Просто Юра не сообщил жене всего, сказал, что из любви ко мне тоже решил себе сделать тату. Уж не знаю, что Роза подумала о нас, но она никогда не заводила разговоров на эту тему. Ты пойми, внученька, они прожили вместе очень мало. А твой папа не имел права без моего согласия посвящать молодую жену во все тайны. Монеты-то не только наши, они еще и твои и твоих детей, ясно? Поэтому ты осталась без татуировки, а вот твоя детка должна иметь знак.

— Значит, никто не знает про деньги?

— Нет, милая, они по закону твои, — ответила Сирена, — Нина и Сережа не Глебкины. Захочешь помочь своим единоутробным сестре и брату — пожалуйста, но тайны им никогда не открывай.

— Как же мы объясним маме мое желание сделать младенцу тату? — покачала головой Лиза.

— Сначала пусть он родится, — вздохнула Сирена, — будем разрешать трудности по мере их поступления.

Накануне свадьбы Лизы Роза, изо всех сил препятствовавшая ей, попросила у Сирены:

— Мамочка, дай мне денег.

Сирена предположила, что Роза решила смириться с замужеством дочери, и быстро сказала:

— Не волнуйся, моя радость, я все сама сделаю!

— Ты о чем? — удивилась Роза.

— О свадьбе.

— При чем тут это! — взвилась невестка-дочь. — У меня неприятности на работе.

— И сколько надо? — поинтересовалась Сирена Львовна.

Названная сумма ее ошеломила.

— С ума сойти! Зачем тебе столько? — воскликнула она. — Вроде бизнес великолепно идет!

Невестка забормотала какую-то чушь про налоговую инспекцию, «крышу», «накат-откат»... Но Сирена Львовна поняла, что Роза лжет, и сурово сказала:

— На деньги можешь рассчитывать лишь в том случае, если расскажешь правду!

Роза разрыдалась и вывалила неприглядную истину. Она завела роман с мужиком, сделала того своим заместителем, а он украл большие деньги и смылся. И теперь Розе грозит если не разорение, то очень большие трудности.

— Экая ты неразумная, — покачала головой Сирена, — дочь заневестилась, замуж собралась...

— Ну и что? — обозлилась Роза. — Мне теперь на себе крест поставить? Извини, пока я жива, мне мужчина нужен.

Сирена промолчала. Она сама, рано оставшись без мужа, и не помышляла о любовниках. Ей достался «нулевой» темперамент, интимная жизнь Сирене была не нужна. Честно говоря, она недоумевала, глядя на Ларису. Вот от той просто сыпались искры. А в последние годы поведение Глебкиной стало почти неприличным. Однажды Сирена, проходя мимо дома родственницы, зашла к ней без предварительного звонка и с ужасом поняла, что у Ларисы сидит любовник, молодой парень чуть старше Виталика. Сестра мгновенно выставила аманта вон, но Сирена, очевидно, не сумела справиться со своим лицом, потому что Лариса заявила:

— Нечего на меня так смотреть. Живая пока, и мне мужчина нужен.

— Да, — попыталась вразумить ее Сирена, — но не такой же юный.

Лариса прищурилась.

— Что мне с дедушкой делать? Знаешь, у молодых веселей получается. Вот стукнет мне восемьдесят, тогда и заведу пенсионера!

Сирена не нашлась, что сказать, и вот теперь те же слова произнесла Роза. Наверное, есть в жизни нечто, чего Сирена не испытала, но ведь это не значит, что другие такие же, как она.

— Ладно, — кивнула Сирена, — завтра получишь деньги.

Утром Роза, успокоенная и даже веселая, убежала на работу, а Сирена отправилась к Митричу. Сев в электричку она ощутила какой-то дискомфорт, странное чувство беспокойства и тревоги. Она осторожно огляделась и увидела неприметную бабенку, одетую в серую куртку, кроссовки и платок, закрывавший почти все лицо. Сирена мигом поняла причину своей тревоги. Эта тетка ехала с ней в одном вагоне метро, а теперь очутилась и в поезде. Может, простое совпадение, а может...

Решив подстраховаться, Сирена вышла на людной станции Буркино. Тетка, смешавшись с толпой, пошла за ней следом. Сирена Львовна влезла в автобус, серая куртка туда же. Решив сделать вид, что ничего не замечает, бабушка Лизы доехала до кладбища, совсем другого, не того, где был склеп Глебкиных, прошла по раскисшим от дождя глиняным дорожкам, добралась до какого-то надгробия и села около него на скамеечку. «Мартынова Вера Алексеевна» — гласила надпись на памятнике. Преследовательницу не было видно, но она явно находилась неподалеку, Сирена спиной чувствовала чужой взгляд.

Перекрестившись, пожилая дама отправилась обратно. Дома она отмыла туфли от налипшей глины и призадумалась. Тут с работы явилась Роза.

— Есть дома кто живой? — крикнула она.

Отчего-то Сирене не захотелось разговаривать с «дочкой», и она прикинулась спящей. Роза начала шуршать в прихожей пакетом. Свекровь чуть-чуть приоткрыла дверь своей спальни и выглянула в коридор. Роза вытаскивала из полиэтиленового мешка одежду. Сначала старую серую куртку, потом платок, следом появился мешочек с кроссовками, измазанными желтой глиной. Думая, что «мама» спокойно видит сны, «дочка» запихнула тряпки на антресоли, а обувь понесла мыть в ванную.

Сирена Львовна вышла лишь к ужину и как ни в чем не бывало сказала Розе:

— Извини, деньги будут, но попозже. Ты перезайми где-нибудь. Я звонила в сберкассу, мне сказали, что сумма огромная, ее за несколько недель заказывать надо. Не волнуйся, как получу со счета, сразу отдам тебе. Пойду, устала очень. Ездила на кладбище к своей подружке, Вере Мартыновой, у нее сегодня годовщина смерти.

— Конечно, ложись! — заботливо воскликнула Роза. — Давай, мамусенька, чаю тебе в постель принесу!

Сирена посмотрела в голубые, полные искренней любви глаза Розы и пробормотала:

— Нет, что-то меня тошнит.

— Это давление! — засуетилась та. — Врача надо вызвать!

— Не стоит.

— Разве можно так безалаберно относиться к собственному здоровью! Я сейчас же позвоню в «Скорую».

— Ей-богу, не надо обо мне волноваться, — проронила Сирена.

Глаза Розы стали еще больше, еще голубее.

— Мамочка! — с самой неподдельной заботой воскликнула она. — О ком же мне волноваться, как не о тебе? О моей любимой маме!

И тут Сирена поняла: очень хорошо, что она в свое время не поддалась соблазну и не рассказала «доченьке» о тайнике в склепе. Роза просто прекрасная актриса, всю жизнь водившая ее за нос.

Но Сирена ни намеком не дала понять Розе о своих мыслях. Однако за деньгами теперь ездила, предприняв исключительные меры осторожности. Когда бабушка отправлялась к Митричу, Лиза следила за матерью и звонила Сирене на мобильный. Впрочем, казалось, Роза оставила пока попытки выследить, где свекровь хранит деньги, или ее убедили слова о счете в сберкассе.

Родилась Машенька, и ей сделали тату. Роза не проявляла к внучке никакого интереса, зятя ненавидела, молодым не помогала. Деньги Лизе давала Сирена.

Потом бабушка заболела и оказалась в больнице, и тут Роза совершенно неожиданно воспылала любовью к Лизе. Она стала почти каждый день являться к дочери, тетешкаться с Машей... Лиза пребывала в глубоком недоумении и старалась не показать матери Машу голенькой.

Скоро, впрочем, причина горячей любви Розы стала ясна. Заявившись в очередной раз, мать спросила у Лизы:

— Ты одна?

— Пока да, — кивнула та, — Петя еще не пришел, они с Маринкой за детским питанием поехали.

— Смотри, — скривилась Роза, — наставит он тебе рога, прижмет подружку в уголке!

Лиза промолчала.

— Да и фиг бы с ним, — продолжала мать, — послушай, доченька, бабушка-то серьезно больна.

Лиза вздрогнула.

— Дай бог, все обойдется.

— А если нет? — прищурилась Роза.

— Что ты имеешь в виду? — похолодела Лиза, ей было страшно даже подумать о смерти Сирены.

— Понимаешь, — стала делиться своими соображениями Роза, — бабуля уже пожилая, сердце у нее больное, всякое может произойти... В общем, доченька, она тебя любит... Спроси у нее как-нибудь осторожненько...

— О чем? — прошептала Лиза.

— О деньгах, — сказала мать, — у бабули их много, где она их хранит, а?

Естественно, Лиза сообщила Сирене об этом разговоре. Роза же через день снова заявилась к дочери и спросила:

— Ну? Выяснила?

— Она не захотела говорить на эту тему, — опустила глаза Лиза.

Но Роза не поверила дочери.

— Ох, врешь! Небось хочешь все деньги себе заграбастать, — вырвалось у нее.

Лиза растерялась, а мать разозлилась и объявила старшей дочке войну. Теперь она начала изводить ее и Петю. Доставалось всем, даже крохотной Маше, которую Роза терпеть не могла. Кстати, она все-таки увидела на внутренней стороне бедра ребенка татуировку и спросила:

— Господи, это что?

— Бабушка захотела, чтобы Машенька имела такую, как у нее, — выкрутилась Лиза.

Роза не стала ни о чем спрашивать Сирену, однако по-прежнему не упускала случая ткнуть Лизу:

— У тебя новая кофточка? Ясно, что не муж-оборванец купил. Бабуля преподнесла! Этак она все деньги растранжирит. Неужели ей в голову не приходит, что в семье еще двое детей растут, мне их на ноги ставить! Ты, Лиза, непорядочно поступаешь.

Дочь молчала, она вообще была неконфликтна и очень интеллигентна. Но едва Роза уходила, на Лизу налетал Петя.

— Скажи своей матери, — орал он, — чтобы больше сюда не шлялась! И вообще выбирай: или я, или она!

Бедная Лиза оказалась меж двух огней. Роза упорно продолжала навещать дочь. Она полагала, что Сирена открыла любимой внучке местоположение тайника, и теперь мать давила на дочь изо всех сил, пытаясь вытрясти из нее информацию. Жизнь Лизы превратилась в ад. С одной стороны, вечно злая мама, с другой — муж. Выгнать Розу Лиза не могла, она, впрочем, пыталась избежать частых контактов с ней, но ничего не получалось. И еще, не желая нервировать Сирену, Лизочка не рассказывала той об активности Розы.

Это тянулось несколько месяцев, потом Лиза не выдержала и призналась бабуле в своих неприятностях. И тут Сирена перепугалась. Роза хочет заполучить богатство. Пожилая дама понимала, почему невестка без конца бегает к Лизе. Роза совсем не глупа и очень хитра, она хорошо понимает: каждый ее приход стимулирует скандал у молодых. Роза уверена — Лизе известно, где лежат деньги. Вот она и изводит дочь, надеясь, что та не выдержит и откроет бабушкину тайну.

Лиза любит Петю, а тот каждый день грозится уйти, если теща будет вторгаться в их жизнь.

Пока Лизавета молчит, но скоро настырная мать доведет дочь до нужной кондиции, та сорвется, и деньги Глебкиных уйдут в ее жадные руки. Сирена обеспокоилась настолько, что даже выздоровела. Приехав домой, она придумала план с побегом внучки. И приступила к его немедленному осуществлению. Поговорила с Ларисой и попросила ту приютить на пару дней Петю, Марину Райскую и Машу. Своей ближайшей родственнице Сирена сказала:

— Роза словно с цепи сорвалась, изводит Лизочку. Петя ей не по нраву, со свету бедного парня сжить готова.

— За то, — полюбопытствовала Лариса, — что он пьет?

— Вовсе нет, — замахала руками Сирена, — нормальный, очень хороший мальчик, но ты же знаешь, он бедный, из простых.

— Можно подумать, что твоя Роза, как и мы, благородных кровей, — усмехнулась Лариса.

В общем, она согласилась помочь, но Сирена ни словом не обмолвилась о деньгах, сообщила сестре лишь часть правды.

— Хочу отправить молодых в Питер, пусть живут сами по себе. Вот что мы придумали...

Лариса одобрила план, и они приступили к постановке спектакля. Всем занятым лицам была обещана хорошая награда. Ларисе Сирена пообещала дать денег на ремонт квартиры, Марине Райской тоже достался подарок. Сирена купила ей супердорогие часы и сказала:

— Сколько стоит вещичка, никто не знает. Все свои деньги с собой таскать нельзя, а домой вор залезть может. Часики же всегда с тобой и особого внимания они не привлекут, народ решит, что это подделка.

Марина должна была пожить пару дней с Петей и Машей у Ларисы. Потом к ним присоединилась бы «утонувшая» Лиза, и семья благополучно отъехала бы в Питер. Райской же следовало вернуться в свой институт. Если начнется следствие, Марина бы сказала, что в пух и прах поссорилась с Петром и он, забрав ребенка, бросил ее и скрылся неведомо куда.

Но Марину Райскую допрашивать в милиции не стали, потому что весь отлично придуманный Сиреной Львовной план развалился и действие стало разворачиваться по чужому сценарию.

Глава 33

Гоша замолчал и налил себе минеральной воды. Я удивленно спросила:

— По какому сценарию?

Зотов поставил на стол пустой фужер и повторил:

— По чужому. Причем «сценарист» задумал «пьесу» очень давно, более того, он обладал китайским терпением и готов был ждать годами, чтобы получить желаемое.

— Не мог бы ты изъясняться более понятно, — нервно воскликнула я, — без идиотских выкрутасов? «Сценарист», «пьеса»... Попроще, пожалуйста.

Гоша снова выпил воды и улыбнулся.

— Пожалуйста, я легко могу назвать вещи своими именами. Если человек обладает огромным богатством, это, как ни банально звучит данное заявление, редко приносит ему счастье.

— Позволь с тобой не согласиться, — покачала я головой, — тысячи и тысячи людей, получив хороший достаток, сразу избавились бы от кучи проблем. Ну, предположим, приобрели бы себе просторные квартиры, дачи и перестали ругаться друг с другом из-за тесноты, потом, боюсь, ты просто не в курсе, сколько семейных скандалов разгорается из-за вульгарного отсутствия денег.

Гоша улыбнулся.

— Нет, это ты не поняла мою мысль. То, о чем сейчас говоришь, не богатство. К сожалению, советские люди всегда, во всяком случае с девятьсот семнадцатого года, жили очень бедно, в основном в коммуналках, получали копейки, поэтому покупка нового пальто или ботинок была радостным событием. На самом деле приобретение нормальной квартиры, где у каждого члена семьи есть своя собственная комната, во всем цивилизованном мире считается обычным делом, я уже не говорю о шмотках и еде. Наверное, у нас скоро появится средний класс, на котором и держится экономика. Речь идет о настоящем богатстве, таком, какое имела Сирена. И часто человек, обладающий сверхдоходами или огромной мошной, бывает несчастен. Он постоянно думает, что его любят не искренне, а за деньги. Потом обязательно найдется парочка людишек, мечтающая отнять у богача кусочек пирога. Рассуждают воры просто: коли у богатого отобрать немножко, это не грабеж, а дележка. Причем такие мысли частенько появляются не у посторонних людей, а у близких родственников.

— Погоди, погоди, — забормотала я, — ты хочешь сказать, что Лариса...

— Точно, — кивнул Гоша, — Лариса Дмитриевна затеяла свою партию, карты были сданы, и игра шла по ее правилам.

Я вцепилась в стул. Однако я окончательно перестала что-либо понимать. Гоша ухмыльнулся:

— Видишь ли, дело в том, что Лариса Дмитриевна очень любила молоденьких мальчиков...

— Да, мне об этом рассказывала ее соседка Влада Ниловна. Якобы Лариса заводила шашни с одногодками Виталика.

— Правильно, — кивнул Гоша, — встречаются такие женщины, причем чем старше они становятся, тем моложе их сожители. Знаешь, где Лариса знакомилась с юношами?

— Это были друзья Виталика, — предположила я.

— Нет, — покачал головой Гоша, — сына Лариса Дмитриевна терпеть не могла. Она считала, что из-за его рождения потеряла всякую надежду на замужество. Известно, что Лариса не собиралась производить на свет ребенка, Виталик появился у нее тогда, когда многие женщины начинают обзаводиться внуками. Судьба сыграла с Ларисой жестокую шутку. Ее муж поставил вопрос ребром: или ты рожаешь, или мы расходимся. Делать нечего, пришлось Ларисе идти на поводу у супруга, только муж умер, и она осталась одна с нежеланным, нелюбимым, совершенно ненужным ребенком. А ни в чем не повинному мальчику она мстила по полной программе. Запуганный Виталик не приводил в дом приятелей.

Лариса ходила в ночные клубы, посещала дискотеки и там отлавливала любовников. Если честно, она их просто покупала. Находились среди молодых парней, в основном бедных, провинциальных студентов, такие, которые не считали зазорным ублажать в кровати годящуюся им в матери тетку за хорошую еду и мелкие подарки. И одним из них оказался Петр Попов.

— Кто? — подскочила я.

— Петр Попов.

— Муж Лизы?

— Ну он на ней женился по указанию Ларисы Дмитриевны.

— Извини, никак не соображу, — протянула я.

— Да все очень просто, — вздохнул Гоша, — Лариса Дмитриевна всегда хорошо понимала: у Сирены Львовны есть деньги. Через некоторое время стало ясно и другое: средства не маленькие, очевидно, это часть богатства Глебкиных. Только как подобраться к золотому ручью, Лариса не знала. Не имея возможности найти место, где Сирена прячет денежки, Лариса старательно «разводила» добрую родственницу. То пожалуется ей на необходимость пройти дорогое обследование, то поплачется на отсутствие средств на ремонт... Сирена всегда помогала Ларисе. Так они и жили довольно долгое время. А потом Сирена Львовна пожаловалась ей, считая Ларису лучшей подружкой:

— Лизочка моя красавица, а сидит целыми днями дома.

— Что же кавалера не заведет? — удивилась Лариса.

— Тихая очень, — пояснила Сирена, — и ведь все при ней: внешность, богатство, а рядом никого, боюсь, в старых девах из-за своего характера останется. Несовременная она, сейчас девушки наглые, напористые, а моя принца ждет.

В голове Ларисы мигом сложился план. Принца ждет? Замечательно, будет ей корабль с алыми парусами. Петя Попов сразу согласился поучаствовать в представлении. Лариса хорошо знала, кому она предлагает главную роль. Ее очередной любовник, нищий студент, мечтал выбиться в люди, и ему было абсолютно все равно, каким способом он получит вожделенное благосостояние. Петечка хотел всего и сразу. И еще, обладая приятной внешностью, он был абсолютно не способен любить. В деревне у него подрастал глухонемой сын, тоже Петя, но добрый папенька никогда не приезжал навестить мальчика, более того, он тщательно скрывал от всех его существование. Деньги своей тетке, опекавшей ребенка, Петр присылал лишь с одной целью: чтобы она не заявилась в Москву вместе с уродом и не устроила бы скандал.

Лариса Дмитриевна четко объяснила любовнику:

— У Сирены денег прорва, она обожает Лизу, и скорей всего тихоня знает, где спрятаны тугрики. Твоя задача влюбить в себя девку и понравиться Сирене. Через некоторое время жена выболтает мужу тайну.

— Ты в этом уверена? — сморщился Петр. — А то я потрачу кучу времени, свожу в загс мымру и в результате получу фигу.

Лариса ухмыльнулась:

— Бабы дуры, все в постели выбалтывают. Главное, терпение, и мы узнаем тайну. Потом добудем клад и поделим его по-честному, тебе четверть.

— Вот это по-честному, — взвизгнул Петя, — с какой стати тебе так много?

— А чья идея, — обозлилась Лариса, — чье руководство? Имей в виду, Лиза особенная девушка, с ней, как с остальными, нельзя... Только я сумею растолковать тебе, как охмурить козу.

— А ты без меня ничего не узнаешь, — уперся Петя.

Некоторое время любовники делили шкуру неубитого медведя, но потом договорились: богатство — пополам.

Спустя некоторое время после рождения Маши Петя сообщил Ларисе:

— Дело на мази. Прикинь, девчонке сделали на ноге тату, это ключ. Только где замок?

— Отлично, — обрадовалась Лариса, — главное, терпение, скоро мы станем богаты.

Очевидно, Петя хорошо изображал любовь, потому что в тот день, когда он и Марина Райская отбывали на пару суток к Ларисе, Лиза нарушила строжайший запрет бабушки и рассказала им про тайник.

— Ключом к нему служит татуировка на ноге у Маши, — пояснила она, — девочку надо показать Митричу, и он объяснит, каким образом действует механизм.

Марина Райская хмыкнула:

— Вот глупость! Похоже, у Сирены Львовны крыша поехала!

Но Петя, знавший от Ларисы подробности семейной истории Глебкиных, отнесся к сообщению серьезно и насторожился: Марина-то тоже слышала о тайне. Райская же продолжала смеяться:

— Показать Митричу! Ха-ха-ха! Ему же, судя по твоему рассказу, сто лет! А если он умрет? Или станет жить вечно? Ну, умора! Чистый граф Монте-Кристо.

— Нет, — возразила Лиза, — Митрич сторожит клад, пока жив. Если с ним что случится, мы с Петей все сами достанем. Маша—ключ. Если вы мне не верите, то и говорить не о чем.

— Я тебе верю, милая, — живо отозвался муж.

Но Лиза замкнулась в себе. Перед самым уходом Пети и Марины она сказала мужу правду, отозвала в сторону и прошептала:

— Тайник в могиле, с обратной стороны памятника есть изображение печати, буквы двигаются, посмотришь на Машино тату и наберешь их с ошибкой, потом надо нажать в центре, и откроется тайник. Но мы не имеем права им пользоваться, пока жива бабуля. Я надеюсь, что она еще много-много лет останется с нами, после ее кончины я — единственная наследница.

Бедная Лизочка понятия не имела о том, что подписала себе смертный приговор.

Далее события начинали развиваться стремительно. Петя, Марина и Маша поселились у Ларисы. У Петра с собой была очень крупная сумма денег, которую дала ему Сирена, чтобы Лиза и он могли спокойно добраться до Питера и там обосноваться.

Ночью Райская пошла в туалет, устроилась на унитазе и услышала за стенкой, в кухне, разговор Пети и Ларисы.

Думая, что Райская спит, парочка, не стесняясь, обсуждала свои дела. Марина вцепилась в край унитаза и с ужасом впитывала информацию. Вот оно что! Лариса и Петя давние знакомые, более того, они любовники. Лиза мужу совершенно не нужна! И дальше дело будет развиваться совсем не так, как предполагала Марина. Петя убьет жену, выбросит ее из окна, а на видное место положит предсмертную записку, ту, которую Лиза заранее написала собственноручно. Она лежит в столе. Никакого расследования не будет, все более чем ясно: Лизу оставил любимый муж, он же прихватил с собой и ребенка, вот обманутая жена не выдержала и выбросилась с балкона. Хоть какие проверки устраивай, все экспертизы подтвердят: записка составлена Лизой собственноручно!

Петя с Машей уедут от Ларисы, а потом тайник вскроют.

Еле живая от ужаса, Райская попыталась встать, но ноги не держали ее. А Петя продолжал спокойно обсуждать с Ларисой свои проблемы. Куда деть Машу после того, как они возьмут сокровища? Что делать с Мариной? Ведь дура Лиза при подруге выболтала семейную тайну. Райская теперь знает все, и ее следует...

Не дослушав, Маринка вскочила, осторожно вышла из туалета и, не чуя под собой ног, пошла в спальню. В голове билась лишь одна мысль: бежать, прямо сейчас!

Но испуг — плохой помощник в делах. Не сориентировавшись в темноте, Марина задела ногой стоящую в коридоре табуретку и упала. На шум из кухни выскочил Петя.

— Что случилось?

— Да вот, — лепечет еле живая от страха Райская, — я захотела в туалет...

— Свет надо было в коридоре зажечь, — смеется Петя, — сильно ушиблась?

— Экая ты неловкая, — укоряет девушку появившаяся Лариса, — на, выпей, успокоишься и заснешь.

Марина машинально берет поданный стакан, выпивает остро пахнущую жидкость. Лариса заботливо отводит гостью в спальню, Райская валится на кровать и мгновенно засыпает.

То ли на Марину подействовал столь сильным образом имеющий некоторый снотворный эффект валокордин, то ли стресс лишил ее сил, но она проспала весь следующий день и очнулась лишь поздним вечером. С гудящей головой вышла на кухню и увидела Ларису.

— Выспалась? — спросила та. — Может, ты заболела?

— Похоже, — кивнула Марина, — где Петя?

— Скоро придет, — ответила Лариса и пошла в прихожую.

— Вы куда? — поинтересовалась Райская.

— Сахар кончился, — сказала хозяйка, — сейчас вернусь.

Не успела за ней захлопнуться входная дверь, как Марина быстрее молнии метнулась в комнату. Она очень хорошо понимала: или сейчас, или никогда. Лариса допустила ошибку, оставив ее одну. Впрочем, скорей всего Петя и его любовница считали, что Марина ничего не знает. Попов отправился убивать Лизу, следующей кандидаткой на тот свет была Райская. Не оставят в живых и Машу, разберутся с татуировкой, на худой конец точно скопируют ее и избавятся от крошки. Это только Сирена Львовна и Митрич наивно полагали, что до тайника может добраться только носитель родовой печати. Наверное, так оно и было в начале двадцатого века, но сегодня Машу попросту уничтожат, Митрича пристрелят, а тайник взломают, зная изображение тату. Никакой старик не остановит молодого, сильного парня, у которого вместо души пачка банкнот. Петя и Лариса Дмитриевна, начав убивать, не остановятся, пока не заграбастают все.

Марина схватила Машу, документы, все имеющиеся в наличии деньги и рванула на вокзал. Билет она купила на первый попавшийся поезд. Перед его отправкой заскочила в телефонную будку и позвонила Лене, подруге Лизы, которой предстояло найти на берегу вещи «утонувшей».

Райская хотела предупредить ее, рассказать правду о Пете, но не сумела. Маша плакала и не давала говорить, да еще объявили посадку. В конце концов Марина бросила трубку и понеслась в вагон.

Она благополучно уехала, осела под именем Елизаветы Семеновны Марченко сначала в одном городе, потом в другом, затем в третьем. Деньги у нее были, Марина увезла все средства, которые Сирена Львовна дала Лизе и Пете, а часы она оставила на черный день.

Гоша остановился и заботливо поинтересовался:

— Понятно объясняю?

— Не слишком, — влез Олег.

— Что тебе не ясно? — удивился Гоша.

— Кто рассказал про разговор Пети и Ларисы на кухне, про побег Марины?

— Она сама.

— Как? — завопила я, вскакивая. — Райскую убили в поезде! Застрелили!

Кое-кто из посетителей ресторана обернулся и уставился на меня с огромным интересом.

— Сядь, — тихо велел Гоша, — Марина жива.

— Но мне сказали...

— Кто?

— Проводники в вагоне, они отвели меня в служебное купе, сообщив: «Ваша соседка умерла».

Гоша кивнул.

— Да. В Марину стреляли из пистолета с глушителем, убийца вошел ночью в купе, быстро сделал свое дело и ушел. Ты даже не проснулась.

— Он мог меня убить! — запоздало испугалась я.

— Нет, — отрезал Гоша, — человек, убравший Марину, не маньяк, а хладнокровный киллер, такому лишние жертвы не нужны. Вот если бы ты проснулась, завизжала, тогда да. А так... он застрелил и исчез, крепко спящую девочку он унес с собой. Только он не профессионал. Уж поверь мне, выстрелить в мирно спящего человека совсем не просто. Вот у мерзавца и дрогнула рука. Хотел выстрелить в висок, а навел дуло чуть ниже, попал в скулу. Пуля прошла сквозь кость и вышла через нос. Естественно, Райская, не проснувшись, лишилась сознания. Убийца посчитал дело сделанным и натянул на нее одеяло. Когда ты пошла в туалет, проводница сдернула плед, увидела море крови, заорала... Но вызванные специалисты сразу поняли: девушка жива, она просто ранена.

— Но ведь мне... — начала было я и вздохнула.

— Что тебе? — насторожился Гоша.

Я удрученно молчала: ну с какой стати я решила, что Марина мертва? Ведь допрашивающий меня потом милиционер ни словом не обмолвился о ее состоянии, он сказал: «В нее стреляли», а я уж сама додумала все остальное и начала действовать!

Куприн ухмыльнулся, но ничего не произнес.

— А кто хотел убить Марину, — поинтересовалась я, — и где, в конце концов, Маша?

— Убийца увез девочку с собой, — пояснил Гоша, — ему надо было скопировать тату.

— Но кто он?

«Подарок» потер руки.

— Придется вернуться назад, в тот день, когда Марина убежала из квартиры Ларисы.

Глава 34

Здесь уместно напомнить, что Райская согласилась участвовать в постановке, задуманной Сиреной Львовной, лишь из нескольких соображений. Во-первых, она искренне любила Лизу и хотела ей помочь, во-вторых, думала вылезти из общежития, купить на заработанные деньги квартиру. И Сирена Львовна, человек щедрый, много заплатила подруге внучки. В-третьих, Марина считала, что ничего противозаконного она не совершает, просто помогает молодой семье скрыться от третирующей их матери и тещи.

Но когда Райская поняла, что основных участников «спектакля» убьют, она стала действовать. Унося ноги из квартиры Ларисы, Марина очень хорошо понимала: хозяйка всего лишь ушла в магазин, она вот-вот вернется. Увидит, что ее и Маши нет, поднимет тревогу, помчится с Петей по следу беглянок и, вполне вероятно, поймает их. Значит, нужно оттянуть момент начала поисков.

Марина соорудила из шмоток два чучела: большое и маленькое, прикрыла их одеялами, выключила свет. У Ларисы, заглянувшей в комнату, должно было создаться впечатление, что и девушка, и ребенок крепко спят. А еще Марина оставила на кухне записку. «Петя, мы с Машей простудились, у нее и у меня температура. Не буди нас до утра, мы выпили лекарство».

Самое интересное, что расчет Марины оправдался. Когда Петя вернулся домой, Лариса сказала ему:

— Эти спят, вроде заболели.

— Ну и хорошо, — кивнул только что убивший свою жену парень, — с Маринкой позднее разберемся, теперь приступаем к следующему этапу.

— Знаете, что задумала парочка?

— Нет, — прошептала я, — но думаю, жуткую гадость!

— Правильно, — кивнул Гоша, — они решили убить Петю.

— Кого? — вытаращила я глаза. — Зачем?

Гоша почесал нос.

— Хотели спрятать все концы в воду. Петя якобы убегает от жены вместе с любовницей и дочерью. Лиза, любящая родного мужа, не выносит предательства и убивает себя. Логично?

— Пока да, — осторожно ответила я.

— Едем дальше, — кивнул Гоша, — Петю, Марину и Машу приютила Лариса, она, если начнутся выяснения, скажет, что Петр ее очень дальний родственник и она не смогла отказать парню, когда тот попросил пригреть их. Никаких деталей Лариса якобы не знала. Потом Петю убивают в подъезде грабители. Лариса хорошо помнила, что на сына Сирены, Юру, напали при входе в дом бандиты, отняли кошелек, часы... Знала она и о том, что следствие тогда велось кое-как, милиция особо не напрягалась, банальный случай. Дело очень скоро повисло, да так ничем и не закончилось, и это в те годы, когда каждое убийство находилось на особом контроле у начальства. Что же будет сейчас, когда людей убирают пачками? Да милиция и заниматься ничем не станет, проделают формальности ради какие-то телодвижения, и на этом все. И что дальше? Петя мертв, а Марина, его любовница, решает свести счеты с жизнью, выпрыгивает из окна. Впрочем, нет, дважды повторять один ход мерзавцы бы не стали. Вероятней всего, Марина могла сигануть под поезд метро. В час пик на платформах клубится народ, столкнуть девушку на рельсы ничего не стоит. И снова все логично и четко. Маша временно остается у Ларисы. Та тщательно срисовывает на всякий случай клеймо, а затем едет к Митричу, показывает ему «ключ» и говорит:

— Сирена попала в больницу, Лиза около нее, отойти не может, срочно требуются деньги на операцию!

Естественно, старик ведет Ларису к тайнику. Наивный Митрич не заподозрит плохого.

Машу же потом можно спокойно вернуть Сирене со словами:

— Возьми правнучку. Видишь, какой ужас из твоей затеи вышел.

Сирена, в очередной раз приехав за деньгами, естественно, поймет, что тайник разграблен. Только это случится не скоро. И потом, даже узнав о том, что ее обворовали, Сирена не пойдет в милицию, она никогда не посмеет никому рассказать про тайник Глебкиных. А Лариса уедет на другую квартиру и заживет счастливо, с Петей!

— Он же будет убит! — вырвалось у меня.

Гоша цокнул языком:

— Ты так и не поняла сути аферы! Парочка задумала вместо Петра убить другого человека, примерно одного возраста с ним, похожей внешности и телосложения. Что и было проделано. Петр спрятался в небольшом пространстве на первом этаже, между лифтом и лестницей. Когда намеченная жертва спустилась вниз из квартиры, он ударил ее по голове железной трубой, специально бил по лицу, чтобы изуродовать.

— Стой, стой, — залепетала я, — жертва не входила в подъезд, а выходила из него?

— Да, — кивнул Гоша, — только в районном отделении посчитали наоборот и особо нервничать не стали. Парень упал на пол, Петя спокойно ушел, трубу он унес с собой. На несчастном была ветровка Петра, в карман избитому Попов сунул свой паспорт и телефонную книжку, надел на шею свой крест, на руку часы. Никаких проблем с опознанием не было.

У меня закружилась голова.

— Каким образом на несчастном оказалась куртка Петра?

— Ты не поняла, кого убил Петя?

— Ну... нет!

— Виталика, сына Ларисы!

— Ой! Не может быть!

— Почему? Парень накануне приехал с практики и тихо сидел дома. Виталик был человеком незаметным, большинство соседей, включая Ольгу Савостьянову, которая обнаружила тело, не знали его толком в лицо, тем более что оно было разбито. Кстати, когда прибыла «Скорая», он был жив, умер на операционном столе, его похоронили за госсчет как Петра Попова, а настоящий Петя, хладнокровный убийца, взяв документы Виталия, ушел.

— Невероятно! Лариса убила своего сына!

— Нет, его убил Петр. Он подарил Виталику свою ветровку заранее. Виталик, не избалованный матерью, очень обрадовался. Петя ушел, притаился внизу с железной трубой. Лариса же через некоторое время сказала сыну:

— Виталий, сходи в аптеку.

Ничего не подозревавший юноша натянул подаренную куртку и отправился навстречу гибели.

Утром, около семи, Лариса вошла в спальню к Марине и Маше. Она собиралась разбудить девушку и заявить:

— Езжай скорей на станцию «Белорусская», там Петя ждет.

От Райской следовало быстро избавиться, пока не пришли дознаватели из милиции и не устроили девушке допрос. Если бы менты, расследующие дело об ограблении и убийстве Петра Попова, пришли к Ларисе Дмитриевне, она должна была иметь возможность сказать:

— Господи! Вот беда-то! Маринка как узнала, что Петя умер, так и убежала, мне за нее страшно.

Представьте теперь ее изумление, когда она нашла в кровати лишь скомканные одеяла? Весь хитрый план рухнул в тартарары. Райская уехала невесть куда, вместе с «ключом», то есть с Машей. Лариса Дмитриевна чуть не угодила в больницу от злости. Но в одном ей повезло. Менты заглянули к Ларисе, и она сухо ответила:

— Не знаю никакого Попова. Да, у меня гостили родственники, но они вчера рано утром уехали домой.

И дело закрыли, милиция посчитала, что Попова просто втолкнули в первый попавшийся подъезд наркоманы, которые ради дозы готовы на все.

Впрочем, займись произошедшим профессионал, он бы мгновенно нашел зияющие прорехи в плане и в первую очередь обратил бы внимание на временную нестыковку. Лиза выбрасывается с балкона вечером. «Петю» же, получается, убили уже после того, как жена прыгнула вниз, впрочем, он тоже погиб не сразу, его жизнь оборвалась на операционном столе. На первый взгляд все нормально. Жена не вынесла предательства мужа и шагнула с балкона, а неверного супруга покарало провидение. Но... милиционер Сарпенко звонит Лизе домой рано утром и сообщает:

— Ваш супруг скончался.

— Хорошо, — лепечет та, — я приеду в клинику.

Потом Сарпенко узнает, что Лизы нет в живых. Вопрос: с кем он говорил утром по телефону? Лиза в тот момент умирала в клинике. Сарпенко делает огромную ошибку, не замечает нестыковки во времени и ругает себя за то, что слишком грубо сообщил жене о кончине мужа. Так кто же беседовал с милиционером, а?

— Не знаю, — прошептала я, — просто понятия не имею.

— Недобросовестными сотрудниками была допущена еще одна ошибка, — злился Гоша, — все забыли про девочку Машу. Где она и Марина Райская, с которой убежал от жены Петя? Озаботься следствие этим вопросом, вспомни следователь о том, что все документы Марченко пропали, найти Марину было бы можно. Ежу понятно, что она будет жить по паспорту Лизы, выдавая Машу за свою дочь! Кстати, Марина и Лиза были похожи. Но у следователя словно черные очки на глазах. Он хочет лишь одного, побыстрей спихнуть «висяк» в архив. Весь ход дальнейших событий только способствует этому. Сирена Львовна, узнав о том, что внучка погибла, умирает от сердечного приступа. Роза не ищет девочку, она ей не нужна, у Петра нет никаких родственников, Лариса сидит тихо-тихо. Только Петя, живущий по документам Виталика, пытается найти беглянок. Все годы он разыскивает Марину с Машей и, о радость, в конце концов обнаруживает их в маленьком городке, практически на границе с Белоруссией. Петя тщательно продумывает план. Марина ему не нужна, ее следует убить, а Машу забрать. Но сделать это в небольшом городе, где каждый посторонний человек на виду, опасно. Да еще у Марины теперь есть любовник, парень по имени Роман.

— Это к нему просилась Маша! — воскликнула я.

— Да, — кивнул Гоша, — Марина-то живет по документам Лизы. Она наконец-то устроила свою жизнь. Работает в преуспевающей фирме главбухом. Маша зовет ее мамой. А Роман искренне полюбил и девочку, и ее мать. Он хочет жениться на Марине. Маша тоже любит Романа и поэтому устраивает в купе скандал, требует, чтобы тот рассказывал ей сказку на ночь. Марина же, нервничающая оттого, что приходится ехать в Москву, дает малышке полтаблетки пипольфена, снотворное просто валит Машу с ног, и она засыпает крепким сном.

— А Роман ехал с ними? — недоумевала я.

— Нет, он остался дома.

— Но Райская сказала Машеньке: «Подожди, сейчас Рома придет, он в соседнем купе...»

— Да она просто так болтала, чтобы ребенка успокоить, — перебил меня Гоша.

— Зачем Марина поехала в столицу?

Гоша кивнул:

— Хороший вопрос. Марина получила письмо, заказное, через систему «Ворд экспресс». Знаешь, есть такая служба, которая обязуется за сутки доставить корреспонденцию в любую точку земного шара.

— Слышала.

— Так вот. В пакете были два билета на поезд Прага—Москва, который на короткое время останавливается в городке, где живут Марина с Машей. Кстати, один из проездных документов детский, дающий право провезти ребенка на своей полке, без отдельного места. Но Марина не разбирается в ситуации, считает, что все купе ее, и устраивает скандал в Вязьме, когда видит тебя. Впрочем, Петя, когда покупал билеты, тоже не просек, что такое «детское место». Он просил в кассе купе СВ для женщины с ребенком и пребывал в уверенности, что приобрел обе полки. Появление Вилки для него неприятный сюрприз.

Кроме билетов, было еще и письмо, подписанное якобы Розой. В нем сообщается, что бабушка несколько лет искала любимую внучку. Теперь, найдя ее, попала в клинику. Дни Розы сочтены, и единственное ее желание: увидеть Машеньку, обнять внучку перед смертью. Роза якобы никому не сообщила, что нашла Машу, более того, она считает, что девочка должна остаться с той, кого считает своей матерью. Билеты, оплаченные в оба конца, прилагаются.

И Марина решает ехать. После смерти Лизы прошло несколько лет, Райская наивно полагает, что о ней и Маше все давно забыли. Отказать умирающей Розе Михайловне она не в состоянии, поэтому и решается на поездку. Откуда ей знать почерк матери Лизы? Марине и в голову не приходит, что послание отправил Петр.

В Вязьме в вагон садятся новые пассажиры, среди них Петя. И тут убийце начинает просто фантастически везти.

Дело в том, что Марина, возбужденная скандалом с нежданной соседкой, забыла запереть купе.

Петр спокойно выжидает. Он полностью экипирован для дела. Имеет специально купленный пистолет с глушителем, ключ, которым проводники открывают двери, и несколько хитро изогнутых железок, при помощи которых воры, промышляющие в поездах, ловко справляются со всеми щеколдами.

Но отмычка не понадобилась, дверь открыта. Пассажиры и проводники спят без задних ног. Петя стреляет в Марину, вытаскивает девочку и уносит ту в свой вагон, расположенный в хвосте поезда. Маша, одурманенная пипольфеном, крепко спит. Пете даже не понадобилось вводить ребенку приготовленное снотворное, девочка не проснулась даже тогда, когда состав прибыл в Москву.

Попов сходит с поезда и теряется в толпе, Машу он уносит с собой.

— И где она? — воскликнула я.

Гоша вздохнул.

— В детском приемнике. Петр внимательно изучил татуировку, скрупулезно перенес рисунок на бумагу, а потом оставил девочку в одном из центральных универмагов. Купил ей мороженое и велел:

— Сиди тихо! Сейчас мама придет.

Девочка съела «Лакомку», потом заскучала, начала плакать, ее отвели в милицию. Перепуганный ребенок забыл свою фамилию, твердил, словно заведенный:

— Я Маша, ехала с мамой, потом осталась с дядей. Где мама?

Девочка не походила на ребенка, от которого решила избавиться непутевая родительница. Машу сочли потерявшейся, определили в детский приемник и стали ждать, когда за ней явится обезумевшая мать.

— Вы поймали Петю? — с надеждой воскликнула я.

— Нет, — мрачно ответил Гоша, — мерзавец успел съездить на кладбище, вытащить червонцы и смыться. Видишь, как получается. Петя хотел получить главбуха и полцарства в придачу.

— Что ты имеешь в виду? — не поняла я.

Куприн хмыкнул:

— Гоша, ты романтик! Не пробовал, как моя жена, книги писать? Главбух и полцарства в придачу!

Звучит как песня! Объясняю для непонятливых: гражданин Попов задумал лишить жизни гражданку Райскую, которая, если ты помнишь, работает главбухом, и украсть девочку Машу, чтобы, в конце концов, получить золотые червонцы, то есть, в понимании Попова, почти полцарства...

— Куда подевался Попов, неизвестно. Думаю, у него был заготовлен паспорт на другое имя, живет себе где-нибудь и ничего не боится. Он обставил всех, заграбастал деньги. Роза и Лариса остались ни с чем.

— Роза тоже искала тайник?

Гоша скривился:

— Помнишь, я задал тебе вопрос: кому же идиот Сарпенко, не разобравшись в деле, сообщил о смерти Попова? Кто назвался Лизой?

— Кто? — эхом повторила я.

— Роза Михайловна, — мрачно ответил Гоша, — в тот день она провожала свою подругу с дочерью в Турцию, не успела войти домой, как позвонили из милиции.

Мать ринулась на квартиру к дочери, там ее ждали дознаватели. Роза открыла замок, на столе сразу нашли предсмертное письмо. Ситуация казалась прозрачной, сотрудники поверхностно осмотрели место происшествия и ушли, оставив мать наедине с горем. Но Роза не стала рыдать, она принялась тщательно обыскивать квартиру, предполагая, что Сирена спрятала деньги у любимой внучки. Только ничего, кроме драгоценностей Лизы, не нашла. Рано утром позвонил Сарпенко, и тут Роза, проведшая бессонную ночь, просто испугалась.

— Милиция, — гаркнул идиот, — Петр Попов, ваш муж...

Из всего услышанного Роза усвоила лишь одно:

Петр погиб, а сюда сейчас вновь явится милиция. Последнее было чистой воды домыслом, Сарпенко не говорил ничего подобного. Но у Розы осталась еще не осмотренной целая комната, и, чтобы мент не заявился на квартиру в самый неподходящий момент, она пролепетала:

— Да, я Лиза, приеду к вам через пару часов.

Сарпенко, меньше всего желавший возиться с этим делом, решил ковать железо, пока горячо, и в нарушение всех правил стал спрашивать у «жены»:

— У него были с собой деньги?

Розе пришлось дальше исполнять роль:

— Да, в кошельке.

— Еще чего ценное имел?

— Э... э... часы и цепочку с крестиком, — сообщает Роза.

Она понятия не имеет, были ли у Пети при себе эти вещи, но часы, портмоне и цепочка может быть у каждого.

На основании вышеуслышанного Сарпенко преспокойно оформляет бумаги. Он доволен: личность погибшего установлена правильно. И то, что тело ограбили наркоманы.

— И у вас много таких сотрудников, мягко говоря, кретинов? — разозлилась я.

Олег и Гоша переглянулись.

— А Роза-то! Роза! — негодовала я. — Что с человеком способна сделать жадность.

— Да, — кивает Гоша, — мадам никогда не теряется, мигом прибрала к рукам часы Марины Райской.

— Ой! Я совсем про них забыла! Они остались тогда на столе в квартире Розы.

— Правильно, — кивнул Гоша, — она их присвоила себе без всяких угрызений совести, живо сообразила, сколько стоит безделушка! Но давай вернемся в тот день, когда мать, узнав о кончине дочери, методично обыскала квартиру последней.

Не найдя денег, Роза уходит. Она не теряет надежды вытрясти информацию из Сирены, но та, узнав о смерти внучки, умирает, не сказав Розе ни слова.

— Зачем же Роза наняла меня для поисков Маши? — удивилась я.

— А она давно и безуспешно искала девочку, — фыркнул Гоша, — понимаешь, после гибели Лизы Роза долго не ходила на квартиру, где ее дочь жила последнее время. Но потом, вступив в права наследования, она отправилась туда, чтобы привести апартаменты в порядок. Поскольку Роза знала, что денег там нет, она очень вяло разбирала вещи и в конце концов наткнулась на дневник Сирены. Бабушка, очевидно опасаясь, что любопытная Розочка прочтет ее записи, отдала заветную тетрадочку внучке, в чьей порядочности была совершенно уверена. Кстати, Роза Михайловна отдала нам дневник, и мы из него многое узнали об истории ее семьи.

Так вот, Сирена Львовна поведала своему задушевному другу, дневнику, все. Написала про Митрича, тайник и тату на ножке Маши. Но... она не назвала адреса кладбища, где находился склеп, и не объяснила, каким образом открыть замок. У Розы же создалось впечатление, что на ноге у Маши есть название местности, какой-то план. Сирена не описывала клейма, она осторожно отметила: «Именно тайный, а не всем известный, родовой знак открывает дорогу к тому, что сохранили мы, Глебкины».

Я схватила фужер с водой, одним залпом осушила его и пробормотала:

— Они с Митричем были конспираторы. Старик

показал Антону Крокову альбомы с фотографиями, документы, но так и не раскрыл до конца секрет, не объяснил, как открывается тайник и ни слова не проронил о червонцах.

— Да, — кивнул Гоша, — Митрич был удивительный человек. Он ведь, только предчувствуя свою смерть, слегка приподнял завесу тайны. Ему надо было, чтобы Антон поверил: речь идет о серьезных вещах, и поехал домой к Сирене. А на взгляд Митрича, сохранность старинных документов самая важная штука! Но о золоте он не имел права даже намекнуть и тайну печати не выдал. Знаете, что мне кажется? Митрич и протянул на этом свете более ста лет, и сохранил ясность мышления лишь по одной причине: он обязан был хранить тайну склепа, быть драконом, стерегущим клад, а драконы живут долгие, долгие годы.

Узнав, что Маша «ключ», Роза схватилась за голову и попыталась найти внучку, — продолжил Гоша, — только безуспешно. Слишком много времени прошло со дня исчезновения малышки. Официальные органы, понимая безуспешность мероприятия, как могли, отбрыкивались от дела. Частные структуры отвечали честно: не возьмемся, и вообще, девочки скорей всего нет в живых. Поэтому, когда Вилка заявилась к Розе Михайловне, да еще сдуру представилась детективом, та пообещала ей квартиру за находку Маши. Получалось, что Вилка была единственной, кто видел девочку четырехлетней. Сама Роза Михайловна ни за что бы не узнала внучку, дети, вырастая, сильно меняются. Но весть о том, что Маша в Москве, да еще, очевидно, вместе с Райской, настолько взбудоражила тетку, что она сразу наняла Вилку. Правда, аванса ей не заплатила, денег на расходы не дала, ограничилась лишь устным обещанием озолотить потом. Думаю, соврала.

— Она и без того наговорила кучу вранья, — обозлилась я, — я еле-еле разобралась! И про смерть Пети она не знала, и дочь обожала, и желает теперь перед внучкой вину загладить! И ведь я ей вначале поверила! Нестыковки потом полезли!

— Хорошо, что ей не достались деньги, — внезапно сказал Олег, — и Лариса их не нашла.

— Да уж, — хмыкнул Гоша, — Ларису Дмитриевну внезапно начала мучить совесть, убитый сын приходил во сне к матери и молчал, глядя на нее. Лариса даже хотела менять квартиру, думала на новом месте все забыть. Но ведь она представила всем дело так, будто сын просто уехал, Виталик остался прописанным в доме, продажа или обмен жилплощади в таком случае не простое дело. Первое время после всего произошедшего Лариса растерялась, пала духом, перестала следить за собой. Кстати, она постоянно сама искала тайник и даже добралась до склепа Глебкиных. Но там на нее наткнулся Митрич, и Лариса, обозрев памятник, ушла. Она не догадалась о «сейфе», спрятанном в надгробии, да и как бы ей додуматься до такого?

Поняв, что деньги уплыли из рук, Лариса постепенно успокоилась, милиция не пришла арестовывать сыноубийцу, во дворе все считали, что Виталик просто сбежал от злой матери. Потом Лариса через соседку Владу запустила слух о том, что Виталик живет в Сибири, и скоро все прочно забыли о парне. Представляете теперь, как она всполошилась, увидев Виолу?

— Виду она, между прочим, не подала, — возразила я, — была любезна, очень хвалила Лизу и ругала Нину с Сергеем.

— Ясное дело, — кивнул Гоша, — давала понять, что любила Лизу и вроде как жалеет о ее смерти!

— Еще она написала мне телефон близкой подруги Лизы Ксюши Жизневой. Почему?

Гоша улыбнулся:

— Все по той же причине. Отводила от себя подозрение, и потом, Лариса Дмитриевна знала, что Ксюши давно нет в России.

Но после твоего визита она сильно занервничала, с ней случился сердечный припадок, и ее отвезли в клинику.

— Это случилось из-за меня?

— Я бы по-другому ставил вопрос, — нахмурился Гоша, — это произошло из-за того, что Лариса Дмитриевна сначала вместе с Петром Поповым запланировала убийство Лизы, а потом Виталика. Выпроводив Виолу, Лариса заметалась по квартире. Она кинулась было собирать вещи, но потом поняла, что прятаться ей негде, и упала с сердечным приступом. Впрочем, сейчас Глебкина выздоравливает, и скоро ее переведут в сизо. Но предвижу большие сложности. Придется попотеть, чтобы доказать: Райская, Петя и Маша некоторое время провели в квартире у Ларисы Дмитриевны. Свидетелей их пребывания нет. Сама Лариса сначала призналась во всех преступлениях, потом стала с пеной у рта кричать: «Меня вынудили оговорить себя, били, угрожали!» Значит, теперь придется искать свидетелей, доказательство очень трудное дело.

— Кажется, могу помочь, — тихо сказала я, — на кухне у Ларисы Дмитриевны есть экран для батареи, который одновременно служит полкой, на нем вместе с газетами лежит серьезный, специальный журнал «Главбух». Я еще очень удивилась, когда увидела его среди кипы желтой прессы, впрочем, подумала, что хозяйка бухгалтер, вот и приобрела для себя издание, которое должно помогать в работе. Но теперь-то я знаю, что Глебкина — преподаватель. Журнал забыла Райская, Лена, ее подруга, рассказывала, что Марина постоянно совершенствовалась в профессии, училась, и она изучала «Главбух», считала его лучшим среди профессиональных журналов. Уж не знаю, можно ли на нем сейчас обнаружить отпечатки пальцев Райской, но Лена говорила, что Маринка очень не любила, когда кто-нибудь брал ее рабочие материалы. Она даже «Главбух» подписывала, на первой странице всегда отмечала: «Журнал принадлежит М. Райской. Просьба не брать».

Если найдете в квартире Глебкиной «Главбух» с такой надписью, Ларисе Дмитриевне будет трудно объяснить, каким образом журнал попал к ней в дом. Придется ей признаться: Райская какое-то время находилась в ее квартире.

— Вилка! — воскликнул Гоша, — Ты гений! В голову бы не пришло просматривать «Главбух».

— Страх берет, сколько подлых людей на свете, — подытожил наш разговор Олег.

Я внимательно посмотрела на мужа:

— Ты не прав.

— Да ну? — вздернул брови Олег. — Петр выкидывает с балкона Лизу, убивает Виталика, Лариса Дмитриевна осуществляет идейное руководство операцией, парочка задумала уничтожить Райскую, да и Машу бы в живых не оставили. Роза Михайловна любит только деньги, больше на этом свете ее ничто не волнует. Ее умирающую дочь везут в больницу, а милая маменька начинает обыскивать квартиру...

— Ты вспомни Митрича, — перебила я его, —

Сирену Львовну, Марину Райскую, которая спасала чужого ребенка.

— Она спасала себя, — жестко возразил Олег.

— Но ведь не бросила девочку, — парировала я, — взяла с собой, не побоялась трудностей и ответственности! Уехала в никуда с крошкой. Это героический поступок!

Олег притих, потом вдруг тихо произнес:

— Знаешь, Вилка, меня привлекает в тебе глупость, перемешанная с наивностью, и безмерная доброта вкупе с редкой занудливостью, неумением врать и полным отсутствием хоть какой-либо логики. Одним словом, ты — настоящая женщина!

Я разинула рот. Он отругал меня или похвалил?

Эпилог

Петра Попова так и не нашли. Лично я предполагаю, что он давным-давно живет за границей, в каком-нибудь безвизовом государстве. Небось выехал туда по чужому паспорту. А может, затаился на родине. Россия велика. В нашей стране много крупных городов, в них стоят огромные дома, жители которых не знают друг друга в лицо. Естественно, Попова объявили в розыск. Но пока у нас служат такие милиционеры, как Сарпенко, Петру не о чем беспокоиться. Вот Ларисе Дмитриевне пришлось ответить за все. И хотя судьи, как правило, бывают неоправданно лояльны к пожилым женщинам, оказавшимся на скамье подсудимых, Глебкина получила по полной программе, и ей предстоит остаток жизни провести за колючей проволокой.

Роза Михайловна спокойно руководит своим бизнесом. Да и какие обвинения можно ей предъявить? Ни в одной стране мира не наказывают патологическую жадность. Квартиру, где жила Лиза, маменька наконец-то продала, а вот часы ей пришлось вернуть выздоровевшей Марине Райской.

Целый казус возник вокруг Маши. По закону Марина не имела на девочку никаких прав, но она ведь воспитала малышку, та звала ее мамой. Учитывая это, а также то, что настоящая мать Маши мертва, судья приняла беспрецедентное решение: девочка осталась у Райской, более того, она теперь может считать себя ее матерью на законных основаниях. Роман женился на Марине и удочерил Машеньку. Райская перестала скрываться под именем Елизаветы Семеновны Марченко, и они с мужем перебрались в другой город, чтобы не вызывать лишних разговоров. Роза Михайловна решение суда не оспаривала, внучкой не интересовалась, даже не захотела увидеть девочку. Как только ласковая бабуля узнала, что тайник ограблен, вся ее «любовь» к Маше испарилась, словно деньги из кошелька за день до получки.

Еще одна судебная волокита была затеяна вокруг маленького глухонемого Петеньки. Получалось, что он не подлежит усыновлению, так как имеет живого отца. Но Рита Клепикова, потратив тьму денег и времени, добилась своего: у нее снова есть сын, талантливый мальчик, обучающийся в художественной школе. Петя окружен любовью, завален игрушками, и теперь он счастливый, веселый, толстощекий ребенок.

Но все это будет потом, а в тот день, когда Гоша рассказал мне о деле, я принеслась домой, плюхнулась за стол и застрочила по бумаге. Пару раз Олег заглядывал в комнату, и меня, честно говоря, это бесило.

Когда муж снова приоткрыл дверь, я рявкнула:

— Нельзя ли оставить меня в покое! — но тут же осеклась и оторвалась от работы. — Прости, милый. Забыла тебе сказать «спасибо» за чудесный подарок.

— Кушай на здоровье, — улыбнулся Олег, — знаешь, Вилка, я люблю тебя!

У меня тут же пропало хорошее настроение. Я подлетела к супругу и приказала:

— Немедленно рассказывай все!

— Что? — опешил он.

— Ты рубашки сам стирал?

— Ну... да.

— Почему?

Олег молчал.

— Кто тебе готовил мясо с луком-пореем?

— Что? Какое мясо?

— Мы не употребляем порей, а ты его нахваливал...

— А... а... Я в нашей столовой ел! Жутко вкусно!

— Почему ходил звонить по телефону в ванную?

— Кто? Я?

— Ты.

— Понятия не имею, — удивился Куприн, — где мобильник зазвонил, там я и ответил, мог бы и в туалете!

— Торт зачем принес?

— Какой?

— «Полет».

— Так тебе купил!

— С какой стати?

— Вилка, ты что, заболела?

— Кто такая Леся Комарова? Она тебе звонила. Только не ври!!!

— Леся... Леся... Леся, а!!! Наш эксперт по баллистике. Обычное дело, рабочий вопрос обсуждали. А что?

— Ничего, — процедила я, — ей сколько лет?

Олег почесал в затылке.

— Ну... не скажу точно, она уже на пенсии, но пока работает, совершенно уникальный специалист.

— Почему ты во сне произносил ее имя?

— Я?

— Ты.

— Во сне?

— Да!!! И где ты ночевал?

— Когда?

— Тогда!!! Ты завел себе любовницу, а я...

Из меня полились вперемежку со слезами и соплями слова:

— Звонили... книга... романтический вечер...

Внезапно Олег обнял меня.

— Вилка! Я люблю тебя!

— А по телефону не захотел сказать!

— Когда?

— На юбилее у Нели!

— Там же полно народа было, — вздохнул Олег, — прикинь, все едят, а я сюсюкаю. Кстати, мне тоже звонили, анонимно, сказали, что у тебя есть любовник. Я стал присматриваться, книгу купил Эли Малеевой про измену жены и еще больше испугался. Вот смотри...

Олег подошел к тумбочке, вытащил томик и стал читать вслух:

— «Вы должны насторожиться, если супруга вдруг меняет привычки, покупает сексуальное белье, устраивает вам стриптиз или вышвыривает вашу постель в другую комнату».

— Малеева, дрянь! — заорала я. — Мне-то она советовала устроить перед тобой пляски с раздеванием.

— А еще Леша Золотов рассказал, что ты из-за любовника дралась!

— А тебя Томочка видела с бабой у красной машины!

— Вилка! Эта тетка — жена нашего Кузьмича, Елена Сергеевна, мы с ней вместе в ОВИР ездили, он меня попросил супруге помочь! Я же не могу генералу отказать, да еще такому, как наш Кузьмич!

— А рубашки?

— Рубашки... вспомнил! — хлопнул себя по лбу Олег. — Вывалил себе на пузо соус в столовой и застирал! Подумал, ты ругаться станешь!

— И что, так несколько раз случилось?

— Ты не поверишь, — вздохнул Олег, — да! В понедельник подливкой извазюкался, во вторник кетчупом, в среду кусок селедки уронил. Между прочим, стоит мне запачкаться, как ты издеваться начинаешь: «Вот какой живот отрастил! Все на него и сыплется, худеть пора». Между прочим, очень неприятно, когда над тобой хихикают... Может, правда, я стал старым, толстым кабаном? Не нужен тебе... Да и какой от меня толк? Дома практически не бываю, зарабатываю мало... но я тебя люблю. Ты поняла, почему я тебе подарок сделал? Между прочим, Гошу долго уговаривать пришлось, но я очень хотел, чтобы именно в этот день он все рассказал. Я понял, как тебе нужно написать книгу.

— В какой день? — растерялась я. — Обычное число!

— Это дата нашей с тобой первой встречи, — тихо сказал Олег.

Я поморгала секунду, потом бросилась Куприну на шею.

— Ты мой любимый, престарелый кабанчик! Мне никто не нужен, кроме тебя. Я самая счастливая жена на свете. Господи, книги этой дуры Эли Малеевой следует сжечь!

— Малеева тут ни при чем, — ответил Олег, — над нами поиздевался какой-то шутник. Звонил тебе и мне, нарочно нас ссорил.

— Зачем?!

— Ну, встречаются идиоты, попробую найти эту личность, — вздохнул Куприн, — впрочем, основная масса людей стадию таких шуток переживает в детстве, редко кто способен на подобное в зрелом возрасте. Помнишь, ты мне рассказывала, как вы с Томуськой отправили какую-то несчастную тетку на вокзал, встречать там блохастых Ивана, Галю, Таню, приехавших из провинции с живым поросенком?

Я хихикнула:

— Да.

— Сейчас бы ты могла проделать такое?

— Нет, конечно. Но, согласись, шутка про поросенка — это не сообщение жене об измене мужа! Такого мы никогда не делали!!!

— Естественно... — начал Куприн, но тут в дверь позвонили.

Мы с Олегом вышли в прихожую. Опрометчиво не посмотрев в «глазок», я распахнула дверь и вздрогнула.

На пороге высился огромный мужик, ростом метра два, не меньше, рядом стояли две щуплые белобрысые девицы лет по десять.

— Здрасте, — пробасил дядька, — я Иван, а вы кто?

— Виола, — машинально ответила я.

— Ну классно, — зашумел мужик, — это девки мои, Галька и Танька.

Девчонки быстро закивали взлохмаченными головенками.

— Вы кто? — попятилась я.

— Так брат Наташин, — ответил Иван, — из Кутьевска. Мы в Москву, на экскурсию. Прямо с поезда.

— Кто?

— Вы Виола?

— Да.

— Ленинида дочка?

— Верно.

— Ну так ваш отец на моей сеструхе женат, — объяснил Иван.

— Ленинид! — заорала я. — Иди немедленно сюда!

Папашка высунулся из детской.

— Чего орешь? Никитку разбудишь, еле утряс мальца!

— К тебе гости.

Папенька разинул рот.

— Где?

— Вот они.

— Кто?

— Смотри прямо.

— Не знаю их, — заявил Ленинид.

— Да Иван я, — завел мужик, — Наташкин брат из Кутьевска, это Галка с Танькой, неужто сеструха не рассказывала?

Внезапно раздался пронзительный визг. Я вздрогнула и попятилась.

— Это что?

— Поросенок, — хором ответили девчонки и разом указали на шевелящийся мешок у своих ног, — мы вам из Кутьевска подарок приперли. Кабанчика.

— Живого? — обалдело спросил папенька.

— Знамо дело, не дохлого, — серьезно ответила Таня, — чтоб в дороге не стух.

— Папа его в ванной прирежет, — подхватила Галя, — и колбасу сделает.

Внезапно мне стало дурно. Ваня, Галя, Таня и живой поросенок. Такого просто не может быть, сейчас у нас в коридоре стоит оживший наш с Томочкой детский розыгрыш.

Чувствуя, как земля уходит из-под ног, я схватила сумочку и кинулась на лестницу.

— Ты куда? — взвыл папенька.

— По делам.

— А мне чего с ними делать?

— Не знаю, твои гости, вот сам и разбирайся! — выкрикнула я и, не став дожидаться лифта, понеслась вниз, перепрыгивая через две ступеньки.

Милые мои, никогда не совершайте никаких дурацких поступков, не следует разыгрывать незнакомых, судьба потом отомстит вам. И еще — не ревнуйте мужа. Я-то теперь хорошо знаю, что ревность — это значит: ничего не знать, иметь богатое воображение и бояться всего.

Донцова Д. А.

Д 67 Главбух и полцарства в придачу: Роман. — М.: Изд-во Эксмо, 2004. — 384 с. (Иронический детектив).

Черт меня дернул согласиться отвезти сына моей многодетной подруги в Вязьму! Нет бы сесть за новую книгу! Ведь я, Виола Тараканова, ни строчки еще не написала. Дело в том, что все мои детективы основаны на реальных событиях. Но увы, ничего захватывающего до недавнего времени вокруг не происходило, разве что мой муж майор Куприн, кажется, завел любовницу. Ну да это никому, кроме меня, не интересно!.. На обратном пути из Вязьмы в купе убили попутчицу Лизу Марченко, а в моей сумке оказались ее безумно дорогие часы. Я просто обязана их вернуть, тем более что у Лизы осталась маленькая дочь Машенька. Но, приехав в семью Марченко, я узнала, что Лиза выбросилась с балкона несколько лет назад, когда исчезла ее грудная дочь Маша, которую похитил сбежавший муж и его любовница. Так кто же ехал со мной в купе и кого убили, а?..

УДК 882
ББК 84(2Рос-Рус)6-4

ISBN 5-699-04832-4

Оформление серии художника *В. Щербакова*

Литературно-художественное издание

Донцова Дарья Аркадьевна

ГЛАВБУХ И ПОЛЦАРСТВА В ПРИДАЧУ

Ответственный редактор *О. Рубис*
Редактор *Т. Семенова*
Художественный редактор *В. Щербаков*
Художник *Е. Рудько*
Технический редактор *Н. Носова*
Компьютерная верстка *А. Щербакова*
Корректор *З. Харитонова*

ООО «Издательство «Эксмо».
127299, Москва, ул. Клары Цеткин, д. 18, корп. 5. Тел.: 411-68-86, 956-39-21.
Интернет/Home page — www.eksmo.ru
Электронная почта (E-mail) — **info@ eksmo.ru**

Подписано в печать с готовых монтажей 30.12.2003.
Формат 84x108 1/32. Гарнитура «Таймс». Печать офсетная.
Бумага газетная. Усл. печ. л. 20,16. Уч.-изд. л. 15,2.
Доп. тираж 25 000 экз. Заказ № 0315322.

Отпечатано на MBS в полном соответствии
с качеством предоставленного оригинал-макета
в ОАО «Ярославский полиграфкомбинат»
150049, Ярославль, ул. Свободы, 97.